中华人民共和国法律释义丛书

全国人民代表大会常务委员会法制工作委员会　编

中华人民共和国
劳动合同法释义

主　编：信春鹰（全国人大常委会法制工作委员会副主任）

阚　珂（全国人大常委会法制工作委员会副主任）

副主编：李　援（全国人大常委会法制工作委员会行政法室主任）

张世诚（全国人大常委会法制工作委员会行政法室副主任）

滕　炜（全国人大常委会法制工作委员会社会法室主任）

法律出版社

图书在版编目(CIP)数据

中华人民共和国劳动合同法释义 / 全国人大常委会法制工作委员会编. -- 2 版. -- 北京 : 法律出版社，2013.3(2018.11 重印)

ISBN 978-7-5118-4632-7

Ⅰ. ①中… Ⅱ. ①全… Ⅲ. ①劳动合同-合同法-法律解释-中国 Ⅳ. ①D922.525

中国版本图书馆 CIP 数据核字(2013)第 035558 号

中华人民共和国劳动合同法释义
ZHONGHUA RENMIN GONGHEGUO LAODONG HETONGFA SHIYI

全国人大常委会法制工作委员会 编

责任编辑 麦 锐
装帧设计 李 瞻

出版 法律出版社
总发行 中国法律图书有限公司
经销 新华书店
印刷 北京玺诚印务有限公司
责任印制 吕亚莉

编辑统筹 法规出版分社
开本 850 毫米×1168 毫米 1/32
印张 15
字数 291 千
版本 2013 年 3 月第 2 版
印次 2018 年 11 月第 3 次印刷

法律出版社/北京市丰台区莲花池西里 7 号(100073)
网址/www.lawpress.com.cn
投稿邮箱/info@lawpress.com.cn
举报维权邮箱/jbwq@lawpress.com.cn
销售热线/010-83938336
咨询电话/010-63939796

中国法律图书有限公司/北京市丰台区莲花池西里 7 号(100073)
全国各地中法图分、子公司销售电话：
统一销售客服/400-660-6393
第一法律书店/010-83938334/8335　西安分公司/029-85330678　重庆分公司/023-67453036
上海分公司/021-62071639/1636　深圳分公司/0755-83072995

书号:ISBN 978-7-5118-4632-7　**定价**:58.00 元
(如有缺页或倒装,中国法律图书有限公司负责退换)

总　　序

人类文明的历史上，还没有哪一个时代像中国的改革开放40年一样，在历史长河中掀起如此巨大的浪花——它不仅深刻改变了一个国家的面貌与精神气质、使数亿人摆脱贫困，还极大地改变了世界格局。

1978，在那一年的年底，中共中央一次全体会议——十一届三中全会扭转了中国的前进方向，开辟了一个时代。回首过去，我们发现，一些观念从那时开始在中国出现，一些声音从那时开始逐渐响起，一些人物开始登上历史舞台。从这一年开始，随着“加强社会主义民主，健全社会主义法制”历史性任务的提出，“法制”两个字进入了人们的视野；政法机关开始恢复重建；法律院系开始蓬勃发展。一部部法律从庙堂走进了人们的生活，一次次裁决推动着国家前进的脚步。从“有法可依、有法必依、执法必严、违法必究”到“科学立法、严格执法、公正司法、全民守法”；从“法制”到“法治”；从法治观念的形成到“依法治国，建设社会主义法治国家”写进宪法，再到“法治国家、法治政府、法治社会一体建设”，人们对法治的认识步步深入，中国的改革不断向前推进，结出丰硕的果实。在中国共产党的带领下，这个励精图治的古老国度，再一次创造了改革的奇迹。

40年发生了无数故事,40年产生了许多事物。为了纪念这难忘的40年,本社组织编辑出版了一批“纪念改革开放40周年”主题图书。这些图书,将40年来颁布的重要法律及其释义甄选汇集,将法学领域有代表性的学术论文萃取精编,把有关政法机关的重建、法律院系的重生与发展进行展现,将一批被时代改变命运的人物再次唤起。我们希望从法律与法律人的视角,重新审视过去的40年,认真体会这不平凡的40年。

如江河东下,逝者如斯。岁月总会过去,人事总有代谢,但一个不平凡的时代留下的深刻痕迹,永远不会磨灭。“不忘初心,牢记使命”,习近平总书记在党的十九大报告中向全党发出的号召,使我们有理由期待,下一个40年,中国将更加惊艳!

法律出版社编辑委员会

2018年10月

出 版 前 言

《中华人民共和国法律释义丛书》是由全国人大常委会法制工作委员会组织编辑的一套系列丛书。

该套丛书由一系列法律释义组成。邀请有关专家、学者和部分参与立法的同志编著。该丛书坚持以准确地反映立法宗旨和法律条款内容为最基本要求，在每部法律释义中努力做到观点的权威性和内容解释的准确性。

我们相信，该套丛书的陆续出版，将会给广大读者进一步学好法律提供有益的帮助。

重印说明

本次重印，是为改革开放40周年制作的特别纪念版，为了保持内容原貌，未对正文和附录作实质修改。个别法条内容有修订或修正的，以脚注形式作了标注。特此说明。

2018年10月

目　　录

第一部分　释　　义

第一章　总则 …………………………………………（1）
第一条　【立法宗旨】 …………………………………（1）
第二条　【适用范围】 …………………………………（5）
第三条　【基本原则】 …………………………………（8）
第四条　【规章制度】 …………………………………（13）
第五条　【协调劳动关系三方机制】 ……………………（17）
第六条　【集体协商机制】 ……………………………（21）
第二章　劳动合同的订立 ………………………………（24）
第七条　【劳动关系的建立】 …………………………（24）
第八条　【用人单位的告知义务和劳动者的说明义务】 ……………………………………………（26）
第九条　【用人单位不得扣押劳动者证件和要求提供担保】 ……………………………………（30）
第十条　【订立书面劳动合同】 ………………………（31）
第十一条　【未订立书面劳动合同时劳动报酬不明确的解决】 ………………………………（35）
第十二条　【劳动合同的种类】 ………………………（37）
第十三条　【固定期限劳动合同】 ……………………（40）

第十四条 【无固定期限劳动合同】 ……………… （41）
第十五条 【以完成一定工作任务为期限的劳动合同】 …………………………………… （48）
第十六条 【劳动合同的生效】 ………………… （49）
第十七条 【劳动合同的内容】 ………………… （51）
第十八条 【劳动合同对劳动报酬和劳动条件约定不明确的解决】 ……………………… （60）
第十九条 【试用期】 ………………………………… （62）
第二十条 【试用期工资】 ……………………… （67）
第二十一条 【试用期内解除劳动合同】 ……… （71）
第二十二条 【服务期】 ………………………… （73）
第二十三条 【保密义务和竞业限制】 ………… （77）
第二十四条 【竞业限制的范围和期限】 ……… （82）
第二十五条 【违约金】 ………………………… （85）
第二十六条 【劳动合同的无效】 ……………… （89）
第二十七条 【劳动合同部分无效】 …………… （92）
第二十八条 【劳动合同无效后劳动报酬的支付】 ………………………………… （94）
第三章 劳动合同的履行和变更 ………………… （96）
第二十九条 【劳动合同的履行】 ……………… （96）
第三十条 【劳动报酬】 ………………………… （98）
第三十一条 【加班】 …………………………… （105）
第三十二条 【劳动者拒绝违章指挥、强令冒险作业】 ……………………………… （114）
第三十三条 【用人单位名称、法定代表人等的变更】 ……………………………… （117）
第三十四条 【用人单位合并或者分立】 ……… （118）

第三十五条　【劳动合同的变更】……………… (121)
第四章　劳动合同的解除和终止 ……………… (127)
第三十六条　【协商解除劳动合同】……………… (127)
第三十七条　【劳动者提前通知解除劳动合同】
…………………………………… (128)
第三十八条　【劳动者解除劳动合同】………… (130)
第三十九条　【用人单位单方解除劳动合同】…… (136)
第四十条　【无过失性辞退】…………………… (141)
第四十一条　【经济性裁员】…………………… (144)
第四十二条　【用人单位不得解除劳动合同的情形】…………………………… (155)
第四十三条　【工会在劳动合同解除中的监督作用】…………………………… (160)
第四十四条　【劳动合同的终止】……………… (163)
第四十五条　【劳动合同的逾期终止】………… (170)
第四十六条　【经济补偿】……………………… (172)
第四十七条　【经济补偿的计算】……………… (179)
第四十八条　【违法解除或者终止劳动合同的法律后果】………………………… (184)
第四十九条　【社会保险关系跨地区转移接续】
…………………………………… (185)
第五十条　【劳动合同解除或者终止后双方的义务】……………………………… (186)
第五章　特别规定 ………………………………… (191)
第一节　集体合同 ……………………………… (191)
第五十一条　【集体合同的订立和内容】……… (191)
第五十二条　【专项集体合同】………………… (196)

第五十三条　【行业性集体合同、区域性集体合同】…………………………（199）
第五十四条　【集体合同的报送和生效】………（202）
第五十五条　【集体合同中劳动报酬、劳动条件等标准】…………………………（205）
第五十六条　【集体合同纠纷和法律救济】……（207）
第二节　劳务派遣 ……………………………（210）
第五十七条　【劳务派遣单位的设立】…………（218）
第五十八条　【劳务派遣单位、用工单位及劳动者的权利义务】…………………（227）
第五十九条　【劳务派遣协议】…………………（233）
第六十条　【劳务派遣单位的告知义务】………（237）
第六十一条　【跨地区派遣劳动者的劳动报酬、劳动条件】………………………（241）
第六十二条　【用工单位的义务】………………（247）
第六十三条　【被派遣劳动者同工同酬】………（254）
第六十四条　【被派遣劳动者参加或者组织工会】…………………………………（259）
第六十五条　【劳务派遣中解除劳动合同】……（265）
第六十六条　【劳务派遣的适用岗位】…………（270）
第六十七条　【用人单位不得自设劳务派遣单位】…………………………………（285）
第三节　非全日制用工 ………………………（286）
第六十八条　【非全日制用工的概念】…………（286）
第六十九条　【非全日制用工的劳动合同】……（289）
第七十条　【非全日制用工不得约定试用期】……（291）
第七十一条　【非全日制用工的终止用工】……（293）

第七十二条　【非全日制用工的劳动报酬】……（295）
第六章　监督检查……（298）
第七十三条　【劳动合同制度的监督管理体制】……（298）
第七十四条　【劳动行政部门监督检查事项】……（300）
第七十五条　【监督检查措施和依法行政、文明执法】……（305）
第七十六条　【其他有关主管部门的监督管理】……（307）
第七十七条　【劳动者权利救济途径】……（310）
第七十八条　【工会监督检查的权利】……（312）
第七十九条　【对违法行为的举报】……（314）
第七章　法律责任……（318）
第八十条　【规章制度违法的法律责任】……（318）
第八十一条　【缺乏必备条款、不提供劳动合同文本的法律责任】……（324）
第八十二条　【不订立书面劳动合同的法律责任】……（329）
第八十三条　【违法约定试用期的法律责任】……（334）
第八十四条　【扣押劳动者身份证等证件的法律责任】……（338）
第八十五条　【未依法支付劳动报酬、经济补偿等的法律责任】……（346）
第八十六条　【订立无效劳动合同的法律责任】……（351）
第八十七条　【违反解除或者终止劳动合同的法律责任】……（354）

第八十八条 【侵害劳动者人身权益的法律责任】……(356)
第八十九条 【不出具解除、终止书面证明的法律责任】……(362)
第九十条 【劳动者的赔偿责任】……(365)
第九十一条 【用人单位的连带赔偿责任】……(368)
第九十二条 【劳务派遣的法律责任】……(370)
第九十三条 【无营业执照经营单位的法律责任】……(376)
第九十四条 【个人承包经营者的连带赔偿责任】……(378)
第九十五条 【不履行法定职责、违法行使职权的法律责任】……(380)
第八章 附则……(384)
第九十六条 【事业单位聘用制劳动合同的法律适用】……(384)
第九十七条 【过渡性条款】……(387)
第九十八条 【施行时间】……(391)
【劳动合同法修改决定中的过渡条款】……(392)

第二部分 附 录

全国人民代表大会法律委员会关于《中华人民共和国劳动合同法(草案)》修改情况的汇报
——2006 年 12 月 24 日在第十届全国人民代表大会常务委员会第二十五次会议上……(399)
全国人民代表大会法律委员会关于《中华人民共和

国劳动合同法(草案二次审议稿)》修改情况的汇报
——2007 年 4 月 24 日在第十届全国人民代表大会常务委员会第二十七次会议上 …………… (411)
全国人民代表大会法律委员会关于《中华人民共和国劳动合同法(草案三次审议稿)》审议结果的报告
——2007 年 6 月 24 日在第十届全国人民代表大会常务委员会第二十八次会议上 …………… (417)
全国人民代表大会法律委员会关于《中华人民共和国劳动合同法(草案四次审议稿)》修改意见的报告
——2007 年 6 月 28 日在第十届全国人民代表大会常务委员会第二十八次会议上 ………………… (421)
全国人民代表大会法律委员会关于《中华人民共和国劳动合同法修正案(草案)》审议结果的报告…… (425)
全国人民代表大会法律委员会关于《全国人民代表大会常务委员会关于修改〈中华人民共和国劳动合同法〉的决定(草案)》修改意见的报告 ………… (429)
中华人民共和国劳动合同法修正案(草案) ………… (431)
关于《中华人民共和国劳动合同法修正案(草案)》的说明 ………………………………………… (433)
全国人民代表大会常务委员会关于修改《中华人民共和国劳动合同法》的决定 ……………………… (438)
中华人民共和国劳动合同法(2012 年最新修正版)…… (441)

后　记 …………………………………………………… (465)

第一部分　释　义

第一章　总　则

第一条　为了完善劳动合同制度，明确劳动合同双方当事人的权利和义务，保护劳动者的合法权益，构建和发展和谐稳定的劳动关系，制定本法。

【释义】　本条是关于劳动合同法立法宗旨的规定。

立法宗旨也称立法目的。本条规定的立法宗旨有三层意思：

一、完善劳动合同制度，明确劳动合同双方当事人的权利和义务

劳动合同是市场经济体制下用人单位与劳动者进行双向选择、确定劳动关系、明确双方权利和义务的协议，是保护劳动者合法权益的基本依据。改革开放以后，随着计划经济向市场经济的转变，我国开始对计划经济下的固定工制度进行改革。1986 年国务院发布了《国营企业实行劳动合同制暂行规定》，决定在国营企业新招收的职工中实行劳动合同制，开

始打破劳动用工制度上的“铁饭碗”。1994年通过的《劳动法》将劳动合同制度作为法定的用工制度，规定适用不同所有制的用人单位，劳动者也从新招用的职工扩大到所有的劳动者，不分固定工和临时工，不分管理人员和普通工人。《劳动法》对劳动合同作了专章规定，是我国现行劳动合同制度的主要法律依据。《劳动法》的制定，标志着我国劳动合同制度的正式建立。《劳动法》实施十多年来的实践证明，《劳动法》确立的劳动合同制度，对于破除传统计划经济体制下行政分配用工的劳动用工制度、建立与社会主义市场经济体制相适应的用人单位与劳动者双向选择的劳动用工制度、实现劳动力资源的市场配置、促进劳动力的合理流动，发挥了十分重要的作用。但是，随着我国市场经济的建立和发展，劳动用工情况多样化，劳动关系发生了巨大的变化，出现一些新型的劳动关系，如非全日制用工、劳务派遣工、家庭用工、个人用工。同时，在实行劳动合同制的过程中出现一些问题，如用人单位不签订劳动合同、劳动合同短期化、滥用试用期、用人单位随意解除劳动合同、将正常的劳动用工变为劳务派遣等，侵害了劳动者的合法权益，破坏了劳动关系的和谐稳定，也给整个社会的稳定带来隐患。因此，有必要根据现实存在的问题对劳动合同制度做进一步的完善。制定《劳动合同法》，就是要规范劳动合同的订立、履行、变更、解除或者终止行为，明确劳动合同中双方当事人的权利和义务，促进和谐稳定的劳动关系的建立，预防和减少劳动争议的发生。

二、保护劳动者的合法权益

《劳动合同法》的立法宗旨是保护劳动者的合法权益,还是保护劳动者和用人单位的合法权益?也就是说,是"单保护"还是"双保护",是劳动合同立法中争论的一个"焦点"问题。在公开征求意见和审议中,一种观点认为,《劳动合同法》应当体现"双保护",既要保护劳动者的合法权益,也要保护用人单位的合法权益。因为劳动合同也是一种合同,是在平等自愿、协商一致的基础上达成的,理应平等保护合同双方当事人的权利。只保护劳动者的合法权益,偏袒了劳动者,加大了用人单位的责任,束缚了用人单位的用人自主权,加重了用人单位的经济负担,损害了用人单位的利益,将会使劳动关系失去平衡,最后也必然损害劳动者的利益。有的人甚至还认为,如果本法过分保护劳动者,不顾及用人单位的利益,将会误导境内外投资者认为中国的法律不保护投资者的合法利益,这样会伤害投资者的感情,不利于我国吸引外资的政策。但是多数意见认为,应当旗帜鲜明地保护劳动者的合法权益。因为我国目前的现实状况是劳动力相对过剩,资本处于强势,劳动者处于弱势,劳动者与用人单位力量对比严重不平衡,实践中侵害劳动者合法权益的现象比较普遍。《劳动合同法》作为一部规范劳动关系的法律,其立法价值在于追求劳资双方关系的平衡。实践中由于用人单位太强势,而劳动者过于弱势,如果对用人单位和劳动者进行同等保护,必然导致劳资双方关系不平衡,背离《劳动合同法》应有的价值取向。规定平等自愿订立劳动合同的原则并不能改变劳动关系实际上不平等的状况,要使劳动合同制度真正在保持我国劳动关系的和谐稳定方面发挥更积极的作用,就要向劳动者倾斜。

考虑到《劳动合同法》是一部社会法,劳动合同立法应着眼于解决现实劳动关系中用人单位不签订劳动合同、拖欠工资、劳动合同短期化等诸多侵害劳动者利益的问题。所以,从构建和谐稳定的劳动关系的目标出发,立法应当定位于向劳动者倾斜。

三、构建和发展和谐稳定的劳动关系

《劳动合同法》是实现劳动力资源的市场配置、促进劳动关系和谐稳定的重要法律制度。构建和发展和谐稳定的劳动关系是劳动合同法的最终价值目标。法律是社会关系和社会利益的调整器,任何立法都是对权利义务的分配和社会利益的配置,立法必须在多元利益主体之间寻找结合点,努力寻求各种利益主体之间特别是同一矛盾体中相对方之间的利益平衡。在劳动关系中,应当承认劳动者一方是弱势,但是,如果立法过分扩大劳动者的权益,加大企业责任,就会使企业用人自主权受到束缚,难以实行优胜劣汰的灵活管理,影响人力资源的优化配置,最终影响企业的市场竞争力。如果劳动者权益保护不到位,对企业责任要求过少,就会影响劳动力供给,不利于高素质的健康的职工队伍的形成,最终企业利益也会受到损害。因此,劳动合同立法要在公民的劳动权和用人单位的企业责任之间找到适当的平衡点,确保劳动关系和谐。

目前我国劳动用工中普遍实行劳动合同制度,将劳动合同制度化、法律化,明确劳动合同双方当事人的权利和义务,有利于建立稳定的劳动关系、减少劳动争议的发生,有利于保护劳动者和用人单位的双方的合法权益。因此,《劳动合同法》从构建和谐社会的大局出发,确立了构建和发展和谐稳定的劳动关系的最终目标。

第二条　中华人民共和国境内的企业、个体经济组织、民办非企业单位等组织(以下称用人单位)与劳动者建立劳动关系,订立、履行、变更、解除或者终止劳动合同,适用本法。

国家机关、事业单位、社会团体和与其建立劳动关系的劳动者,订立、履行、变更、解除或者终止劳动合同,依照本法执行。

【释义】　本条是关于劳动合同法适用范围的规定。

《劳动法》第2条对劳动法的适用范围作了规定。根据《劳动法》第2条和1995年劳动部《关于贯彻执行〈中华人民共和国劳动法〉若干问题的意见》,劳动法的适用范围具体为:(1)各类企业和与之形成劳动关系的劳动者;(2)个体经济组织和与之形成劳动关系的劳动者;(3)国家机关、事业组织、社会团体实行劳动合同制度的以及按规定应实行劳动合同制度的工勤人员;(4)实行企业化管理的事业组织的人员;(5)其他通过劳动合同与国家机关、事业组织、社会团体建立劳动关系的劳动者。排除了公务员和比照实行公务员制度的事业组织和社会团体的工作人员,以及农村劳动者(乡镇企业职工和进城务工、经商的农民除外)、现役军人和家庭保姆等。按照当时的设计,就是将劳动者分为两部分:一部分是公务员和参照公务员管理的人员,按照公务员进行管理;另一部分是工人,按照《劳动法》进行管理。随着市场经济的发展,劳动关系呈现多样化,《劳动法》的调整范围已不适应劳动关系客观发展的需要。因此,《劳动合同法》在《劳动法》的基础上,扩大了适用范围:增加了民办非企业单位等组织作为用人单位,并且将事业单位聘用制工作人员也纳入本法调整。此外,本法还根据征求意见的情况和现实劳动关系的需要,对非全日制用工作了专门规定。

一、企业、个体经济组织、民办非企业单位等组织

企业是以营利为目的的经济性组织,包括法人企业和非法人企业,是用人单位的主要组成部分,是本法的主要调整对象。个体经济组织是指雇工7人以下的个体工商户。民办非企业单位是指企业事业单位、社会团体和其他社会力量以及公民个人利用非国有资产举办的,从事非营利性社会服务活动的组织,如民办学校、民办医院、民办图书馆、民办博物馆、民办科技馆等,目前民办非企业单位超过30万家。

本条第1款采取列举加概括的方式明确了用人单位的范围,就是说除列举的三类用人单位外,本款还规定“等组织”。需要注意的是,这里的“等”,属于“等外”规定,也就是说,除列举的企业、个体经济组织、民办非企业单位三类组织外,其他组织与劳动者建立劳动关系,也适用本法。这三类组织以

外的组织如会计师事务所、律师事务所等，它们的组织形式比较复杂，有的采取合伙制，有的采取合作制，它们不属于本条列举的任何一种组织形式，但它们招用助手、工勤人员等，也要签订劳动合同。因此，也需要适用本法。

二、国家机关、事业单位和社会团体和与其建立劳动关系的劳动者

根据本条的规定，国家机关、事业单位、社会团体和与其建立劳动关系的劳动者，订立、履行、变更、解除或者终止劳动合同，依照本法执行。

1. 国家机关。这里的“国家机关”包括国家权力机关、国家行政机关、司法机关、国家军事机关、政协等。其录用公务员和聘任制公务员，适用《公务员法》，不适用本法；国家机关招用工勤人员，需要签订劳动合同，就要依照本法执行。

2. 事业单位。事业单位是否适用本法，可以分为三种情况：第一种是具有管理公共事务职能的组织，如证券监督管理委员会、保险监督管理委员会、银行业监督管理委员会等，其录用工作人员是参照公务员法进行管理，不适用本法。第二种是实行企业化管理的事业单位，这类事业单位与职工签订的是劳动合同，适用本法。第三种是事业单位，如医院、学校、科研机构等，有的劳动者与单位签订的是劳动合同，就要按照本法执行；有的劳动者与单位签订的是聘用合同，就要按照本法第 96 条的规定，即法律、行政法规和国务院另有规定的，依照其规定；未作规定的，依照本法有关规定执行。

3.社会团体。按照《社会团体登记管理条例》的规定,社会团体是指中国公民自愿组成、为实现会员共同意愿、按照其章程开展活动的非营利性社会组织。社会团体的情况也比较复杂:有的社会团体如党派团体,除工勤人员外,其工作人员是公务员,按照《公务员法》管理;此外,社会团体还有工会、共青团、妇联、工商联等人民团体和群众团体,文学艺术联合会、足球协会等文化艺术体育团体,法学会、医学会等学术研究团体,各种行业协会等社会经济团体,这些社会团体虽然《公务员法》没有明确规定参照管理,但实践中对列入国家编制序列的社会团体,除工勤人员外,其工作人员也是比照《公务员法》进行管理的。除此以外的多数社会团体,如果作为用人单位与劳动者订立的是劳动合同,就须依照本法进行调整。

三、非全日制用工和劳务派遣工

在征求意见和草案审议过程中,有些意见建议将一些灵活用工纳入《劳动合同法》的调整范围,如劳务派遣用工、非全日制用工、退休人员重新就业、非法用工等。因此,除规范正常的劳动合同用工外,《劳动合同法》还对劳务派遣、非全日制用工作了特别规定,尽可能地扩大本法的调整范围。考虑到《劳动合同法》是规范用人单位与劳动者之间订立劳动合同的法律规范,所以对家庭雇工、兼职人员、返聘的离退休人员等未作规定。

第三条　订立劳动合同,应当遵循合法、公平、平等自愿、协商一致、诚实信用的原则。

依法订立的劳动合同具有约束力，用人单位与劳动者应当履行劳动合同约定的义务。

【释义】 本条是关于劳动合同订立的原则和劳动合同的效力的规定。

一、劳动合同订立的原则

1. 合法原则。合法是劳动合同有效的前提条件。所谓合法，就是劳动合同的形式和内容必须符合法律、法规的规定。首先，劳动合同的形式要合法，如除非全日制用工外，劳动合同需要以书面形式订立，这是本法对劳动合同形式的要求。如果是口头合同，当双方发生争议，用人单位要承担不签订书面合同的法律后果。如本法第 82 条规定用人单位自用工之日起超过 1 个月但不满 1 年未与劳动者订立书面劳动合同的，应当向劳动者每月支付 2 倍的工资。其次，劳动合同的内容要合法。本法第 17 条规定了劳动合同的 9 项内容。有些内容，相关的法律、法规都有规定，用人单位和劳动者必须在法律规定的限度内作出具体规定。如关于劳动合同的期限，什么情况下应当订立固定期限，什么情况下应当订立无固定期限，应当符合本法的规定；关于工作时间，不得违法国家关于工作时间的规定；关于劳动报酬，不得低于当地最低工资标准；关于劳动保护，不得低于国家规定的劳动保护标准。如果劳动合同的内容违法，劳动合同不仅不受法律保护，当事人还要承担相应的法律责任。

2. 公平原则。公平原则，是指劳动合同的内容应当公平、合理。就是在符合法律规定的前提下,劳动合同双方公正、合理地确立了双方的权利和义务。有些合同内容,相关劳动法律、法规往往只规定了一个最低标准,在此基础上双方自愿达成协议,就是合法的,但有时合法的未必公平、合理。如同一个岗位,两个资历、能力都相当的人,工资收入差别很大,或者能力强的收入比能力差的还低,就是不公平。再比如用人单位提供少量的培训费用培训劳动者,却要求劳动者订立较长服务期的合同,而且在服务期内不按照正常工资调整机制提高工资。这些都不违反法律的强制性规定,但不合理、不公平。此外,还要注意的是,用人单位不能滥用其优势地位,迫使劳动者订立不公平的合同。

公平原则是社会公德的体现。将公平原则作为劳动合同订立的原则,可以防止劳动合同当事人尤其是用人单位滥用优势地位而损害劳动者的权利,有利于平衡劳动合同双方当事人的利益,有利于建立和谐稳定的劳动关系。

3.平等自愿原则。平等自愿原则包括两层含义:一是平等原则;二是自愿原则。所谓平等原则就是劳动者和用人单位在订立劳动合同时在法律地位是平等的,没有高低、从属之分,不存在命令和服从、管理和被管理的关系。只有地位平等,双方才能自由表达真实的意思。当然在订立劳动合同后,劳动者成为用人单位的一员,受用人单位的管理,处于被管理者的地位,用人单位和劳动者的地位就是不平等的了。这里讲的"平等",是法律上的平等,形式上的平等。在我国劳动力供大于求的形势下,多数劳动者和用人单位的地位实际上做不到平等。但用人单位不得利用优势地位，在订立劳动合同时附加不平等的条件。

自愿原则，是指订立劳动合同完全是出于劳动者和用人单位双方的真实意志，是双方协商一致达成的，任何一方不得把自己的意志强加给另一方。自愿原则包括订不订立劳动合同由双方自愿约定、与谁订劳动合同由双方自愿约定、合同的内容双方自愿约定等。根据自愿原则，任何单位和个人都不得强迫劳动者订立劳动合同。

4. 协商一致原则。协商一致就是用人单位和劳动者要对劳动合同的内容达成一致意见。合同是双方意思表示一致的结果。劳动合同也是一种合同，也需要劳动者和用人单位双方协商一致，达成合意，一方不能凌驾于另一方之上，不得把自己的意志强加给对方，也不能强迫命令、胁迫对方订立劳动合同。在订立劳动合同时，用人单位和劳动者都要仔细研究合同的每项内容，进行充分的沟通和协商，解决分歧，达成一致意见。只有体现双方真实意志的劳动合同，双方才能忠实地按照合同约定履行。现实中，劳动合同往往由用人单位提供格式合同文本，劳动者只需要签字就行了。有的格式合同文本对用人单位的权利规定得比较多、比较清楚，对劳动者的权利规定得少、规定得模糊。这样的劳动合同就很难说是协商一致的结果。因此，在使用格式合同时，劳动者要认真研究合同条文，对自己不利的要据理力争。

5. 诚实信用原则。也就是说，在订立劳动合同时要诚实，要讲信用。如在订立劳动合同时，双方都不得有欺诈行为。

根据本法第8条的规定，用人单位招用劳动者时，应当如实告知劳动者工作内容、工作条件、工作地点、职业危害、安全生产状况、劳动报酬以及劳动者要求了解的其他情况；用人单位有权了解劳动者与劳动合同直接相关的基本情况，劳动者应当如实说明。双方都不得隐瞒真实情况。现实中，有的用人单位不告诉劳动者职业危害，或者提供的工作条件与约定的不一样，等等；也有劳动者提供假文凭的情况。这些行为都违反了诚实信用原则。此外，现实中还有的劳动者与用人单位订立了劳动合同后又找到别的工作，就悔约，不到用人单位工作，这也违反了诚实信用原则。诚实信用既是《合同法》的一项基本原则，也是《劳动合同法》的一项基本原则，还是一项社会道德原则。

二、劳动合同的效力

劳动合同的效力就是劳动合同对当事人的约束力。根据本条的规定，依法订立的劳动合同具有约束力，用人单位与劳动者应当履行劳动合同规定的义务。劳动合同依法订立，就受法律保护。非依法律规定或者征得对方同意，任何一方不得擅自变更或者解除劳动合同，否则就要承担法律责任。具体劳动合同的生效时间，当事人可以在劳动合同中约定；没有约定的，应当自双方签字之日起生效。在理解本条时应当注意，劳动合同的生效时间和劳动关系的建立是两回事。劳动合同是劳动关系的表现形式：有的情况下劳动关系已建立，但并没有签订劳动合同；有的情况下劳动合同已生效，但并没有实际用工,劳动关系尚未建立。因此,违反劳动合同可以分为两种情况:一种是违反已经履行的劳动合同。这时劳动关系已建立,违反劳动合同约定,就要按照本法的规定承担违约责任。如本法第87条规定:用人单位违反本法规定解除或者终止劳动合同的,应当按照本法第47条规定的经济补偿标准的2倍向劳动者支付赔偿金。另一种就是违反已生效但尚未履行的劳动合同。这时劳动关系尚未建立,劳动合同法没有对在这种情况下违反劳动合同的责任作出规定,这就需要合同双方在订立劳动合同时约定。这时劳动合同约定了违约责任的,按约定办;没有约定违约责任,给对方造成损失的,应当承担赔偿责任。

第四条 用人单位应当依法建立和完善劳动规章制度,保障劳动者享有劳动权利、履行劳动义务。

用人单位在制定、修改或者决定有关劳动报酬、工作时间、休息休假、劳动安全卫生、保险福利、职工培训、劳动纪律以及劳动定额管理等直接涉及劳动者切身利益的规章制度或者重大事项时,应当经职工代表大会或者全体职工讨论,提出方案和意见,与工会或者职工代表平等协商确定。

在规章制度和重大事项决定实施过程中,工会或者职工认为不适当的,有权向用人单位提出,通过协商予以修改完善。

用人单位应当将直接涉及劳动者切身利益的规章制度和重大事项决定公示,或者告知劳动者。

【释义】 本条是关于用人单位规章制度和重大事项决定的规定。

一、用人单位应当依法建立和完善劳动规章制度

用人单位的规章制度是用人单位制定的组织劳动过程和进行劳动管理的规则和制度的总和,也称为企业内部劳动规则,是企业内部的“法律”。规章制度内容广泛,包括了用人单位经营管理的各个方面。根据1997年11月劳动部颁发的《关于对新开办用人单位实行劳动规章制度备案制度的通知》,规章制度主要包括:劳动合同管理、工资管理、社会保险福利待遇、工时休假、职工奖惩以及其他劳动管理规定。用人单位制定规章制度,要严格执行国家法律、法规的规定,保障劳动者的劳动权利,督促劳动者履行劳动义务。制定规章制度应当体现权利与义务一致、奖励与惩罚结合,不得违反法律、法规的规定。否则,就会受到法律的制裁。本法第80条规定:“用人单位直接涉及劳动者切身利益的规章制度违反法律、法规规定的,由劳动行政部门责令改正,给予警告;给劳动者造成损害的,用人单位应当承担赔偿责任。”

二、规章制度和重大事项的决定程序

规章制度的大多数内容与职工的权利密切相关,让广大职工参与规章制度的制定,可以有效地杜绝用人单位独断专行,防止用人单位利用规章制度侵犯劳动者的合法权益。

1.关于规章制度制定程序。职工参与企业民主管理,是

企业管理制度的一个重要内容。这不仅仅是我国社会主义企业管理的特色,也是世界范围内企业管理的一个趋势。职工如何参与企业管理,在哪些事项上、以什么形式和途径参与,我国的相关法律都作了规定。《劳动法》第 8 条规定:“劳动者依照法律规定,通过职工大会、职工代表大会或者其他形式,参与民主管理或者就保护劳动者合法权益与用人单位进行平等协商。”《工会法》第 38 条第 1 款规定:“企业、事业单位研究经营管理和发展的重大问题应当听取工会的意见;召开讨论有关工资、福利、劳动安全卫生、社会保险等涉及职工切身利益的会议,必须有工会代表参加。”《公司法》第 18 条第 3 款规定:“公司研究决定改制以及经营方面的重大问题、制定重要的规章制度时,应当听取公司工会的意见,并通过职工代表大会或者其他形式听取职工的意见和建议。”在立法过程中,草案曾经规定:“规章制度涉及劳动者切身利益的,应当经工会、职工大会或者职工代表大会讨论通过,或者通过平等协商做出规定。”这样规定曾经引起较大的分歧。一种意见认为,制定规章制度和决定重大事项是企业的经营管理自主权,是用人单位的“单决权”。用人单位在制定规章制度和决定重大事项时只要听取工会和职工的意见就可以了,规定经工会、职工大会或者职工代表大会讨论通过,一旦意见不统一,势必会造成规章制度或者重大事项久拖不决,用人单位的管理将无所适从。这样规定,限制了用人单位的经营自主权,实践中无法操作。另一种意见认为,用人单位制度规章制度应当有劳动者参与,从国外的情况看,涉及职工切身利益的事项，很多都是用人单位和职工双方共同决定的内容，属于“共决权”。我国的《全民所有制工业企业职工代表大会条例》规定，属于职工代表大会职权范围内的企业规章制度，应当经职工代表大会审议通过。最后，综合考虑各方面意见，本法规定：用人单位在制定、修改或者决定直接涉及劳动者切身利益的规章制度或者重大事项时，应当经职工代表大会或者全体职工讨论，提出方案和意见，与工会或者职工代表平等协商确定。本法规定是针对所有企业的规章制度的制定程序，强调通过平等协商确定，并不影响国有企业继续按照《全民所有制工业企业职工代表大会条例》的有关规定执行。

2. 平等协商的内容。这包括直接涉及劳动者切身利益的劳动报酬、工作时间、休息休假、劳动安全卫生、保险福利、职工培训、劳动纪律以及劳动定额管理等规章制度或者重大事项。规章制度包括工作时间、休息休假、劳动安全卫生、劳动纪律以及劳动定额管理等规章制度，重大事项包括劳动报酬、保险福利、职工培训等。

3. 具体制定程序。根据本条的规定，制定规章制度或者决定重大事项，应当经职工代表大会或者全体职工讨论，提出方案和意见，与工会或者职工代表平等协商确定。所以，这个程序分为两个步骤：第一步是经职工代表大会或者全体职工讨论，提出方案和意见；第二步是与工会或者职工代表平等协商确定。一般来说，企业建立了工会的，与企业工会协商；没有建立工会的，与职工代表协商。在充分听取意见，经过民主程序后，由用人单位确定。这种程序，可以说是“先民主，后集中”。

三、规章制度和重大事项决定的异议程序

用人单位的规章制度和重大事项决定既要符合法律、法规的规定，也要合理，符合社会道德。实践中有些用人单位的规章制度不违法，但不合理、不适当。如有的企业规章制度规定一顿饭只能几分钟吃完；一天只能上几次厕所，一次只能几分钟等。这些虽然不违反法律、法规的规定，但不合理，也应当有纠正机制。因此，本条规定在规章制度实施过程中，工会或者职工认为用人单位的规章制度不适当的，有权向用人单位提出，通过协商作出修改完善。

四、规章制度和重大事项决定的告知程序

规章制度是劳动合同的一部分，要让劳动者遵守执行，就应当让劳动者知道。因此，根据本条规定，直接涉及劳动者切身利益的规章制度和重大事项决定应当公示，或者告知劳动者。关于告知的方式有很多种，实践中，有的用人单位是在企业的告示栏张贴告示；有的用人单位是把规章制度作为劳动合同的附件发给劳动者；有的用人单位是向每个劳动者发放员工手册。无论哪种方式，都应当让劳动者知晓，以便遵守执行。

第五条　县级以上人民政府劳动行政部门会同工会和企业方面代表，建立健全协调劳动关系三方机制，共同研究解决有关劳动关系的重大问题。

【释义】　本条是关于协调劳动关系三方机制的规定。

一、关于协调劳动关系三方机制

协调劳动关系三方协商机制，也称劳动关系三方原则。根据国际劳工组织1976年144号《三方协商促进履行国际劳工标准公约》的规定，三方机制是指政府（通常以劳动部门为代表）、雇主和工人之间，就制定和实施经济和社会政策而进行的所有交往和活动。即由政府、雇主组织和工会通过一定的组织机构和运作机制共同处理所涉及劳动关系的问题，如劳动立法、经济与社会政策的制定、就业与劳动条件、工资水平、劳动标准、职业培训、社会保障、职业安全与卫生、劳动争议处理以及对产业行为的规范与防范。三方协商劳动关系的机制或者说手段，是市场经济国家的通行做法。我们搞市场经济，也需要学习它，借鉴它。在计划经济条件下，劳动者与国家的利益是一体的，主要依靠行政手段调整劳动关系。随着改革开放的深入和社会主义市场经济体制的逐步建立，国家、企业、职工三方利益格局日益明晰，企业劳动关系发生了深刻的变化。在这种新形势下，依靠单一的行政手段调整劳动关系，显然与市场经济的变化不相适应。协调劳动关系已不仅仅是政府的事情，通过政府、工会、企业组织建立三方协调机制已成为在市场经济条件下，保护稳定和谐的劳动关系和社会安定的必然选择。我国于1990年批准了国际劳工组织通过的《三方协商促进履行国际劳工标准公约》。2001年10月27日新修正的《工会法》第34条规定对三方机制作了规定："各级人民政府劳动行政部门应当会同同级工会和企业方面代表，建立劳动关系三方协商机制，共同研究解决劳动关系方面的重大问题。”这是目前我国推行三方协商制度的主要法律依据。2001年8月，劳动和社会保障部、全国总工会、中国企业联合会联合宣布，国家将全面启动协调劳动关系三方（国家、企业、职工）协商机制，以协商的形式解决劳动关系中存在的各种问题。目前全国省级和市一级的三方机制已经基本建立。三方机制正逐步向县（市、区）和产业一级延伸，全国将建立多层次的社会层面的三方协调机制。三方机制与劳动合同制度、集体合同制度一起构成了稳定、协调和规范劳动关系的机制。

二、三方机制的组成

三方机制应当由三方组成，即由代表政府的劳动行政部门、代表职工的地方总工会和代表用人单位的企业代表组织（企业联合会、企业家协会、商会等）。三方协商机制，实际上是一种平等对话的机制。政府、企业组织和工会组织三方的职能不能替代，各有侧重和相互独立，相互没有隶属关系。

1. 政府代表。《工会法》中明确规定政府劳动行政部门是政府的代表。一直以来，我国参加国际劳工大会的政府代表也是劳动行政部门。由此可以看出，劳动关系三方代表中政府代表应该由政府劳动行政部门担任。

2. 企业组织代表。计划经济时期，全国各地建立了企业联合会（企业家协会），应该说当时该组织代表的是国有企业。随着各类新建企业的迅猛发展，企业所有制形式呈现多元化，企业组织形式也呈现多元化，民间的商会、个体经营者协会、青年企业家协会、女企业家协会等相继出现。作为企业方代表,它们都可以成为三方协商机制的一方。目前,在中央层面,是由中国企业联合会作为企业方代表。

3. 职工代表。由于三方机制协商的是劳动关系方面的重大问题,它超出了具体企业的范围;因此,代表职工参加三方机制的是各级总工会。

三、三方机制要解决的问题

根据《工会法》和本法的规定,三方机制解决的是有关劳动关系的重大问题,如劳动就业、劳动报酬、社会保险、职业培训、劳动争议、劳动安全卫生、工作时间和休息休假、集体合同和劳动合同。

四、建立三方机制的意义

社会主义市场经济体制的建立与完善,对劳动关系的调整提出了与其相适应的客观要求。因此,在企业从实行劳动合同制度到开展集体协商、签订集体合同,这些符合市场经济要求的法律制度,都是为了更好地调整企业的劳动关系,促进职工队伍的稳定和劳动关系的和谐,以保证经济建设的健康和持续发展。目前,我国劳动关系出现许多新问题,如就业压力大,劳动关系紧张,群体性突发事件增多,用人单位拖欠克扣劳动者工资、不为职工按时足额缴纳社保金、任意延长工作时间、非法收取劳动者押金。协调劳动关系,要靠落实劳动合同制度,实行集体协商制度和集体合同制度。但是,仅在企业范围内推行集体协商和实行集体合同制度是不够的，从协调劳动关系的整个社会化发展要求来看，还需要建立起能够促进劳动关系协调与稳定发展的三方机制。用三方协商机制来体现对更高层次上的劳动关系协调作用，促进各方利益主体的相对一致性，以达到三方共同利益和目标的实现。建立三方协商机制不仅不会取代和削弱企业劳动关系双方通过协商签订的集体合同的主体地位，更不会破坏企业建立起来的劳动关系的协调机制；反之，当三方协商机制的作用发挥出来的时候，它会积极引导双方更好地实现其签订的集体合同和协议，会指导帮助企业双方更好地通过协调机制来达到双方的目标。从这个意义上讲，建立有中国特色的劳动关系三方协商机制是我国社会主义发展的必然要求。

第六条　工会应当帮助、指导劳动者与用人单位依法订立和履行劳动合同，并与用人单位建立集体协商机制，维护劳动者的合法权益。

【释义】　本条是关于工会在劳动合同中的作用的规定。

工会是职工自愿结合的工人阶级的群众性组织。维护职工合法权益是工会的基本职责。根据《工会法》的规定，工会维护在全国人民总体利益的同时，代表和维护职工的合法权益。工会必须密切联系职工，听取和反映职工的意见和要求，关心职工的生活，帮助职工解决困难，全心全意为职工服务。工会依照法律的规定通过职工代表大会或者其他形式，组织职工参与本单位的民主决策、民主管理和民主监督。按照

《劳动法》《工会法》等法律的规定，各级工会组织享有广泛的权利，如参与民主管理、签订集体合同和帮助、指导劳动合同的订立和履行、监督劳动合同的解除、监督劳动安全卫生、参与解决劳动争议等。这些权利行使的主要目的是维护职工的合同权益。因此，这些权利也是工会的职责。

一、帮助、指导劳动者与用人单位订立和履行劳动合同

帮助、指导劳动者与用人单位订立和履行劳动合同，是工会的一项具体职责。《工会法》第 20 条第 1 款规定："工会帮助、指导职工与企业以及实行企业化管理的事业单位签订劳动合同。"按照本法的规定，除了公务员和参照公务员管理的工作人员外，劳动者与用人单位都要订立劳动合同。本来订立劳动合同是劳动者和用人单位双方的事，由劳动者和用人单位双方平等协商确定。但是现阶段，广大劳动者的知识文化水平有差别，尤其是大量进城的农民工，很多人对什么是劳动合同、怎么签订劳动合同、签订什么样的劳动合同，可能都不懂，迫切需要得到工会组织的帮助和指导。这些帮助、指导不是由工会代替职工与用人单位签订劳动合同，而是对职工做一些宣传解释工作，包括签订劳动合同的重要性、如何签订劳动合同、在劳动合同中有什么权利、应当履行哪些义务、怎么正确地履行劳动合同、违反劳动合同要承担什么样的责任、发生劳动争议应当怎么办等。目前，劳动合同的签订率不高，大量的劳动合同采取的是口头形式，有的根本就没有劳动合同。发生劳动争议，处理起来没有依据，造成一些案件久拖不

决，劳动者的合法权益无从保护。针对现实中的这些情况，本法规定所有的劳动合同必须采用书面形式，并对劳动合同的内容作了明确的规定，要求比较严格。贯彻实施本法，用人单位和劳动者都有一个适应过程。因此，更需要工会发挥作用，由工会帮助、指导职工签订劳动合同，有利于《劳动法》《劳动合同法》等法律的宣传和贯彻执行，有利于使签订的劳动合同更加符合法律、法规的规定，有利于劳动者和用人单位双方利益的平等，有利于减少劳动争议的发生。需要注意的是，这里的“工会”包括各级总工会和基层工会组织。

二、与用人单位建立集体协商机制

集体协商机制是工会作为职工方代表与企业方就涉及职工权利的事项，为达到一致意见而建立的沟通和协商解决机制。建立集体协商机制，可以维护用人单位职工的具体权利。《工会法》规定，工会通过平等协商和集体合同制度，协调劳动关系，维护企业职工的劳动权益。集体协商的内容包括职工的民主管理，签订集体合同和监督集体合同的履行，涉及职工权利的规章制度的制定、修改，企业职工的劳动报酬、工作时间和休息休假、保险福利、劳动安全卫生、女职工和未成年工的特殊保护、职工培训及职工文化体育生活，劳动争议的预防和处理以及双方认为需要协商的其他事项。企业工会与用人单位建立集体协商机制，定期或不定期地就上述事项进行平等协商。经协商达成一致意见的，工会一方应当向职工传达，要求职工遵守执行；企业方也应当按照协商结果执行。

第二章　劳动合同的订立

第七条　用人单位自用工之日起即与劳动者建立劳动关系。用人单位应当建立职工名册备查。

【释义】 本条是关于用人单位与劳动者建立劳动关系的规定。

在《劳动合同法》的制定过程中，对于劳动关系建立的标准有争议。有的认为，书面劳动合同一经订立劳动关系就建立；有的认为，劳动关系建立的唯一标准是实际用工。为更好地保护劳动者合法权益和应对实践中的复杂情况，本法明确规定了自用工之日起劳动关系建立。

一、劳动关系自用工之日起建立

劳动法领域中最基本的概念是劳动关系，只有存在劳动关系，劳动者和用人单位才要受劳动法律的规范，才要适用劳动法律的相关规定。如果不存在劳动关系，就谈不上劳动者和用人单位，也谈不上劳动法律的适用，因此本法首先要研究劳动关系什么时候成立。有的认为，从劳动合同签订之日起，劳动关系成立。有的认为，从实际提供劳动之日起，劳动关系成立。对于劳动合同签订日期、实际提供劳动日期和劳动关系成立日期三个相关概念的关系问题，本法着重进行了梳理。

首先，明确规定建立劳动关系的唯一标准是实际提供劳动。换言之，只要劳动者实际提供劳动，用人单位实际用工，就建立了劳动关系。不论劳动者是否签订了书面劳动合同，都将受到同等的保护。这种理解实际上否定了原来实践中关于事实劳动关系的概念。对于执法部门和司法部门而言，不能因为劳动者没有签订书面劳动合同，而拒绝加以依法保护。

所谓劳动关系，是指劳动者与用人单位在实现劳动过程中建立的社会关系。将实际用工作为建立劳动关系的标准有其合理性，是劳动关系的应有之义，同时也有利于保护劳动者的合法权益。

其次，书面劳动合同签订在前，实际用工在后的，劳动关系自实际提供劳动之日起建立。劳动关系的建立后于书面劳动合同的签订日期，劳动关系建立日期之前的书面劳动合同只具有合同效力，如果合同一方违约，按照民法规定追究其违约责任。

再次，实际用工在前，签订书面劳动合同在后的，劳动关系早于书面劳动合同建立，劳动关系的建立不受未签订书面劳动合同的影响。本法还专门针对这种情形做了规范，通过经济措施，促使用人单位早日与劳动者订立书面劳动合同。

最后，劳动者在实际提供劳动的同时签订书面劳动合同的，劳动合同签订期、劳动关系建立期和实际提供劳动期三者是一致的。

二、用人单位应当建立职工名册备查

从企业管理角度看，建立职工名册应该是企业进行有效管理的基本条件，只要是上了一定规模、运行规范的企业，出于企业管理的需要，都会建立职工名册。本法明文规定，要求用人单位建立职工名册，主要有两个考虑：一是在劳动者维权时，起到证明劳动关系是否存在的作用。实践中，有些劳动争议是有关劳动关系是否存在的争议，对此，劳动者自己很难举证，但可以请求让用人单位提供职工名册等文件加以证明。同样，用人单位也可以以职工名册来证明劳动关系是否存在。二是便于劳动行政部门依法监督检查。劳动行政部门要依法履行监督检查的职责，必须要掌握企业实际用工等情况。在劳动合同法的审议过程中，有的建议规定用工备案制度。考虑到企业和劳动者的数量过于庞大，劳动者流动很普遍，劳动关系总是处于动态变化过程，如果都要备案，难以做到，也加重了企业的负担。因此，本法不宜规定用工备案制度。为了劳动行政部门依法履行监督管理职责，同时不增加用人单位的负担，解决好不签订劳动合同、不交纳社会保险等问题，本法规定企业必须建立职工名册，由劳动行政部门随时去检查，但不必时时向劳动行政部门去报告。

第八条　用人单位招用劳动者时，应当如实告知劳动者工作内容、工作条件、工作地点、职业危害、安全生产状况、劳

动报酬，以及劳动者要求了解的其他情况；用人单位有权了解劳动者与劳动合同直接相关的基本情况，劳动者应当如实说明。

【释义】 本条是关于用人单位与劳动者的如实告知和说明义务的规定。

本条是针对实践中出现的用人单位故意隐瞒有关信息，侵害劳动者的情形作出的规定。在有的情况下，少数劳动者也有一些隐瞒，甚至是欺骗行为，但这些行为的确有着复杂的背景，不能将责任一味地推给劳动者，本条对此也作了相应规定。

劳动合同的订立须遵循合法、公平、平等自愿、协商一致、诚实信用的原则。用人单位作为劳动合同强势一方，在劳动合同订立环节，如实告知涉及劳动合同履行的相关情况，不仅是遵循上述原则的表现形式，也有利于促进上述原则的真正落实。同样，劳动者在订立劳动合同时，有义务如实说明有关情况。

一、用人单位的告知义务

在劳动合同的订立过程中，有关用人单位的情况和具体劳动岗位等信息严重不对称，劳动者往往缺乏有效途径全面了解有关劳动合同的情况。同时，用人单位作为一个组织体，对其各项制度和劳动合同有关情况是非常清楚的。这种信息的不对称，导致劳动者很难公平地、平等自愿地订立劳动合同。为了平衡用人单位和劳动者信息不对称的地位，防止用人单位利用信息优势侵害劳动者合法权益,本法规定了用人单位如实告知的义务。

第一,告知必须是如实告知,不能提供虚假信息。提供虚假信息,构成欺诈的,根据本法第26条的规定,劳动合同无效或者部分无效。本法第38条规定,有这种情形的,劳动者可以解除劳动合同。其法律责任,根据本法第86条的规定,订立的劳动合同被确认无效,给对方造成损害的,有过错一方应当承担赔偿责任。

第二,告知的时间是用人单位招用劳动者时,即签订劳动合同之前。用人单位不能在招用劳动者之后,或者劳动合同履行期间,才告知劳动者有关情况。

第三,告知应以一种合理并且适当的方式进行,必须能够让劳动者及时知道和了解。

第四,告知的内容应包括与劳动合同的履行相关的事项,包括工作内容、工作条件、工作地点、职业危害、安全生产状况、劳动报酬,以及劳动者要求了解的其他情况。实践中,有的用人单位不如实告知工作岗位存在患职业病的可能性,造成劳动者权益受损。用人单位在招工时,不能选择性告知,隐瞒一些不利于劳动者的情况。

第五,告知是一项义务。用人单位在招工时,必须将本条列举的,与劳动合同履行有关的内容写在招工简章上,也可以主动告知劳动者有关情况。如果劳动者询问用人单位没有主动告知的事项,用人单位也必须如实告知。

二、劳动者的如实说明义务

用人单位在招工时,为了更好地进行双向选择,需要对劳动者的一些基本情况进行了解。劳动者对自身的基本情况不得隐瞒,应加以如实说明。实践中,有的劳动者故意隐瞒一些不利于自己的情况,甚至是伪造学历证明来欺骗用人单位。同时,有些用人单位滥用知情权,要求劳动者提供与劳动合同履行没有直接关系的个人情况,侵犯劳动者的个人隐私。本法对这两种情形都作了规范。

第一,用人单位有权了解劳动者的一些基本情况,劳动者有如实说明的义务。这有利于劳动合同合法、公平、平等自愿、协商一致、诚实信用的订立,有利于用人单位合理地使用劳动者,有利于劳动合同的顺利履行。

第二,用人单位的知情权是有限的,其有权了解劳动者的基本情况必须限于与劳动合同直接相关的基本情况,包括知识技能、学历、职业资格、工作经历以及部分与工作有关的劳动者个人情况,如家庭住址、主要家庭成员构成等。至于与劳动合同直接相关的基本情况的具体范围,可由有关部门根据实际情况作出补充性规定。本规定主要是防止用人单位侵害劳动者的隐私权。

劳动者应当如实说明情况,如果构成欺诈的,根据本法第26条规定,劳动合同无效或者部分无效。根据本法第39条的规定,用人单位可以解除劳动合同。其法律责任,根据本法第86条的规定,订立的劳动合同被确认无效,给对方造成损害的，有过错一方应当承担赔偿责任。一方向另一方提供虚假信息，将有可能导致劳动合同的无效。

第九条　用人单位招用劳动者，不得扣押劳动者的居民身份证和其他证件，不得要求劳动者提供担保或者以其他名义向劳动者收取财物。

【释义】　本条是关于用人单位不得扣押劳动者的证件、不得要求劳动者提供担保或者向劳动者收取财物的规定。

本条是针对实践中出现的一些用人单位滥用优势地位，侵害劳动者权益的情形作出的规定。

为了保护劳动者的合法权益，防止用人单位滥用优势地位，构建和谐的劳动关系，我国一贯禁止用人单位扣押劳动者的居民身份证或者其他证件，要求劳动者提供担保或者以其他名义向劳动者收取财物。如1995年原劳动部《关于贯彻执行〈中华人民共和国劳动法〉若干问题的意见》第24条的规定，用人单位在与劳动者订立劳动合同时，不得以任何形式向劳动者收取定金、保证金（物）或抵押金（物）。

实践中，有些用人单位为防止劳动者在工作中给用人单位造成损失，不辞而别，在招用劳动者时要求劳动者提供担保或者向劳动者收取风险抵押金。劳动监察部门对这种违法行为进行了查处。有的用人单位为规避法律，不向劳动者收取抵押金，转而采取了一些变相的方法或手段，达到向员工收取抵押金的目的，如服装费、电脑费、住宿费、培训费、集资款（股金）等。甚至有一些犯罪分子利用劳动者求职心切，收取高额抵押金后逃之夭夭，造成新的社会不安定因素。有的用人单位滥用强势地位，限制劳动者合理流动，通过扣押劳动者的居民身份证或者其他证件，如暂住证、资格证书和其他证明个人身份的证件等，以达到目的。针对实践中用人单位的这些侵害劳动者合法权益的行为，本法延续了我国的一贯做法，在法律中对这些非法行为作了禁止性规定。

同时，确实有极少数劳动者利用工作条件的便利，损害用人单位的利益。由于他们流动性较大，不易管理和索赔，导致个别用人单位只能通过收取风险抵押金、抵押物或扣押身份证等方式来避免损失，这样做是不合法的。如果用人单位想要避免劳动者给单位造成损失，不承担赔偿责任就离职的风险，应当通过加强内部管理和提高待遇等方式来解决，而不能简单地采用收取抵押金（物）的错误方式。

本法第 84 条规定了用人单位的法律责任，用人单位违反本法规定，扣押劳动者身份证等证件的，由劳动行政部门责令限期退还劳动者本人，并依照有关法律规定给予处罚。用人单位违反本法规定，以担保或者其他名义向劳动者收取财物的，由劳动行政部门责令限期退还劳动者本人，并以每人 500 元以上 2000 元以下的标准处以罚款；给劳动者造成损害的，应当承担赔偿责任。

第十条　建立劳动关系，应当订立书面劳动合同。

已建立劳动关系，未同时订立书面劳动合同的，应当自用工之日起一个月内订立书面劳动合同。

用人单位与劳动者在用工前订立劳动合同的，劳动关系自用工之日起建立。

【释义】 本条是关于订立书面劳动合同的规定。

实践中，有的劳动合同先于劳动关系订立，有的劳动合同后于劳动关系订立，有的同时订立。对此，本法在坚持劳动关系自用工之日起订立的原则下，作了相应规定。

一、建立劳动关系，应当订立书面劳动合同

劳动合同是劳动者与用人单位确立劳动关系、明确双方权利义务的协议。因此，劳动者与用人单位一经建立劳动关系，就应该订立劳动合同。

合同有口头与书面之分，劳动合同在理论上也有口头与书面之分。在《劳动合同法》制定过程中，曾有意见建议，本法应承认口头合同的效力，认为承认口头合同有利于保护一些文化程度低的劳动者，也更符合一些规模较小的用人单位的实际情况，认为要求全社会都签书面劳动合同做不到。考虑到我国劳动法领域中一贯强调要求签订书面劳动合同而实践中书面劳动合同签订率偏低的现状；口头劳动合同的内容难以固定，容易产生争议；不签订书面劳动合同对劳动者弊大于利；书面劳动合同可以根据实际情况有不同内容；书面劳动合同不仅能证明劳动关系的存在，而且清楚地记载劳动合同双方的权利义务，在发生劳动争议时，可以作为主要的证据使用，有利于纠纷的解决，也便于劳动行政部门监督执法等情况，因此，本法明确规定建立劳动关系，应当订立书面劳动合同,该规定实际上否定了口头劳动合同的法律效力,明确了书面劳动合同是劳动合同唯一合法形式。

订立劳动合同应注意下列问题:签订劳动合同要遵循平等自愿、协商一致的原则;签订劳动合同要符合法律、法规的规定;合同内容要尽量全面;合同的语言表达要明确、易懂等。

二、已建立劳动关系,未同时订立书面劳动合同的,给予1个月的宽限期

劳动合同法草案曾规定,已存在劳动关系,但未以书面形式订立劳动合同的,视为用人单位与劳动者已订立无固定期限劳动合同。对该规定,主要有两种不同意见:一是认为不订立书面劳动合同就视为订立无固定期限劳动合同,这样规定无法操作,实践中也并不一定有利于劳动者。建议通过制度设计,引导双方签订书面劳动合同。二是实践中,用人单位与劳动者订立书面劳动合同需要一定的周期,特别是招用大批劳动者时,很难做到一经建立劳动关系就立即订立书面劳动合同,建议给用人单位一定的签订劳动合同宽限期。考虑到用人单位的实际情况,本法规定已建立劳动关系,但未同时订立书面劳动合同的,应当自用工之日起1个月内订立书面劳动合同。在这个月内,如果约定的劳动报酬不明确的,新招用的劳动者的劳动报酬应当按照企业的或者行业的集体合同规定的标准执行;没有集体合同或者集体合同未作规定的,用人单位应当对劳动者实行同工同酬。

三、先订立劳动合同后建立劳动关系的，劳动关系自用工之日起建立

实践中，有的用人单位在实际用工之前，先与劳动者订立劳动合同。对于这种情况，对于劳动合同从何时生效，以及劳动关系何时建立有不同的认识。本法明确了劳动关系建立的唯一标准是实际用工，即劳动者实际提供劳动之日起劳动关系建立。任何组织和个人不得以书面劳动合同订立与否作为保护劳动者合法劳动权益的标准，即不得以事实劳动关系为由，降低或者放弃对劳动者的保护。书面劳动合同一经签字或者盖章就生效，而劳动关系从用工之日起建立。在劳动合同订立后，实际用工之前，如果因劳动合同发生争议，适用民法有关规定，不适用劳动法律的规定。

值得一提的是，在《劳动合同法》制定过程中，常委委员和社会各方面非常关注我国书面劳动合同签订率偏低的问题，要求本法予以解决。经调研和反复研究，劳动合同签订率偏低有用人单位不愿签订书面劳动合同的原因，也有一些劳动者不愿意签订书面劳动合同的原因，但主要是用人单位的原因所导致。企业不愿签订劳动合同的原因主要是为了降低法律风险、压缩成本、逃避交纳社保费用等。有的劳动者不愿意或者没有意识到签订劳动合同，有的劳动者出于自由跳槽、规避交纳社会保险的考虑，不愿签订劳动合同。因此，为解决书面劳动合同签订率偏低的问题，本法规定了如下措施：第一，书面劳动合同是劳动合同的唯一合法形式，不承认口头劳

动合同,达成口头劳动合同的,视为尚未订立劳动合同。第二,劳动关系一经建立,应该签订书面劳动合同。已建立劳动关系,未同时订立书面劳动合同的,应当自用工之日起1个月内订立书面劳动合同。第三,用人单位自用工之日起超过1个月但不满1年未与劳动者订立书面劳动合同的,应当向劳动者每月支付2倍的工资。第四,用人单位自用工之日起满1年不与劳动者订立书面劳动合同的,视为用人单位与劳动者已订立无固定期限劳动合同。第五,用人单位违反本法规定不与劳动者订立无固定期限劳动合同的,自应当订立无固定期限劳动合同之日起向劳动者每月支付2倍的工资。

第十一条　用人单位未在用工的同时订立书面劳动合同,与劳动者约定的劳动报酬不明确的,新招用的劳动者的劳动报酬按照集体合同规定的标准执行;没有集体合同或者集体合同未规定的,实行同工同酬。

【释义】　本条是关于一个月宽限期内劳动报酬应当如何确定的规定。

本法允许用人单位在建立劳动关系一个月内订立书面劳动合同,为解决在这个月内未订立书面劳动合同、有关劳动报酬约定不明的问题,本条作了相应规定。

本条是专门针对用人单位已建立劳动关系,1个月内未订立书面劳动合同情形所作的规定。本法第10条规定,已建立劳动关系,未同时订立书面劳动合同的,应当自用工之日起1个月内订立书面劳动合同。用人单位可能在建立劳动关系之前或者同时签订书面劳动合同，那么有关劳动报酬的事项就可以在书面劳动合同中规定。约定不明的，适用本法第18条的规定。用人单位也有可能在建立劳动关系之日起1个月内签订书面劳动合同的，那么在未签订书面劳动合同的期间，如果双方对劳动报酬有约定的，从其约定。如果约定不明的，应按集体合同规定的标准执行。没有集体合同或者集体合同未作规定的，用人单位应当对劳动者实行同工同酬。所谓劳动报酬，包括劳动报酬的金额、支付方式、支付时间等。

一、按照集体合同规定的标准执行

根据本条规定，用人单位未在用工的同时订立书面劳动合同，与劳动者约定的劳动报酬不明确的，新招用的劳动者的劳动报酬应当按照集体合同规定的标准执行。集体合同制度是当今国际上普遍采用的调整劳动关系的一项重要法律制度。集体合同是指企业职工一方与用人单位就劳动报酬、工作时间、休息休假、劳动安全卫生、保险福利等事项，通过平等协商达成的书面协议。集体合同实际上是一种特殊的劳动合同，它具有以下几个方面的特征：第一，它是一项劳动法律制度；第二，它适用于各类不同所有制企业；第三，集体合同的订立，主要通过劳动关系双方的代表或双方的代表组织自行交涉解决；第四，集体合同制度的运作十分灵活，没有固定模式，并且经法定程序订立的集体合同，对劳动关系双方具有约束力；第五，集体合同制度必须遵循的一项重要原则，就是劳动关系双方在平等自愿的基础上相互理解和相互信任。集体合同制度对于保障劳动者的权益,调整和协调劳动关系发挥了很大作用,其中一项重要的作用,就是弥补劳动合同的空白。对于一些双方当事人没有在劳动合同中约定的事项,可以依照集体合同规定的标准来确定。在用人单位和劳动者还没有订立劳动合同,约定的劳动报酬不明确的情况下,就可以按照集体合同规定的劳动报酬标准来确定。集体合同可以是企业集体合同,也可以是行业性或者区域性集体合同。

二、按照同工同酬原则确定劳动报酬

目前,我国的集体合同制度不发达,绝大多数企业没有集体合同,行业性、区域性集体合同也刚刚起步。如果用人单位与劳动者尚未订立劳动合同,约定的劳动报酬不明确,在没有集体合同的情况下,依照本法的规定,用人单位应当对劳动者实行同工同酬。同工同酬是劳动法确立的一项分配原则。《劳动法》第46条规定,工资分配应当遵循按劳分配原则,实行同工同酬。同工同酬就是指用人单位对于同一工作岗位、付出相同劳动的劳动者,应当支付大体相同的劳动报酬。同工同酬是一个原则,是相对的,不是绝对的,即使是同一工作岗位的劳动者,也有资历、能力、经验等方面的差异,劳动报酬有一些差别,只要大体相同,也不违反同工同酬原则。

第十二条　劳动合同分为固定期限劳动合同、无固定期限劳动合同和以完成一定工作任务为期限的劳动合同。

【释义】　本条是关于劳动合同种类的规定。劳动合同的种类是按照劳动合同期限划分的。

一、什么是劳动合同的期限

劳动合同期限是指劳动合同的有效时间,是劳动关系当事人双方享有权利和履行义务的时间。它一般始于劳动合同的生效之日,终于劳动合同的终止之时。任何劳动过程,都是在一定的时间和空间中进行的。在现代化社会中,劳动时间被认为是衡量劳动效率和成果的一把尺子。劳动合同期限由用人单位和劳动者协商确定。是劳动合同的一项重要内容,劳动合同订立后,双方当事人便建立了劳动关系,各自要依据自己的劳动行为来享受权利和履行义务。但是,这种权利义务关系不可能无头无尾,成为永恒不变的关系,尤其是市场经济条件下,劳动力的流动是必然的。劳动关系可能是较长期限的,也可能是短暂的,到底要维系多久,必须通过一定的具体时间表现出来,这就产生了劳动合同的期限。劳动合同期限是劳动合同存在的前提条件,是实现劳动合同内容的保证。劳动合同是以实现劳动过程为目的,劳动过程是一个相当复杂的过程。劳动合同如果没有期限,这个过程就难以确定,劳动关系就处于不确定状态,劳动者和用人单位就难以预期。正因为如此,本法把劳动合同期限作为劳动合同的必备条款之一作出规定。

二、劳动合同的分类

根据本条规定,劳动合同分为固定期限劳动合同、无固定期限劳动合同和以完成一定工作任务为期限的劳动合同三种。固定期限劳动合同，是指用人单位与劳动者约定合同终止时间的劳动合同，如3年或者5年。无固定期限劳动合同，是指用人单位与劳动者约定无确定终止时间的劳动合同。无固定期限劳动合同就是长期合同，如果不发生可以解除劳动合同的法定事由，用人单位不能单方解除劳动合同；如果单方解除，要承担本法第87条规定的法律责任。以完成一定工作任务为期限的劳动合同，是指用人单位与劳动者约定以某项工作的完成为合同期限的劳动合同。

三、如何确定劳动合同期限

合理地确定劳动合同期限，对当事人双方来说，都是至关重要的。由于劳动合同期限需要双方当事人协商确定，因此，应当遵循一定的原则，用统一的目标来约束当事人的意志。确定劳动合同期限除了坚持劳动合同订立的原则外，还要掌握这样三条原则：第一，有利于建立稳定的劳动关系。劳动关系的和谐稳定是社会和谐稳定的基础，订立无固定期限劳动合同，有利于培养劳动者对企业的忠诚感，对用人单位和劳动者双方都有利，因此，本法鼓励用人单位和劳动者订立无固定期限的劳动合同。第二，有利于企业的发展。订立劳动合同的目的是建立劳动关系，使劳动者获得物质上的一定利益。而劳动者的劳动和获得的物质利益，都必须依赖企业的发展，取得好的经济效益。因此，订立劳动合同的期限首先必须从生产实际出发，根据企业生产和工作的需要来确定。第三，兼顾当事人双方利益的原则。在坚持有利于企业发展生产的原则下,要兼顾当事人双方的利益。因为订立劳动合同是企业和劳动者双方的事情,关系到双方的利益。确定劳动合同期限时,不能只强调企业的生产工作需要,也应当兼顾劳动者个人利益,尊重劳动者个人意愿。总之,当事人双方都应当处理好眼前利益和长远利益的关系,合理确定劳动合同的期限。

第十三条　固定期限劳动合同,是指用人单位与劳动者约定合同终止时间的劳动合同。

用人单位与劳动者协商一致,可以订立固定期限劳动合同。

【释义】　本条是关于固定期限劳动合同的规定。

固定期限劳动合同,是指用人单位与劳动者约定合同终止时间的劳动合同,具体是指劳动合同双方当事人在劳动合同中明确规定了合同效力的起始和终止的时间。劳动合同期限届满,劳动关系即告终止。如果双方协商一致,还可以续订劳动合同,延长期限。固定期限的劳动合同可以是较短时间的,如1年、2年,也可以是较长时间的,如5年、10年,甚至更长时间。不管时间长短,劳动合同的起始和终止日期都是固定的。具体期限由当事人双方根据工作需要和实际情况确定。

实践中固定期限的劳动合同运用得较多,许多劳动合同都是一年一签,造成这种情况的原因,主要是有些劳动者还把无固定期限的劳动合同当成“铁饭碗”,用人单位解除无固定期限的劳动合同比较难，不愿意订立无固定期限的劳动合同。大量固定期限劳动合同的存在，不利于建立稳定的劳动关系。因此，本法不鼓励用人单位跟劳动者订立固定期限劳动合同。对于那些常年性工作，要求保持连续性、稳定性的工作，技术性强的工作，应当签订较为长期的固定期限劳动合同或者订立无固定期限的劳动合同。

根据本法规定，订立劳动合同应当遵循平等自愿、协商一致的原则。订立哪一种期限的劳动合同，应当由用人单位与劳动者双方共同协商确定。有的用人单位为了保持用工灵活性，愿意与劳动者签订短期的固定期限劳动合同。而有的劳动者为了能有一份稳定的职业和收入，更愿意与用人单位签订无固定期限劳动合同。无论双方的意愿如何，究竟签订哪一种类型的劳动合同，需要由双方协商一致后，作出一个共同的选择。

第十四条　无固定期限劳动合同，是指用人单位与劳动者约定无确定终止时间的劳动合同。

用人单位与劳动者协商一致，可以订立无固定期限劳动合同。有下列情形之一，劳动者提出或者同意续订、订立劳动合同的，除劳动者提出订立固定期限劳动合同外，应当订立无固定期限劳动合同：

（一）劳动者在该用人单位连续工作满十年的；

（二）用人单位初次实行劳动合同制度或者国有企业改制重新订立劳动合同时，劳动者在该用人单位连续工作满十

年且距法定退休年龄不足十年的；

（三）连续订立二次固定期限劳动合同，且劳动者没有本法第三十九条和第四十条第一项、第二项规定的情形，续订劳动合同的。

用人单位自用工之日起满一年不与劳动者订立书面劳动合同的，视为用人单位与劳动者已订立无固定期限劳动合同。

【释义】 本条是关于无固定期限劳动合同的规定。

本条是《劳动合同法》制定过程中的一个热点、难点问题。本法对无固定期限劳动合同进行了重新定位，无固定期限劳动合同不是“铁饭碗”，本法关于无固定期限劳动合同和固定期限劳动合同的解除、终止条件的规定是一致的。为了更好地解决劳动合同短期化问题和劳动合同签订率低的问题，本条作出了相应规定。

一、无固定期限劳动合同的含义

由于在20世纪90年代推行劳动合同制度前，我国主要实行的是固定工制。那时，无固定期限劳动合同就是“铁饭碗”“终身制”，企业很难解除劳动关系，造成了劳动者“能进不能出”的局面，严重影响了企业的适应市场能力和自主经营能力。在1994年《劳动法》颁布以来，劳动合同制度在全国各类企业中推行，克服了以往存在的企业活力不足的问题，取得了很好的效果，但同时劳动合同却走向了另一个极端，全社会无固定期限劳动合同的比例太低，劳动合同短期化问题严重，整个社会的劳动关系很不稳定，影响了劳动力合理、有序流动。国外很多国家中都是无固定期限劳动合同是劳动合同的常态,而固定期限劳动合同占劳动合同总量的极小比例。因此,本法对无固定期限劳动合同进行了重新定位,以期在保持劳动力合理、有序流动的前提下,保持劳动关系的相对稳定。

无固定期限劳动合同,是指用人单位与劳动者约定无确定终止时间的劳动合同。"无确定终止时间"是指劳动合同没有一个确切的终止时间,劳动合同的期限长短不能确定,但并不是没有终止时间。只要没有出现法定解除情形或者双方协商一致解除的,双方当事人就要继续履行劳动合同。一旦出现了法定情形或者双方协商一致解除的,无固定期限劳动合同同样也能够解除。由此可见,无固定期限合同并不是没有终止时间的"铁饭碗",只要符合法律规定的条件,劳动者与用人单位都可以依法解除劳动合同。

无固定期限的劳动合同对于劳动者、用人单位和国家而言,都有好处。对于劳动者而言,有利于稳定职业,钻研业务技术,不断提高职业技能。对于用人单位而言,有利于培养劳动者对企业的忠诚,维护其经济利益,减少频繁更换劳动者带来的损失。对于国家而言,有利于形成较为稳定的劳动关系,逐步提高对劳动者权益的保护力度。

二、订立无固定期限劳动合同的情形

(一)用人单位与劳动者协商一致,可以订立无固定期限劳动合同

劳动合同除了社会性外,也具有一定的合同性。在劳动

合同领域,只要不违反国家有关劳动合同的强制性规定,尊重劳动合同双方当事人真实的意愿,只要没有胁迫、欺诈、隐瞒事实等情形,符合法律的有关规定,用人单位与劳动者协商一致,可以订立无固定期限劳动合同。

(二)在法律规定的情形出现时,劳动者提出或者同意续订、订立劳动合同的,除劳动者提出订立固定期限劳动合同外,应当订立无固定期限劳动合同

出现了本条规定的三种情形之一的,只要符合一定条件,应当订立无固定期限劳动合同。具体为:劳动者提出续订、订立无固定期限劳动合同的,应当订立无固定期限劳动合同;劳动者提出续订、订立固定期限劳动合同的,应当订立固定期限劳动合同;用人单位提出续订、订立无固定期限劳动合同,劳动者同意的,应当订立无固定期限劳动合同;用人单位提出续订、订立劳动合同,劳动者同意的,即使是用人单位提出续订、订立的是固定期限劳动合同的,也应当订立无固定期限劳动合同。

考虑到实践中,用人单位在绝大多数情形下都处于强势地位,劳动合同双方当事人地位不平等,为防止出现劳动者为保住工作,不敢提出订立无固定期限劳动合同的要求,导致本条规定落空的情形,因此,本条实际上将订立无固定期限劳动合同的主动权都给了劳动者,有利于保护劳动者的合法权益。本条规定的三种情形为:

1. 劳动者在该用人单位连续工作满 10 年的。这主要是针对已经实行劳动合同制的情形作出的规定。理解本规定,

主要有两点：一是劳动者在同一用人单位中连续工作满10年，与签订劳动合同的次数和劳动合同的期限都没有关系，这10年中从前到后劳动者可以签订多个劳动合同，每个劳动合同的期限都可以不同。如劳动者的劳动合同一年一签，连续签了十次，属于本规定中连续工作满10年的情形。再如，劳动者在用人单位先签订了2年期限的劳动合同，后出于种种原因，接下来一年没有签订书面劳动合同，之后几年又签订了书面劳动合同，只要连续工作满10年，就属于本规定的情形。二是工作必须是连续的，中间不得有间断。如有的劳动者在用人单位工作5年后，离职到别的单位去工作了2年，然后又回到了这个用人单位工作5年，虽然累计时间达到了10年，但是劳动合同期限有所间断，不属于本规定的情形。

为了防止用人单位规避本规定，在劳动者连续工作9年半的时候，通过种种手段，造成工作时间不满10年，但又继续使用劳动者的情况，可以由具体执法和司法部门作出相应补充规定。

本条延续了劳动法的相关规定，主要是考虑到如果一个劳动者在该用人单位工作了10年，就能说明他已经能够胜任这份工作，在这种情况下，如果劳动者愿意，用人单位应当与劳动者订立无固定期限劳动合同。

2. 用人单位初次实行劳动合同制度或者国有企业改制重新订立劳动合同时，劳动者在该用人单位连续工作满10年且距法定退休年龄不足10年的。这主要是针对初次实行劳动合同制或者国有企业改制的情形作出的规定，无论劳动者之前有无签订劳动合同，只要符合“双十”条件的，劳动者就可以要求订立无固定期限劳动合同。自 1986 年 10 月 1 日起，我国国营企业在新招收工人中普遍推行劳动合同制。在 20 世纪 90 年代，劳动合同制度成为国有企业改革的核心内容。考虑到国有企业的一些老职工，给国家和企业作出过很多贡献，现在一下子将他们推向市场，限于年龄和技能，竞争力较弱，很难再就业。因此，为了保护老职工的利益，本条规定只要符合“双十”条件的，在续订劳动合同时，除了劳动者自己要求订立固定期限劳动合同外，应当签订无固定期限劳动合同。本规定也适用于事业单位初次实行聘用制劳动合同的情形。

3. 连续订立两次固定期限劳动合同，且劳动者没有本法第 39 条和第 40 条第 1 项、第 2 项规定的情形，续订劳动合同的。根据这一项规定，在劳动者没有本法第 39 条和第 10 条第 1 项、第 2 项规定的用人单位可以解除劳动合同的情形下，如果用人单位与劳动者签订了一次固定期限劳动合同，在签订第二次固定期限劳动合同时，就意味着下一次很可能签订无固定期限劳动合同。

在《劳动合同法》制定过程中，这一项规定引起了较大的争议。有一些意见认为，连续签订二次固定期限劳动合同，就要订立无固定期限劳动合同，有可能造成劳动关系的僵化，又回到“铁饭碗”时代。一些用人单位为了避免签订无固定期限劳动合同，对一些低技能、岗位专业性不强的劳动者只签一次固定期限劳动合同，反而加重了劳动合同短期化的问题。

经研究,形成了以下认识:第一,无固定期限劳动合同并不是“铁饭碗”,只要出现解除劳动合同的法定情形,同样可以解除。第二,我国劳动合同短期化问题主要是用人单位滥用其优势地位造成的,实践中存在大量劳动合同短期化,而劳动关系长期化的情形。这说明用人单位需要正常、连续的用工,否则不利于企业的发展,因此,只签一次短期的固定期限劳动合同并不符合企业的利益,本规定并不会直接导致劳动者失业。相反,用人单位如果要避免签订无固定期限劳动合同,就可能签订一次较长期限的劳动合同,这是有利于劳动者的。

在本规定中,有一个条件,即劳动者没有本法第 39 条、第 40 条第 1 项、第 2 项规定的情形。对这个条件曾经有过不同认识。有的认为,劳动者只要有第 39 条、第 40 条第 1 项、第 2 项规定的情形的,用人单位就可以解除劳动合同,也谈不上续订劳动合同,因此这个条件形同虚设,没有实质意义。经研究认为,可以从不同角度看这个条件,对于有法定解除情形的劳动者而言,这个条件的确没有实质意义,因为还没有等到续约,用人单位就可以解除劳动合同。但对遵纪守法的劳动者而言,如果其在工作期间遵纪守法,很好地完成了工作任务的,就可以理直气壮地要求用人单位续约,用人单位也应该继续使用该劳动者。这个条件有利于引导劳动者遵纪守法,工作兢兢业业,也有利于用人单位留用这部分劳动者。

三、关于视为无固定期限劳动合同

本法第 10 条规定,建立劳动关系,应当订立书面劳动合同。在现实中,一些用人单位出于种种原因,不愿意与劳动者订立书面劳动合同,容易发生争议,不利于保护劳动者的合法权益。为解决书面劳动合同签订率偏低的问题,本法作了一系列的规定,包括要求:自建立劳动关系1个月内签订书面劳动合同;1个月不签的,支付2倍工资;1年不签的,视为已订立无固定期限劳动合同;不依法签订书面无固定期限劳动合同的,支付2倍工资。本规定是解决书面劳动合同签订率偏低问题的重要一环。

第十五条　以完成一定工作任务为期限的劳动合同,是指用人单位与劳动者约定以某项工作的完成为合同期限的劳动合同。

用人单位与劳动者协商一致,可以订立以完成一定工作任务为期限的劳动合同。

【释义】　本条是关于以完成一定工作任务为期限的劳动合同的规定。

以完成一定工作任务为期限的劳动合同,是指用人单位与劳动者约定以某项工作的完成为合同期限的劳动合同。用人单位与劳动者协商一致,可以订立以完成一定工作任务为期限的劳动合同。某一项工作或工程开始之日,即为合同开始之时,此项工作或者工程完毕,合同即告终止。以完成一定工作任务为期限的劳动合同,合同双方当事人在合同存续期间建立的是劳动关系,这种劳动合同实际上属于固定期限的劳动合同,只不过表现形式不同。

一般在以下几种情况下，用人单位与劳动者可以签订以完成一定工作任务为期限的劳动合同：(1)以完成单项工作任务为期限的劳动合同；(2)以项目承包方式完成承包任务的劳动合同；(3)因季节原因用工的劳动合同；(4)其他双方约定的以完成一定工作任务为期限的劳动合同。

第十六条　劳动合同由用人单位与劳动者协商一致，并经用人单位与劳动者在劳动合同文本上签字或者盖章生效。

劳动合同文本由用人单位和劳动者各执一份。

【释义】　本条是关于劳动合同生效的规定。

劳动合同生效规定是各国劳动法通行的规定。针对实践中，有的用人单位不给劳动者劳动合同的情形，本条专门作出了规定。

一、劳动合同生效的时间

劳动合同的生效，是指具备有效要件的劳动合同按其意思表示的内容产生了法律效力，这时劳动合同的内容才对签约双方具有法律约束力。根据本条的规定和合同的一般原理，双方在劳动合同上签字或者盖章，劳动合同即生效。在大多数情况下，劳动合同成立和生效是在同时的。但是，在有的情况下，劳动合同成立，但并没有生效。如劳动合同双方在合同中约定合同生效的时间和条件，即订立所谓的附条件或者附期限的劳动合同。在这种情况下，所附条件具备或者所附期限到期，劳动合同生效。本条所规定的是一般情况下劳动合同的生效时间，即“经用人单位与劳动者在劳动合同文本上签字或者盖章生效”。如果双方当事人签字或者盖章时间不一致的，以最后一方签字或者盖章的时间为准。如果有一方没有写签字时间，那么另一方写明的签字时间就是合同的生效时间。

还应当注意的是，劳动合同的生效和劳动关系的建立是两回事，劳动关系的建立是以实际用工为标志，劳动合同生效，如果没有发生实际用工，劳动关系并没有建立。规定劳动合同生效的意义，在于如果用人单位不履行劳动合同，没有给劳动者提供约定的工作，劳动者可以要求用人单位提供，否则承担违约责任；如果劳动者不履行劳动合同，用人单位也可以要求劳动者提供约定的劳动，否则，也要承担违约责任。如果因对方不履行劳动合同，造成另一方损失的，违约方还要赔偿对方相应的损失。

二、劳动合同生效的条件

劳动合同发生法律效力必须具备相应的条件，这些条件包括：

1. 劳动合同的双方当事人必须具备主体资格。作为用人单位一方必须是企业、个体经济组织、民办非企业单位、国家机关、事业单位或者社会团体等组织；作为劳动者一方，根据《劳动法》的规定，必须是年满 16 周岁、具有劳动能力的公民。

2. 劳动合同的内容和形式必须合法。如根据《劳动法》第 64 条的规定，年满 16 周岁未满 18 周岁的未成年工，不得从事矿山井下、有毒有害、国家规定的第四级体力强度的劳动和其他禁忌从事的劳动。如果用人单位与未成年工订立劳动合同的内容是从事上述工作，劳动合同也是无效的。

3. 劳动合同需由用人单位与劳动者协商一致订立。订立劳动合同的双方必须意思表示真实，任何一方采用欺诈、胁迫等手段与另一方签订的劳动合同是无效的。

三、劳动合同文本由用人单位和劳动者各执一份

劳动合同是劳动者与用人单位之间建立劳动关系的依据，是双方当事人明确各自权利与义务的基本形式，也是劳动者维护自身合法权益的最直接的证据。在现实生活中，不少用人单位以种种理由拒绝将属于劳动者本人的劳动合同交给劳动者，一旦与用人单位发生劳动争议，劳动者则处于举证不利的境地，其合法权益极易遭受侵害。因此，本法规定，劳动合同文本应当由用人单位和劳动者各执一份。

第十七条　劳动合同应当具备以下条款：

（一）用人单位的名称、住所和法定代表人或者主要负责人；

（二）劳动者的姓名、住址和居民身份证或者其他有效身份证件号码；

（三）劳动合同期限；

（四）工作内容和工作地点；

（五）工作时间和休息休假；

（六）劳动报酬；

（七）社会保险；

（八）劳动保护、劳动条件和职业危害防护；

（九）法律、法规规定应当纳入劳动合同的其他事项。

劳动合同除前款规定的必备条款外，用人单位与劳动者可以约定试用期、培训、保守秘密、补充保险和福利待遇等其他事项。

【释义】　本条规定了劳动合同的必备条款以及约定条款的规定。

劳动合同必备条款是劳动合同中与劳动者切身利益关系最密切的内容，各国劳动法对劳动合同的必备条款都有规定。

实践中，有些劳动者和用人单位对于如何签订劳动合同，劳动合同中应具有哪些内容缺少必要的知识和经验，随意签订了劳动合同，而且合同的内容不规范、不完善，从而带来一系列的问题，影响劳动关系的和谐稳定。因此本条规定了劳动合同的必备条款和约定条款，使劳动合同能够明确、全面、具体，更好地规范双方的权利义务。如果劳动合同缺乏必备条款，不影响劳动合同的履行，但劳动行政部门应依照本法第81条规定，责令用人单位改正，给劳动者造成损害的，用人单位应当承担赔偿责任。如果有关必备条款没有约定或者约定不明确的，按照本法第18条的规定执行。

一、劳动合同的必备条款

劳动合同的必备条款是指法律规定的劳动合同必须具备

的内容，劳动合同的必备条款都是对于劳动者而言关系切身利益的内容。如果劳动合同缺少必备条款，发生争议时，将不利于对劳动者合法权益的保护。我国《劳动法》第19条第1款规定："劳动合同应当以书面形式订立，并具备以下条款：（一）劳动合同期限；（二）工作内容；（三）劳动保护和劳动条件；（四）劳动报酬；（五）劳动纪律；（六）劳动合同终止的条件；（七）违反劳动合同的责任。"本条在劳动法的基础上，删去了劳动纪律、劳动合同终止条件、违反劳动合同的责任等内容，同时增加了工作时间、工作地点及职业病危害防护等内容。必备条款有：

1. 用人单位的名称、住所和法定代表人或者主要负责人。为了明确用人单位一方的主体资格，确定劳动合同的当事人，劳动合同中必须具备这一项内容。

2. 劳动者的姓名、住址和居民身份证或者其他有效证件号码。为了明确劳动合同中劳动者一方的主体资格，确定劳动合同的当事人，劳动合同中必须具备这一项内容。考虑到有的劳动者是外国公民，没有我国的居民身份证，其他有效证件如护照也可以。

3. 劳动合同期限。劳动合同期限是双方当事人相互享有权利、履行义务的时间界限，即劳动合同的有效期限。劳动合同期限可分为固定期限、无固定期限和以完成一定工作任务为期限。合同期限不明确则无法确定合同何时终止，如何给付劳动报酬、经济补偿等，引发争议。因此，一定要在劳动合同中加以明确双方签订的是何种期限的劳动合同。

4. 工作内容和工作地点。所谓工作内容，是指劳动法律关系所指向的对象，即劳动者具体从事什么种类或者内容的劳动，这里的“工作内容”是指工作岗位和工作任务或职责。这一条款是劳动合同的核心条款之一，是建立劳动关系最为重要的因素。它是用人单位使用劳动者的目的，也是劳动者通过自己的劳动取得劳动报酬的缘由。劳动合同中的工作内容条款应当规定得明确、具体，便于遵照执行。工作地点是劳动合同的履行地，是劳动者从事劳动合同中所规定的工作内容的地点，它关系到劳动者的工作环境、生活环境以及劳动者的就业选择，劳动者有权在与用人单位建立劳动关系时知悉自己的工作地点，所以，这也是劳动合同中必不可少的内容。

5. 工作时间和休息休假。工作时间是指劳动时间在企业、事业、机关、团体等单位中，必须用来完成其所担负的工作任务的时间。一般由法律规定劳动者在一定时间内（工作日、工作周）应该完成的工作任务，以保证最有效地利用工作时间，不断地提高工作效率。这里的“工作时间”包括工作时间的长短、工作时间方式的确定，如是 8 小时工作制还是 6 小时工作制，是日班还是夜班，是实行正常工时还是实行不定时工作制或者是综合计算工时制。在工作时间上的不同，对劳动者的就业选择、劳动报酬等均有影响，因此成为劳动合同不可或缺的内容。

休息休假是指企业、事业、机关、团体等单位的劳动者按规定不必进行工作，而自行支配的时间。休息休假的权利是每个国家的公民都应享受的权利。《劳动法》第 38 条规定：

"用人单位应当保证劳动者每周至少休息一日。"休息休假的具体时间根据劳动者的工作地点、工作种类、工作性质和工龄长短等各有不同,用人单位与劳动者在约定休息休假事项时应当遵守《劳动法》及相关法律法规的规定。

6. 劳动报酬。劳动报酬是指劳动者与用人单位确定劳动关系后,因提供了劳动而取得的报酬。劳动报酬是满足劳动者及其家庭成员物质文化生活需要的主要来源,也是劳动者付出劳动后应该得到的回报。因此,劳动报酬是劳动合同中必不可少的内容。劳动报酬条款主要包括以下几个方面:(1)工资分配制度、工资标准和工资分配形式;(2)工资支付办法;(3)加班、加点工资及津贴、补贴标准和奖金分配办法;(4)工资调整办法;(5)试用期及病、事假等期间的工资待遇;(6)特殊情况下职工工资(生活费)支付办法;(7)其他劳动报酬分配办法。劳动合同中有关劳动报酬条款的约定,要符合我国有关最低工资标准的规定。

7. 社会保险。社会保险是政府通过立法强制实施,由劳动者,劳动者所在的工作单位或社区以及国家三方面共同筹资,帮助劳动者及其亲属在遭遇年老、疾病、工伤、生育、失业等风险时,防止收入的中断、减少和丧失,以保障其基本生活需求的社会保障制度。社会保险由国家成立的专门性机构进行基金的筹集、管理及发放,不以营利为目的,一般包括医疗保险、养老保险、失业保险、工伤保险和生育保险。社会保险强调劳动者、劳动者所在用人单位以及国家三方共同筹资,体现了国家和社会对劳动者提供基本生活保障的责任。劳动者所在用人单位的缴费，使社会保险资金来源避免了单一渠道，增加了社会保险制度本身的保险系数。由于社会保险由国家强制实施，因此成为劳动合同不可缺少的内容。

8. 劳动保护、劳动条件和职业危害防护。劳动保护是指用人单位为了防止劳动过程中的安全事故，采取各种措施来保障劳动者的生命安全和健康。在劳动生产过程中，存在着各种不安全、不卫生的因素，如不采取措施加以保护，将会发生工伤事故。如矿井作业可能发生瓦斯爆炸、冒顶、水火灾害等事故；建筑施工可能发生高空坠落、物体打击和碰撞等。所有这些都会危害劳动者的安全健康，妨碍工作的正常进行。国家为了保障劳动者的身体安全和生命健康，通过制定相应的法律和行政法规、规章，规定劳动保护，用人单位也应根据自身的具体情况，规定相应的劳动保护规则，以保证劳动者的健康和安全。

劳动条件，主要是指用人单位为使劳动者顺利完成劳动合同约定的工作任务，为劳动者提供必要的物质和技术条件，如必要的劳动工具、机械设备、工作场地、劳动经费、辅助人员、技术资料、工具书以及其他一些必不可少的物质、技术条件和其他工作条件。

职业危害是新增加的内容。有的意见认为，用人单位招用劳动者时，不但要如实告知有关职业危害的情况，还应将职业危害和防护措施在劳动合同中写明。职业危害是指用人单位的劳动者在职业活动中，因接触职业性有害因素如粉尘、放射性物质和其他有毒、有害物质等而对生命健康所引起的危害。根据《职业病防治法》第 34 条的规定，用人单位与劳动者订立劳动合同时，应当将工作过程中可能产生的职业病危害及其后果、职业病防护措施和待遇等如实告知劳动者，并在劳动合同中写明，不得隐瞒或者欺骗。用人单位应当按照有关法律、法规的规定严格履行职业危害防护的义务。

9. 法律、法规规定应当纳入劳动合同的其他事项。我国的法律法规中还规定了一些应当写入劳动合同的事项。如《职业病防治法》第 34 条规定，用人单位与劳动者订立劳动合同时，应当将工作过程中可能产生的职业病危害及其后果、职业病防护措施和待遇等如实告知劳动者，并在劳动合同中写明，不得隐瞒或者欺骗。再如《使用有毒物品作业场所劳动保护条例》第 18 条规定，用人单位应当与劳动者订立劳动合同，将工作过程中可能产生的职业中毒危害及其后果、职业中毒危害防护措施和待遇等如实告知劳动者，并在劳动合同中写明，不得隐瞒或者欺骗。

二、可以在劳动合同中约定的事项

对于某些事项，法律不作强制性规定，由当事人根据意愿选择是否在合同中约定，劳动合同缺乏这种条款不影响其履行。劳动合同的某些内容是非常重要的，关系到劳动者的切身利益，但是这些条款不是在每个劳动合同中都应当具备的，所以法律不能把其作为必备条款，只能在法律中特别地予以提示。本条规定："劳动合同除前款规定的必备条款外，用人单位与劳动者可以约定试用期、培训、保守秘密、补充保险和福利待遇等其他事项。”这里所规定的“试用期、培训、保守秘密、补充保险和福利待遇”都属于约定条款。约定条款有：

1. 试用期。试用期是指对新录用的劳动者进行试用的期限。用人单位与劳动者可以在劳动合同中就试用期的期限和试用期期间的工资等事项作出约定，但不得违反本法有关试用期的规定。本法第19条对如何确定试用期作出了明确规定，劳动合同的长短、劳动合同的类型不同，试用期的长短也有所不同。

2. 培训。培训是按照职业或者工作岗位对劳动者提出的要求，以开发和提高劳动者的职业技能为目的的教育和训练过程。根据1996年《企业职工培训规定》的规定，职工培训是指企业按照工作需要对职工进行的思想政治、职业道德、管理知识、技术业务、操作技能等方面的教育和训练活动。企业职工培训应以培养有理想、有道德、有文化、有纪律、掌握职业技能的职工队伍为目标，促进企业职工队伍整体素质的提高。企业应建立健全职工培训的规章制度，根据本单位的实际对职工进行在岗、转岗、晋升、转业培训，对新录用人员进行上岗前的培训，并保证培训经费和其他培训条件。职工应按照国家规定和企业安排参加培训，自觉遵守培训的各项规章制度，并履行培训合同规定的各项义务，服从单位工作安排，搞好本职工作。

3. 保守秘密。本条主要是指商业秘密。商业秘密是不为大众所知悉，能为权利人带来经济利益，具有实用性并经权利人采取保密措施的技术信息和经营信息。在激烈的市场竞争中，任何一个企业生产经营方面的商业秘密都十分重要。在市场经济条件下，企业用人和劳动者选择职业都有自主权，有的劳动者因工作需要，了解或掌握了本企业的技术信息或经营信息等资料，如果企业事先不向劳动者提出保守商业秘密、承担保密义务的要求，有的劳动者就有可能带着企业的商业秘密另谋职业，通过擅自泄露或使用原企业的商业秘密，以谋取更高的个人利益，如果没有事先约定，企业往往难以通过法律讨回公道，从而使企业遭受重大经济损失。因此，用人单位可以在合同中就保守商业秘密的具体内容、方式、时间等，与劳动者约定，防止自己的商业秘密被侵占或泄露。

4. 补充保险。补充保险是指除了国家基本保险以外，用人单位根据自己的实际情况为劳动者建立的一种保险，它用来满足劳动者高于基本保险需求的愿望，包括补充医疗保险、补充养老保险等。补充保险的建立依用人单位的经济承受能力而定，由用人单位自愿实行，国家不作强制的统一规定，只要求用人单位内部统一。用人单位必须在参加基本保险并按时足额缴纳基本保险费的前提下，才能实行补充保险。因此补充保险的事项不作为合同的必备条款，由用人单位与劳动者自行约定。

5. 福利待遇。随着市场经济的发展，用人单位给予劳动者的福利待遇也成为劳动者收入的重要指标之一。福利待遇包括住房补贴、通讯补贴、交通补贴、子女教育等。不同的用人单位福利待遇也有所不同，福利待遇已成为劳动者就业选择的一个重要因素。

社会生活千变万化，劳动合同种类和当事人的情况也非常复杂，法律只能对劳动合同的条款进行概括，无法穷尽劳动合同的所有内容，当事人也可以根据需要在法律规定的必备条款之外对有关条款作新的补充性约定。

第十八条　劳动合同对劳动报酬和劳动条件等标准约定不明确，引发争议的，用人单位与劳动者可以重新协商；协商不成的，适用集体合同规定；没有集体合同或者集体合同未规定劳动报酬的，实行同工同酬；没有集体合同或者集体合同未规定劳动条件等标准的，适用国家有关规定。

【释义】　本条是关于劳动报酬和劳动条件等标准约定不明确如何解决的规定。

一、劳动报酬的约定不明

劳动报酬是劳动者提供劳动的回报，是劳动合同的主要内容，也是劳动者主要的合同权利，一般情况下，在订立劳动合同时，劳动报酬应当是明确的。为了保护自己的合法权益，劳动者在订立劳动合同时，约定劳动报酬一定要明确、具体。包括明确劳动报酬的种类、金额、支付方式、支付时间以及拖欠劳动报酬的法律后果等相关内容。但是，实践中有些用人单位在订立劳动合同时，对劳动报酬进行模糊处理，或者只作口头约定，在支付劳动报酬时引发争议。根据本条的规定，劳动报酬约定不明确，引发争议的，应当按照如下办法解决：

1．用人单位与劳动者重新协商。劳动合同的内容本来就是合同双方协商确定的，劳动报酬约定不明确，最好的解决方式就是双方重新协商。

2. 适用集体合同的规定。根据本法第 51 条的规定，企业职工一方与用人单位通过平等协商，可以就劳动报酬、工作时间、休息休假、劳动安全卫生、保险福利等事项订立集体合同。依法订立的集体合同对用人单位和劳动者具有约束力。因此，如果协商不成，用人单位又有集体合同的，就应当适用集体合同的规定。

3. 按照同工同酬原则确定。没有集体合同或者集体合同未规定劳动报酬的，用人单位应当对劳动者实行同工同酬。目前，我国的集体合同制度不发达，多数企业没有集体合同，行业性和区域性集体合同也很少；或是虽然有集体合同但其中并没有关于劳动报酬的约定，在这种情况下，用人单位在确定劳动报酬时应当遵循同工同酬的原则。同工同酬是劳动法确立的分配原则，《劳动法》第 46 条规定："工资分配应当遵循按劳分配原则，实行同工同酬。"即用人单位对相同或者相近的工作岗位的劳动者支付大体相同的劳动报酬。

二、劳动条件的约定不明

劳动合同法中的劳动条件条款要求用人单位必须按照国家安全、卫生法规的标准为劳动者提供必要劳动保护和工作条件，从而使劳动者能够顺利完成劳动合同约定的工作任务。劳动条件是劳动者顺利履行劳动合同的重要条件，也是用人单位的重要义务，必须约定得明确具体，否则难以保障劳动者

的合法权益。如果劳动条件等标准约定不明确,引发争议的,应当按照以下办法解决:

1.协商解决。在劳动条件等标准约定不明确从而引发争议的情况下,用人单位与劳动者可以就这些不明确的事项重新进行协商,重新加以明确。

2.适用集体合同的规定。如果用人单位与劳动者无法达成一致,不能重新确定劳动条件等标准,可以适用集体合同中约定的标准。

3.适用国家有关规定。没有集体合同或集体合同未规定劳动条件等标准的,应当按照国家有关规定来确定相应事项的标准。除了《劳动法》,还有很多其他法律、法规对劳动条件等事项作出了相关规定。如《安全生产法》规定,生产经营单位应当具备本法和有关法律、行政法规和国家标准或者行业标准规定的安全生产条件;不具备安全生产条件的,不得从事生产经营活动。2012 年 4 月 28 日公布施行的《女职工劳动保护特别规定》,明确规定了女职工禁忌从事的劳动范围。对于工作时间约定不明的情况,可以按照《国务院关于职工工作时间的规定》的规定执行;对于职业危害防护约定不明的情况,可以适用《职业病防治法》《职业病范围和职业病患者处理办法的规定》的有关规定。

第十九条　劳动合同期限三个月以上不满一年的,试用期不得超过一个月;劳动合同期限一年以上不满三年的,试用期不得超过二个月;三年以上固定期限和无固定期限的劳动

合同，试用期不得超过六个月。

同一用人单位与同一劳动者只能约定一次试用期。

以完成一定工作任务为期限的劳动合同或者劳动合同期限不满三个月的，不得约定试用期。

试用期包含在劳动合同期限内。劳动合同仅约定试用期的，试用期不成立，该期限为劳动合同期限。

【释义】 本条是关于试用期的规定。

试用期是指用人单位对新招收职工的思想品德、劳动态度、实际工作能力、身体情况等进行进一步考察的时间期限。劳动法规定，劳动合同可以约定试用期，但最长不得超过6个月。在劳动合同中约定试用期，一方面可以维护用人单位的利益，为每个工作岗位找到合适的劳动者，试用期就是供用人单位考察劳动者是否适合其工作岗位的一项制度，给企业考察劳动者是否与录用要求相一致的时间，避免用人单位遭受不必要的损失；另一方面可以维护新招收职工的利益，使被录用的职工有时间考察了解用人单位的工作内容、劳动条件、劳动报酬等是否符合劳动合同的规定。在劳动合同中规定试用期，既是订立劳动合同双方当事人的权利与义务，同时也为劳动合同其他条款的履行提供了保障。

目前，在用工过程中滥用试用期侵犯劳动者权益的现象比较普遍，包括什么样的劳动岗位需要约定试用期、约定多长的试用期、以什么作为参照设定试用期等，实践中比较混乱。某些用人单位通常不管是什么性质、多长期限的工作岗位，也不管有没有必要约定试用期，一律约定试用期，只要期限不超过劳动法规定的6个月即可,用足法律规定的上限。有的用人单位与劳动者签1年期限的劳动合同,其中半年为试用期;有的生产经营季节性强的用人单位甚至将试用期与劳动合同期限合二为一,二者一样长,试用期到了,劳动合同也到期了;有的劳动者在同一用人单位往往被不止一次约定试用期,换一个岗位约定一次试用期。试用期问题是劳动合同法立法中劳动者意见最多的问题之一。

劳动合同法针对滥用试用期、试用期过长问题作出了有针对性的规定。

1. 限定能够约定试用期的固定期限劳动合同的最短期限,并且在劳动法规定试用期最长不得超过6个月的基础上,根据劳动合同期限的长短,将试用期细化。具体规定是:

劳动合同期限在3个月以上的,可以约定试用期。也就是说,固定期限劳动合同能够约定试用期的最低起点是3个月。

劳动合同期限1年以上3年以下的,试用期不得超过2个月;3年以上固定期限和无固定期限的劳动合同试用期不得超过6个月。这是针对用人单位不分情况,一律将试用期约定为6个月。

需要说明的是,劳动合同期限长短不是约定试用期的唯一参照。实践中,很多工作本来不需要试用期过长,劳动者就能胜任,装卸工、建筑工地小工、力工等没有什么技术含量,3天就行。但有些用人单位动辄规定试用期为三五个月,甚至半年,恶意用足法定试用期限上限,这加重了劳动关系的不平等性,增加了劳动者的职业不确定性和经济负担。这就提醒劳动合同双方当事人特别是劳动者一方在约定试用期时将技术含量等因素考虑进去。对用人单位来说,在合理时间内依然不能判断劳动者是否能胜任,就应当承担因此而带来的风险。

2. 同一用人单位与同一劳动者只能约定一次试用期。这就涉及对劳动合同中试用期性质的理解,试用期是指用人单位对新招收职工的思想品德、劳动态度、实际工作能力、身体情况等进行进一步考察的时间期限。在录用劳动者时的试用期内这些情况已经基本搞清楚了,没有必要同一用人单位与同一劳动者多次约定试用期。

3. 为遏制用人单位短期用工现象,不能所有劳动合同都可约定试用期。以完成一定工作任务为期限的劳动合同或者劳动合同期限不满 3 个月的,不得约定试用期。在征求意见过程中,相当多的意见建议将可约定试用期的劳动合同的期限修改为 1 年以上。

4. 试用期包含在劳动合同期限内。劳动合同仅约定试用期的,试用期不成立,该期限为劳动合同期限。

在试用期问题上,需要强调以下几点:

1. 试用期是一个约定的条款,如果双方没有事先约定,用人单位就不能以试用期为由解除劳动合同。劳动合同双方当事人用人单位和劳动者必须就试用期条款充分协商,取得一致,试用期条款才能成立。合同是双方当事人意思表示一致的结果,是在互利互惠的基础上充分表达各自意见并就合同条款取得一致后达成的协议。因此,任何一方都不得凌驾于另一方之上，不得把自己的意志强加给另一方，更不得以强迫、命令、胁迫等手段签订劳动合同试用期条款。

2. 劳动者在试用期间应当享有全部的劳动权利。这些权利包括取得劳动报酬的权利、休息休假的权利、获得劳动安全卫生保护的权利、接受职业技能培训的权利、享受社会保险和福利的权利、提请劳动争议处理的权利以及法律规定的其他劳动权利；还包括依照法律规定，通过职工大会、职工代表大会或者其他形式，参与民主管理或者就保护劳动者合法权益与用人单位进行平等协商的权利。不能因为试用期的身份而加以限制，与其他劳动者区别对待。《劳动合同法》对约定试用期的行为进行了限定，目的是保护劳动者的合法权益。

3. 试用期包括在劳动合同期限内。也就是说，不管劳动合同双方当事人订立的是 1 年期限的劳动合同，还是 3 年、5 年期限的劳动合同，如果约定了试用期，劳动合同期限的前一段（如可能是 3 天、5 天或者 1 个星期，也可能是 1 个月或者 2 个月）是试用期，试用期是包括在整个劳动合同期限里。不管试用期之后当然订立劳动合同还是有其他承诺，都不允许单独约定试用期。

4.《劳动合同法》关于试用期的规定体现了劳动合同双方当事人权利义务的大体平衡。如关于劳动合同的解除中规定，劳动者在试用期内可以通知用人单位解除劳动合同；劳动者在试用期期间被证明不符合录用条件的，用人单位也可以解除劳动合同。

5. 有的用人单位为了规避法律，约定试岗、适应期、实习期，这些都是变相的试用期，其目的无非是将劳动者的待遇下调，方便解除劳动合同。为了保护劳动者的合法权益，应当明确这些情形按照试用期对待。

第二十条　劳动者在试用期的工资不得低于本单位相同岗位最低档工资或者劳动合同约定工资的百分之八十，并不得低于用人单位所在地的最低工资标准。

【释义】　本条是关于试用期工资的规定。

用人单位滥用试用期的另一个表现方式是试用期间付给劳动者的薪金待遇低。实践中，试用期劳动者薪金待遇低的现象非常普遍，很多用人单位视试用人员为廉价劳动力，任意压低基本薪水，甚至不给工资。还有一些单位，硬性规定在试用期间一切意外伤害不列入工伤范围。这也是用人单位热衷于约定试用期的重要原因之一。对试用期内工资待遇过低的问题，社会反响非常强烈。

对试用期间劳动者待遇过低或得不到保障突出的问题，《劳动合同法》作出了有针对性的规定，劳动者在试用期的工资不得低于本单位相同岗位最低档工资或者劳动合同约定工资的 80%，并不得低于用人单位所在地的最低工资标准。这是劳动者在试用期间工资待遇的法定最低标准。对本条的理解，应当把握以下几点：

1. 劳动者和用人单位劳动合同双方当事人在劳动合同里约定了试用期工资，而约定的试用期工资又高于本条规定的标准的，按约定执行。

在德国,对于试用期工资待遇问题,首先是看劳资双方有没有约定,再看工资协定中有没有相应规定。如果既没有约定,工资协定中也没有相应规定,试用期工资待遇应当和正式工的工资待遇一致。

2. 约定试用期工资应当体现同工同酬的原则。试用期期间劳动者提供的价值并不意味一定小于正式工,有的甚至比正式工提供的价值还要高,所以不能当然地认为试用期期间劳动者的工资就是最低标准,就要比正式工低,这不符合同工同酬的原则。这样理解也扼制了用人单位的利益驱动,取消用人单位为使用廉价劳动力便利而滥用试用期。同工同酬原则还体现在用人单位必须为试用期期间劳动者缴纳社会保险,这也是用人单位的法定义务,不能为了降低企业成本而逃避。

3. 关于劳动者在试用期的工资,本条实际上规定了两个最低标准:(1)不得低于本单位相同岗位最低档工资;(2)不得低于劳动合同约定工资的80%。这里就存在按照哪一个标准执行的问题,正确的理解应当是条文里两者相比取其高。

4. 劳动者在试用期的工资不得低于用人单位所在地的最低工资标准。不得低于最低工资支付劳动者是劳动法确立的原则,试用期劳动者也不例外。《劳动法》第48条规定,国家实行最低工资保障制度。用人单位支付劳动者的工资不得低于当地最低工资标准。

最低工资是一种保障制度。它确保了职工在劳动过程中至少领取最低的劳动报酬，维持劳动者个人及其家庭成员的基本生活。最低工资保障制度还确立了将劳动者因探亲、结婚、直系亲属死亡按规定休假期间以及依法参加国家和社会活动视为提供了正常劳动，从法律上排除了企业以非劳动者本人原因没有提供正常劳动为由拒付工资的可能性。最低工资是法定最低标准条款，劳动者在试用期的工资不得低于本单位相同岗位最低档工资或者劳动合同约定工资的 80%，并不得低于用人单位所在地的最低工资标准。对违反最低工资保障制度的企业，劳动者本人可以按照有关规定，要求有关部门进行处理或者向人民法院提起诉讼。

有一则报道：2006 年 8 月 7 日，小张应聘到某设备公司，并与后者签订了“试用员工工资、奖金制度”协议。协议约定：小张应聘做润滑油的销售工作，试用期为 3 个月，基本工资为 1000 元，奖金在公司所派任务完成的情况下每桶提取 10 元。如未完成销售任务每月结款 10 桶润滑油，公司有权给予处罚或者不发试用期基本工资。小张称，他从劳动合同签订之日起便开始上班，但是由于任职期间他未能推销出润滑油，公司拒绝向其支付工资。9 月 18 日，小张申请辞职，后向劳动争议仲裁委员会提出仲裁申请，要求公司支付其工资。仲裁委员会裁决支持了小张的请求。法院经审理也认为，有关协议违反了劳动法关于用人单位支付给劳动者的工资不得低于当地最低工资标准，工资应当按月支付给劳动者本人，不得克扣或者无故拖欠劳动者工资的规定。法院裁定该条款的约定不具有法律效力，公司应当按照协议约定 1000 元每月的标准向小张支付试用期工资。小张拿到了全额工资。

最低工资制度也从客观上给企业和劳动者本人注入了竞争意识,促使企业进行公平竞争,而劳动者也必须努力提高业务水平,提高自身素质,才能在最低工资的基础上获取更丰厚的利益。

最低工资一经确定,并非永不改变。最低工资率发布实施后,如果确定最低工资时所参考的诸因素发生变化,如当地就业者增多、职工平均工资提高、经济发展水平加快,或者本地区职工生活费用价格指数累计变动较大时,应当适时调整本地区的最低工资。据报道,上海职工最低工资标准从2006年9月1日起由每月690元提高到每月750元,小时工最低工资标准由6元提高到6.5元。这是上海自1993年在全国率先推出最低工资制度以来,第14次提高标准。上海市政府最新出台的这一政策还明确规定,上述调整后的最低工资为实得收入,个人应缴纳的基本社会保险费和住房公积金,由单位另行支付。这就意味着,上海职工每月最低能拿到剔除社保费等费用之后的750元净收入。作为就业人员与日俱增的特大型城市,1993年,上海市根据国家有关文件,在国内各大城市中率先进行最低工资保障制度的探索和实践。当年,上海首次规定,企业职工的最低工资标准为210元,只要劳动者在法定工作时间提供了正常劳动,所在企业支付的劳动报酬不得低于这个标准。1994年,上海在实施最低工资标准的第二年,依据当时的物价水平、社会平均工资水平等因素,把标准从210元调整到了220元。上海13年来连续14次提高的最低工资标准,划出了一条醒目的上行线,使低收入劳动者获得了“涨”工资的实惠。

第二十一条　在试用期中,除劳动者有本法第三十九条和第四十条第一项、第二项规定的情形外,用人单位不得解除劳动合同。用人单位在试用期解除劳动合同的,应当向劳动者说明理由。

【释义】　本条是关于试用期解除劳动合同的规定。

实践中,试用期用人单位随意解除劳动合同的现象严重。有些单位利用试用期解除劳动合同相对容易的情况,任意解除,走马观花式地更换试用人员。有的餐饮业单位好像永远在招聘,永远在试用劳动者,招聘的人员竟有90%以上,甚至是100%都不合格。这是用人单位热衷于约定试用期的另一个重要原因。在立法征求意见过程中,有人建议明确规定在试用期内,除非法定事由,用人单位不得任意解除劳动合同,解除劳动合同要提前通知,并规定相应的经济补偿。

为遏制部分用人单位恶意使用试用期,《劳动合同法》作出了针对性规定,在试用期中,除有证据证明劳动者不符合录用条件等情形外,用人单位不得解除劳动合同。用人单位在试用期解除劳动合同的,应当向劳动者说明理由。

这意味着用人单位在试用期中,要解除与劳动者的劳动合同,必须有证据,有理由,证明劳动者哪些方面不符合录用条件,为什么不合格,或者具备解除合同的其他法定条件。如果用人单位恶意使用劳动者,又不尽应尽的义务,劳动者诉诸法律时,用人单位要承担败诉的风险。《劳动合同法》第48条规定,用人单位违反本法规定解除或者终止劳动合同,劳动者要求继续履行劳动合同的,用人单位应当继续履行;劳动者不要求继续履行劳动合同或者劳动合同已经不能继续履行的,用人单位应当依照本法第47条规定的经济补偿标准的2倍向劳动者支付赔偿金;用人单位支付赔偿金后,劳动合同解除或者终止。

用人单位应尽的义务是多方面的,比如意大利法律中有实习期的规定,实习期的设置主要是为了对年轻劳动者进行培训。必须保证每年不少于120小时的脱产培训,培训可以在企业内进行,也可以在企业外进行。

《劳动合同法》第39条第1项和《劳动法》中都规定,劳动者在试用期间被证明不符合录用条件的,用人单位可以解除劳动合同。通常情况下,这是用人单位的权利。试用期是指用人单位对新招用劳动者的思想品德、劳动态度、实际工作能力、身体状况等进行进一步考察的时间期限。根据劳动法的规定,劳动合同可以约定试用期,其期限的长短由企业根据劳动合同期限的长短、工种的实际情况确定,但最长不得超过6个月。在试用期内,如果发现职工有不符合录用条件的,如身体条件、受教育程度、实际工作能力不符合录用条件,企业可以解除劳动合同,以保证职工队伍的素质。

同时,《劳动合同法》第37条中和《劳动法》第32条中均规定,劳动者在试用期内可以通知用人单位解除劳动合同。这说明,在试用期内依法解除劳动合同也是劳动者的权利。

第二十二条　用人单位为劳动者提供专项培训费用，对其进行专业技术培训的，可以与该劳动者订立协议，约定服务期。

劳动者违反服务期约定的，应当按照约定向用人单位支付违约金。违约金的数额不得超过用人单位提供的培训费用。用人单位要求劳动者支付的违约金不得超过服务期尚未履行部分所应分摊的培训费用。

用人单位与劳动者约定服务期的，不影响按照正常的工资调整机制提高劳动者在服务期期间的劳动报酬。

【释义】　本条是关于服务期的规定。

用人单位与劳动者订立协议，约定服务期的培训是有严格的条件的。(1)用人单位提供专项培训费用。按照国家规定，用人单位必须按照本单位工资总额的一定比例提取培训费用，用于对劳动者的职业培训，这部分培训费用的使用不能作为与劳动者约定服务期的条件。同时，这笔专项培训费用的数额应当是比较大的，这个数额到底多高，劳动合同法没有规定一个具体的数额，主要是考虑各地区、各企业之间情况不一样，很难划出一个统一的尺度。由各地方细化本地区的具体数额比较好操作。(2)对劳动者进行的是专业技术培训，包括专业知识和职业技能。比如从国外引进一条生产线、一个项目，必须有能够操作的人，为此，把劳动者送到国外去培训，回来以后干这个活，这个培训就是本条所指的培训。用人单位对劳动者进行必要的职业培训不可以约定服务期，也就是说不包括职业培训。以免一个正常的职业培训如上岗前必经的培训,甚至参加一个普通的会议、上个夜校都被算成是本条所称的专业技术培训。《劳动法》规定,用人单位应当建立职业培训制度,按照国家规定提取和使用职业培训经费,根据本单位实际,有计划地对劳动者进行职业培训。从事技术工种的劳动者,上岗前必须经过培训。劳动者有接受职业技能培训的权利。(3)至于培训的形式,可以是脱产的,半脱产的,也可以是不脱产的。在实践中,用人单位往往因某个项目或者某种技术革新,给员工提供费用较大的培训,但脱产时间一般不会很长,更多地采取非脱产方式的专业技术培训。如果法律硬性规定必须脱产培训一定时间以上才能约定服务期,许多接受培训的劳动者不履行约定的服务期而离职,会给用人单位造成较大的损失。这样规定,表面上看是保护了劳动者的培训利益,实际上使用人单位在劳动者培训上产生顾虑,不利于劳动者的发展。一般情况下,越是不可或缺的人才,单位越不可能使其脱产培训很长时间,而只能采用非脱产的方式。总之,不管是否脱产,只要用人单位在国家规定提取的职工培训费用以外,专门花费较高数额的钱送劳动者去进行定向专业培训的,就可以与该劳动者订立协议,约定服务期。

法律之所以规定服务期,是因为用人单位对劳动者有投入并导致劳动者获得利益。用人单位为劳动者提供培训费用,并支付劳动报酬和其他待遇,使劳动者学到了本事。同时,用人单位使劳动者接受培训的目的,在于劳动者回来后运用学到的本事为本单位提供约定服务期期间的劳动,劳动者服务期未满离职,使用人单位期待落空。通过约定服务期,可以大体平衡劳动合同双方当事人的利益。规定服务期的一个重要的前提是，由于用人单位通过出资培训等提供特殊待遇的劳动者在劳动力市场具有与用人单位谈判的能力，如果他们觉得有利可图就签订培训协议。在这一前提下，应当鼓励用人单位给予员工特殊待遇，鼓励其加大对劳动者技能培训的资金投入力度，同时允许企业获得相应权利，从而促进劳动关系和谐稳定。

用人单位与劳动者要依法约定违约金。主要包含两层意思：第一，违约金是劳动合同双方当事人约定的结果，体现了合同中的权利义务对等原则。所谓“对等”，是指享有权利，同时就应当承担义务，而且，彼此的权利、义务是相对应的。这要求当事人所取得财产、劳务或工作成果与其履行的义务大体相当。劳动者违反服务期约定的，应当按照约定向用人单位支付违约金。第二，用人单位与劳动者约定违约金时不得违法，即约定违反服务期违约金的数额不得超过用人单位提供的培训费用。违约时，劳动者所支付的违约金不得超过服务期尚未履行部分所应分摊的培训费用。

在立法过程中，多数意见主张违反服务期约定的违约金数额应当予以限制。至于具体措施，有的主张单一的总金额限制，如用人单位实际为劳动者提供的特殊待遇的市场价值或者劳动者年度工资收入；有的主张比例限制，如劳动者年度工资收入的百分比或用人单位实际为劳动者提供的特殊待遇的市场价值的百分比。也有意见认为，由于享受用人单位出资培训等特殊待遇的劳动者在劳动力市场具有与用人单位谈判的能力，对服务期的违约金没有必要统一规定，交由劳动者与用人单位具体约定，只要不违反《民法通则》和《劳动法》规定即可。第三种意见认为，劳动者因享受用人单位提供的出资培训等特殊待遇后违约辞职，则用人单位可以根据《劳动法》依法要求劳动者赔偿培训费用、生产经营损失、其他约定的赔偿费用，没有必要规定违约金责任。否则，违约金责任就带有惩戒性质，不具有补偿性质。本条第2款中规定，约定违反服务期违约金的数额不得超过用人单位提供的培训费用。违约时，劳动者所支付的违约金不得超过服务期尚未履行部分所应分摊的培训费用。这体现了劳动法侧重于保护劳动者的立法宗旨，同时兼顾双方的利益。

关于服务期的年限，在立法过程中，一种意见认为，约定服务期限制了劳动者自由流动，对市场配置劳动力资源有影响，要有公共政策手段配合，作出限制，不能任由双方约定，如法律应当规定服务期最长不能超过几年。另一种意见认为，服务期是指劳动者因接受用人单位给予的特殊待遇而承诺必须为用人单位服务的最短期限。只要用人单位出资培训劳动者，符合一定条件，接受培训的劳动者就有义务为用人单位最少服务一定年限，否则，就有义务承担赔偿培训费用的责任，只是按比例递减而已。所以，劳动者接受用人单位付费在职培训后，用人单位可以与劳动者约定接受专业技术培训以后的服务期。

本条没有对服务期的年限作出具体规定。应当理解为服务期的长短可以由劳动合同双方当事人协议确定，但是，用人单位在与劳动者协议确定服务期年限时要遵守两点：第一，要体现公平合理的原则，不得滥用权利；第二，用人单位与劳动者约定的服务期较长的，用人单位应当按照工资调整机制提高劳动者在服务期期间的劳动报酬。

要正确理解本条的规定，必须处理好两个关系：第一，约定与法定的关系；第二，调动用人单位提供培训的积极性与保护劳动者合法权益的关系。

第二十三条　用人单位与劳动者可以在劳动合同中约定保守用人单位的商业秘密和与知识产权相关的保密事项。

对负有保密义务的劳动者，用人单位可以在劳动合同或者保密协议中与劳动者约定竞业限制条款，并约定在解除或者终止劳动合同后，在竞业限制期限内按月给予劳动者经济补偿。劳动者违反竞业限制约定的，应当按照约定向用人单位支付违约金。

【释义】　本条是关于劳动者的保密义务和竞业限制的规定。

《劳动法》第 22 条规定，劳动合同当事人可以在劳动合同中约定保守用人单位商业秘密的有关事项。《反不正当竞争法》第 10 条第 3 款规定，本条所称的商业秘密，是指不为公众所知悉、能为权利人带来经济利益，具有实用性并经权利人采取保密措施的技术信息和经营信息。因此商业秘密包括两部分：非专利技术和经营信息。如管理方法、产销策略、客户名单、货源情报等经营信息；生产配方、工艺流程、技术诀窍、设计图纸等技术信息。商业秘密关乎企业的竞争力，对企业的发展至关重要，有的甚至直接影响到企业的生存。商业秘密和其他知识产权（专利权、商标权、著作权等）相比，有以下特点：第一，商业秘密的前提是不为公众所知悉，而其他知识产权都是公开的，对专利权甚至有公开到相当程度的要求。第二，商业秘密是一项相对的权利。商业秘密的专有性不是绝对的，不具有排他性。如果其他人以合法方式取得了同一内容的商业秘密，他们就和第一个人有着同样的地位。商业秘密的拥有者既不能阻止在他之前已经开发掌握该信息的人使用、转让该信息，也不能阻止在他之后开发掌握该信息的人使用、转让该信息。第三，能使经营者获得利益，获得竞争优势，或具有潜在的商业利益。第四，商业秘密的保护期不是法定的，取决于权利人的保密措施和其他人对此项秘密的公开。一项技术秘密可能由于权利人保密措施得力和技术本身的应用价值而延续很长时间，远远超过专利技术受保护的期限。

我国有关法律从不同角度对商业秘密加以了保护。第一，从商业秘密持有者与侵害商业秘密者之间的关系看，除了双方没有任何关系，但侵害者通过不正当手段，如盗窃、利诱、胁迫等侵害商业秘密情形外，侵害商业秘密主要发生在买卖、承揽、授权、雇佣关系中，其中在雇佣关系中是最容易发生侵害商业秘密行为的。《反不正当竞争法》对通过不正当手段侵害商业秘密的行为作了规范；《合同法》对存在民事合同关系情形下侵害商业秘密的行为作了规范；《反不正当竞争法》对存在保守商业秘密约定或者权利人有关保守商业秘密要求的情形下的侵害商业秘密的行为作了规范，这包括民事主体之间的合同约定和雇佣关系下的约定；《公司法》《刑法》主要对存在劳动关系的侵害商业秘密的情形作了规范。第二，在存在劳动关系的情形下，现有法律对商业秘密的保护都有一个前提，即都是劳动者自营或者为他人经营，不包括劳动者到其他企业中工作的情形。《公司法》第 148 条第 1 款规定，董事、监事、高级管理人员应当遵守法律、行政法规和公司章程，对公司负有忠实义务和勤勉义务。第 149 条规定，董事、高级管理人员不得有下列行为：未经股东会或者股东大会同意，利用职务便利为自己或者他人谋取属于公司的商业机会，自营或者为他人经营与所任职公司同类的业务；擅自披露公司秘密；违反对公司忠实义务的其他行为。董事、高级管理人员违反前款规定所得的收入应当归公司所有。如《反不正当竞争法》规定的是经营者，根据该法第 2 条的规定，经营者是指从事商品经营或者营利性服务的法人、其他经济组织和个人。第三，不同法律对商业秘密的保护范围不同。《反不正当竞争法》的保护面宽，这主要体现在三个方面：首先是《反不正当竞争法》对侵害主体的资格没有限制，所有知晓商业秘密并违反约定或者规定的劳动者，都可以构成侵害商业秘密；《公司法》规定的侵害主体为董事、高级管理人员；《刑法》则规定的是国有公司、企业的董事、经理。其次是《反不正当竞争法》既保护非专利技术，也保护经营信息；而《公司法》和《刑法》则主要保护商业机会，商业机会包括经营信息，但不包括非专利技术。最后是《反不正当竞争法》不仅规范劳动者工作期间的保守商业秘密行为，而且规范劳动者离职后的保守商业秘密行为；而《公司法》和《刑法》只是规范劳动者任职期间的保守商业秘密的行为。

获得商业秘密的合法手段包括：独立开发获得；合法购买；从公开渠道观察获得；合法接受许可获得及通过反向工程获得等。

劳动关系具有特定的人身属性，由劳动者对用人单位忠诚义务演化出劳动合同的保密义务（忠诚义务在英国法上被法院视作劳动合同的默示义务），并进而扩展为竞业限制或竞业禁止。竞业禁止条款蕴涵了用人单位的财产权益和劳动者的劳动权利两者的矛盾，成为一个必须依据法律来调整的问题。

本条规定，对负有保守用人单位商业秘密义务的劳动者，用人单位可以在劳动合同或者保密协议中与劳动者约定竞业限制条款。在劳动合同解除后，不得使用或者披露信息的义务包含生产的秘密环节，以及足以构成商业秘密的其他信息。要确定究竟哪些信息在劳动合同解除后，劳动者仍然负有不得披露和使用商业秘密的义务，必须考虑以下因素：第一，劳动性质。如果劳动过程中要经常性地处理秘密文件，劳动者显然要承担比一般劳动者更多的忠诚义务。也就是说，除了信息类型的限制之外，劳动者的身份和职位也会影响到竞业禁止条款的效力。如果劳动者在劳动过程中由于同客户的接触获知了客户相关的特别信息，用人单位自然可以合法地使用行业限制条款禁止该劳动者在劳动合同终止后拉拢客户。这一原则非常普遍地适用于各种行业。第二，信息本身的性质，即用人单位是否使劳动者意识到信息的保密性。虽然用人单位只是单方面声称某些信息是保密信息本身并不充分，但是用人单位对待这些信息的态度可以帮助确定信息的性质。英国普通法中规定，在合同没有明确规定的情况下，劳动者在解除劳动合同后并不承担竞业限制的义务。事实上，只有在披露和使用商业秘密的意义上，用人单位才有权得以禁止劳动者竞业，而商业秘密的判断也通过严格的判断规则被限制在特定的范围内。

本条规定竞业禁止的目的是要保护用人单位的商业秘密。劳动者违反竞业限制约定的，应当按照约定向用人单位支付违约金，给用人单位造成损失的，还要依法支付损害赔偿金。但是，在用人单位存在商业秘密，劳动者亦知悉的情况下，因为劳动合同终结后，劳动者的保密义务仍旧延续，即便用人单位未与劳动者签订竞业禁止协议，劳动者也应当保守用人单位的商业秘密，否则，用人单位可因此追究劳动者的侵权责任。以法律的形式规定劳动者离职后负有竞业禁止义务，主要考虑目前越来越多的保密协议、竞业限制条款，极大地限制了劳动者离职后的就业范围。同时，用人单位往往在签订竞业限制协议书时说明日常工资中就已经包括了竞业限制的经济补偿，实际上不给劳动者经济补偿。本条规定，对负有保守用人单位商业秘密义务的劳动者，用人单位可以在劳动合同或者保密协议中与劳动者约定竞业限制条款，并约定在解除或者终止劳动合同后，在竞业限制期限内按月给予劳动者经济补偿。本条有关竞业限制补偿金及支付时间的规定，在保护用人单位的知识产权和商业秘密的同时，有利于劳动者在具备一定经济条件的基础上保护这些信息。

劳动合同到期后的竞业禁止，由用人单位和劳动者双方约定。其中最重要的内容是经济补偿，竞业限制补偿金是用人单位对劳动者履行竞业限制义务的补偿，用人单位与劳动者有竞业限制约定的，应当同时与劳动者约定在劳动合同终止或者解除时向劳动者支付的竞业限制经济补偿。竞业限制经济补偿金不能包含在工资中，只能在劳动关系结束后，在竞业限制期限内按月给予劳动者经济补偿。补偿金的数额由双方约定。用人单位未按照约定在劳动合同终止或者解除时向劳动者支付竞业限制经济补偿的，竞业限制条款失效。这是竞业限制条款生效的条件和劳动者遵守竞业限制义务的前提。

第二十四条　竞业限制的人员限于用人单位的高级管理人员、高级技术人员和其他负有保密义务的人员。竞业限制的范围、地域、期限由用人单位与劳动者约定，竞业限制的约定不得违反法律、法规的规定。

在解除或者终止劳动合同后，前款规定的人员到与本单位生产或者经营同类产品、从事同类业务的有竞争关系的其他用人单位，或者自己开业生产或者经营同类产品、从事同类业务的竞业限制期限，不得超过二年。

【释义】　本条是关于竞业限制的范围的规定。

用人单位可以与知悉其商业秘密的劳动者在劳动合同中

约定，在劳动合同终止或者解除后的一定期限内，劳动者不得到生产与本单位同类产品或者经营同类业务的有竞争关系的其他用人单位任职，也不得自己开业生产或者经营与用人单位有竞争关系的同类产品或者业务。

尽管有些信息在劳动合同期间未经允许，劳动者不得披露给第三方或者复制，但是如果劳动者在劳动过程中凭记忆而掌握这些信息，则其在解除劳动合同后可以利用。实践中，劳动者泄露用人单位商业秘密的事件时有发生，对用人单位造成了较大的损害。为了保护企业的商业秘密，用人单位可以与劳动者订立竞业限制条款。但是，如果劳动者复制或者故意记录或者以任何其他方式掌握客户名单，是为了将来解除劳动合同后使用，这种行为构成对诚信义务的违反，即便没有竞业限制协议，用人单位也可以依据有关法律规定保护自己的商业秘密。

竞业限制的实施客观上限制了劳动者的就业权，进而影响了劳动者的生存权，故其存在仅能以协议的方式确立。比如，竞业限制的范围、地域、期限由用人单位与劳动者约定。尽管用人单位因此支付一定的代价，但一般而言，该代价不能完全弥补劳动者因就业限制而遭受的损失。因此，为了保护劳动者的合法权益，本条在强调约定的同时对竞业限制进行了必要的限制：

1. 竞业限制的人员限于用人单位的高级管理人员、高级技术人员和其他负有保密义务的人员。竞业限制实际上限于知悉用人单位商业秘密和核心技术的人员，不可能面对每个劳动者,企业也无力承受给每人一份经济补偿金。

《瑞士债法》第340条中规定,竞业禁止以劳动关系中劳动者获有顾客来源或制造、营业机密,而此等知识的运用对原用人单位可能造成重大损害为限。我国竞业禁止条款被限制在只能和知悉本单位商业秘密或者其他对本单位经营有重大影响的信息的劳动者订立与之相似。

2. 竞业限制的范围要界定清楚。由于竞业限制限制了劳动者的劳动权利,竞业限制一旦生效,劳动者要么改行,要么赋闲在家,因此不能任意扩大竞业限制的范围。鉴于商业秘密的范围可大可小,如果任由用人单位来认定,难免有被扩大之虞。原则上,竞业限制的范围、地域,应当以能够与用人单位形成实际竞争关系的地域为限。

3. 约定竞业限制必须是保护合法权益所必需。自由竞争和贸易自由是市场经济的基本原则,竞业限制本身是对自由竞争的一种限制。因此,竞业限制的实施必须以正当利益的存在为前提,必须是保护合法权益所必需。首先是存在竞争关系,最重要的是不能夸大商业秘密的范围,劳动者承担义务的范围被无限制地扩张会损害劳动者的合法权益。

因为忠诚义务在劳动合同终止后受到限制,所以在劳动合同中明确竞业禁止条款的内容对于劳动合同双方非常重要。在英国,竞业禁止条款的约定必须符合“行业限制规则”。这是指所有的竞业禁止条款首先将被视作无效,除非根据“合理性”审查被证明合理。因此,雇主至少必须证明自己有具体的财产利益需要竞业禁止条款的保护。英国法对行业限制规则可以归结为三点:限制性条款保护的信息应当是商业秘密或者同客户特殊信息有关;限制性条款应当是在合理时间和地域内保护雇主的财产利益所必需;限制性条款不应当违背公共利益。

就竞业禁止保护的信息类型而言,英国法院区分商业秘密和一般技术的诀窍是:对于商业秘密,雇主可以通过竞业禁止条款禁止劳动者在劳动合同终止后使用;如果信息并不能被明确地归类为商业秘密,竞业禁止条款将不具有约束力。因此,为防止引发争议,雇主往往需要在劳动合同中明确约定哪些信息属于商业秘密,但是无论是明确的竞业禁止条款还是默示的忠诚义务,都不能被用来限制劳动者的劳动自由。

4. 在解除或者终止劳动合同后,受竞业限制约束的劳动者到与本单位生产或者经营同类产品、业务的有竞争关系的其他用人单位,或者自己开业生产或者经营与本单位有竞争关系的同类产品、业务的竞业限制期限不得超过 2 年。

第二十五条　除本法第二十二条和第二十三条规定的情形外,用人单位不得与劳动者约定由劳动者承担违约金。

【释义】 本条是关于用人单位不得与劳动者约定由劳动者承担违约金的规定。

实践中很多用人单位动辄在劳动合同中对劳动者约定高额违约金,以此“圈”住劳动者,而不是通过适当的待遇和和谐的劳动关系留住劳动者。其中最常见的是就劳动合同期限的履行约定违约金。因此,《劳动合同法》规定:“除本法第二十二条和第二十三条规定的情形外,用人单位不得与劳动者约定由劳动者承担违约金”。

违约金,亦称违约罚款,是指合同当事人约定在一方不履行合同时向另一方支付一定数额的货币。这种民事责任形式只有在合同当事人有约定或法律有直接规定时才能适用,当事人一方不能自行规定所谓违约金。违约金可分为赔偿性违约金和惩罚性违约金。

违反本条规定,用人单位与劳动者径自约定劳动者违反劳动合同期限的违约金责任,约定无效。这主要是从保护劳动者权益的角度出发:一是在劳动合同及其专项协议书签订时,由于用人单位与劳动者经济社会地位不平等和在劳动力市场谈判能力不对称以及个别劳动关系具有从属性特征,劳动者的意思自治受到用人单位的事实上的不正当影响。用人单位往往利用劳动者急于获得工作岗位的心理,在合同中加入不平等的条款,劳动者迫于生计不得已接受。二是实务中极少存在劳动合同同等约定用人单位提前解除劳动合同即解雇的违约金责任,多为约定劳动者不管何种原因提前解除劳动合同,就应当支付用人单位不菲的违约金,有无实际造成经济损失及其多少和用人单位是否提供特殊福利待遇或者承担保密义务等在所不问,而对于用人单位打破劳动者职业稳定性期待提前解雇,往往没有同等的违约金支付约定,劳动者所失甚多所得甚少,显失公平。三是劳动者具有劳动自由,任何公共机构、私人组织和个人都无权强迫劳动者劳动,这就是现代劳动法上的劳动者劳动自由原则。我国《劳动法》第 32 条也规定用人单位不能强迫劳动，否则，劳动者有权即时辞职。四是劳动者依法享有择业自主权，用人单位当然也依法享有保护本单位利益如商业秘密的权利，但劳动者的择业自主权是劳动者的生存权，是公民的基本人权之一，在权利位阶和效力上高于用人单位的相对应的权利。综上，如果用人单位没有相对应的特别对价（特殊福利待遇和承担保守商业秘密的竞业禁止经济补偿）支持，仅因为劳动合同约定，劳动者提前解除劳动合同就必须按照劳动合同约定支付用人单位违约金而不受限制的做法，没有法理基础，不符合个别劳动关系的本质与劳动法和劳动合同法作为社会法的保护劳动者利益的宗旨，因而不具有合法性，最起码合法性不足。

之所以允许劳动合同就劳动者保守商业秘密事项和服务期事项约定违约金，是因为用人单位就这两项事项事先有投入，例如，用人单位因出资培训而与劳动者签订服务期条款，劳动合同就此对劳动者的辞职约定违约金，不是为了惩罚劳动者或担保劳动合同的履行，而是补偿因为劳动者辞职给企业造成的损失。这样的违约金的约定具有一定的合理性，但单纯就劳动合同期限对劳动者约定的违约金显然不具有这样的合理性。劳动者干一天的活用人单位付一天的钱，违约金原则上对普通劳动者不适用。

有的观点认为，企业高级管理人员不应当成为《劳动法》倾斜保护的对象。对企业高级管理人员和普通劳动者不做分类适用的制度安排，是我国《劳动法》的一大缺陷。伴随着劳动者分层、分化进程，将企业高管人员和普通劳动者一样作为弱势群体施以倾斜保护，这种不分青红皂白的保护，产生了诸多扭曲的现象。首先，一方面企业高级管理人员代表企业与普通劳动者订立劳动合同，另一方面企业也要与他们订立劳动合同，而对于企业主要管理者而言，由于他们本身就是企业的代表，因而总是会出现他们自己与自己订立劳动合同的怪异现象(部分居心不良者甚至能够利用这样的便利为自己获取不道德的利益)。其次，一方面他们被赋予重要职责而获得丰厚的报酬，另一方面他们又可以像普通劳动者一样获得相应倍数的加班工资，甚至他们中的部分人还很乐意利用有利条件制造加班事实，自我加班以获取超额利益。最后，一方面他们中的一部分人即便不胜任工作，不能实现企业与之订立劳动合同时所期待的利益，企业也不能直接将之解雇(部分居心不良者甚至能够以自我解雇的方式制造被企业解雇的事实，以牟取高额的经济补偿)；另一方面他们又和普通劳动者一样，享有不受制约的辞职权而无须承担法律责任。凡此种种，不一而足。企业高级管理人员与其雇用者之间更具有平等色彩，因此，对这一群体，应当更多地参考用于调整平等主体之间关系的民事法律制度。

由于企业高级管理人员的离职相较于普通劳动者来说对用人单位造成的影响要大，对于企业高级管理人员或者高级技术人员等核心员工，除了涉及保守商业秘密事项、服务期事项外，是否应当允许就劳动合同期限的履行等事项约定违约金，我国《劳动法》没有明确规定。各地立法有一些不相同的规定，从地方立法看，主要有三种类型：第一种为否定型立法。

例如上海、江苏、浙江等,这些地方的劳动合同条例明确规定,对劳动者的违约行为约定违约金的,仅限于违反服务期约定和违反保守商业秘密或者竞业限制约定的两种情形,除此以外,不得对劳动者的违约行为约定违约金。第二种为肯定型立法。例如北京、安徽、山东等,这些地方的劳动合同条例(规定)明确规定,劳动合同可以就劳动者提前解除劳动合同或者违反劳动合同的期限等行为约定违约金。第三种为空白型立法,与劳动法一样不作规定,如吉林、河北等地。空白型立法导致的结果是劳动合同对违约金的约定和适用没有任何的约束和限制。但无论是我国的《劳动法》还是何种类型的地方立法,有一点是相同的,即在劳动合同中能否就劳动者履行合同期限等约定违约金的问题上,没有因劳动者的分层而作不同的规定。

第二十六条　下列劳动合同无效或者部分无效:

(一)以欺诈、胁迫的手段或者乘人之危,使对方在违背真实意思的情况下订立或者变更劳动合同的;

(二)用人单位免除自己的法定责任、排除劳动者权利的;

(三)违反法律、行政法规强制性规定的。

对劳动合同的无效或者部分无效有争议的,由劳动争议仲裁机构或者人民法院确认。

【释义】 本条是关于劳动合同无效的规定。

无效的劳动合同是指由当事人签订成立而国家不予承认

其法律效力的劳动合同。一般合同一旦依法成立，就具有法律拘束力，但是无效合同即使成立，也不具有法律拘束力，不发生履行效力。《合同法》第52条规定，有下列情形之一的，合同无效：(1)一方以欺诈、胁迫的手段订立劳动合同，损害国家利益；(2)恶意串通，损害国家、集体或者第三人利益；(3)以合法形式掩盖非法目的；(4)损害社会公共利益；(5)违反法律、行政法规的强制性规定。

导致劳动合同无效有以下几方面的原因：

1. 劳动合同因违反国家法律、行政法规的强制性规定而无效。包括：(1)用人单位和劳动者中的一方或者双方不具备订立劳动合同的法定资格。如签订劳动合同的劳动者一方必须是具有劳动权利能力和劳动行为能力的公民，企业与未满十六周岁的未成年人订立的劳动合同就是无效的劳动合同(国家另有规定的除外)。(2)劳动合同的内容直接违反法律、法规的规定。如矿山企业与劳动者在劳动合同中约定的劳动保护条件不符合《矿山安全法》的有关规定，他们所订立的劳动合同是无效的。(3)劳动合同因损害国家利益和社会公共利益而无效。《民法通则》第58条第5项确立了社会公共利益的原则，违反法律或者社会公共利益的民事行为无效。

法律、行政法规包含强制性规定和任意性规定。强制性规定排除了合同当事人的意思自治，即当事人在合同中不得合意排除法律、行政法规强制性规定的适用，如果当事人约定排除了强制性规定，则构成本项规定的无效情形。这里主要指国家制定的关于劳动者最基本劳动条件的法律、法规，包括最低工资法、工作时间法、劳动安全与卫生法等，其目的是改善劳动条件，保障劳动者的基本生活，避免伤亡事故的发生。还应当特别注意的是本项的规定只限于法律和行政法规，不能任意扩大范围。实践中存在的将违反地方行政管理规定的合同都认为无效，是不妥当的。

2. 订立劳动合同因采取欺诈、威胁等手段而无效。欺诈是指当事人一方故意制造假象或隐瞒事实真相，欺骗对方，诱使对方形成错误认识而与之订立劳动合同。欺诈的种类很多，包括：(1)在没有履行能力的情况下签订合同。如根据劳动法的规定，从事特种作业的劳动者必须经过专门培训并取得特种作业资格。应聘的劳动者并没有这种资格，提供了假的资格证书。(2)行为人负有义务向他方如实告知某种真实情况而故意不告知的。如一家小型化工企业招聘三班倒的化工工人，所以不能用孕妇。但有的妇女来应聘，故意隐瞒其已经怀孕的情况，应聘上岗后不久就提出已经怀孕不能倒班上岗。采取欺诈手段订立的劳动合同是无效的。威胁是指当事人以将要发生的损害或者以直接实施损害相威胁，一方迫使另一方处于恐怖或者其他被胁迫的状态而签订劳动合同，威胁可能涉及生命、身体、财产、名誉、自由、健康等方面。

3. 用人单位免除自己的法定责任、排除劳动者权利的劳动合同无效。这属于禁止用人单位同劳动者约定的内容，这也是合同的一般原则。通常表现为，劳动合同简单化，法定条款缺失，仅规定劳动者的义务，有的甚至规定“生老病死都与企业无关”“用人单位有权根据生产经营变化以及劳动者的工作情况调整其工作岗位，劳动者必须服从用人单位的安排”等“霸王”条款。

实践中出现较多的是造成劳动者人身伤害的免责条款。对于人身的健康和生命安全，法律是给予特殊保护的，并且从整体社会利益的角度来考虑，如果允许免除用人单位对劳动者人身伤害的责任，那么就无异于纵容用人单位利用劳动合同形式对劳动者的生命进行摧残，这与保护公民的人身权利的宪法原则是相违背的。劳动者劳动合同权利的放弃，如果与劳动法的维权宗旨相悖，劳动者放弃权利的行为应当受到限制。例如，目前煤矿这种高危行业用工，不经过任何培训，没有任何技术，来了就签劳动合同，出事故死了给点钱就完事了，而劳动者又在高工资的引诱下自愿在用人单位不负责生命安全的劳动合同上签字，这种情况下，劳动者放弃劳动保护权的行为，即便出于自愿，亦应认定无效。

劳动合同是否有效，由劳动争议仲裁机构或者人民法院确认，其他任何部门或者个人都无权认定无效劳动合同。

第二十七条　劳动合同部分无效，不影响其他部分效力的，其他部分仍然有效。

【释义】　本条是关于劳动合同部分无效的规定。

无效的合同可分为部分无效合同和全部无效的合同。部分无效合同是指有些合同条款虽然违反法律规定，但并不影响其他条款效力的合同。有些劳动合同就内容看，不是全部无效，而是部分无效，即劳动合同中的某一部分条款不发生法律效力。在部分无效的劳动合同中,无效条款如果不影响其余部分的效力,其余部分仍然有效,对双方当事人有约束力。这包括两层意思:(1)如果认定劳动合同的某些条款无效,该部分内容与劳动合同的其他内容相比较,应当是相对独立的,该部分与劳动合同的其他部分具有可分性,也就是本条所说的,劳动合同无效部分不影响其他部分的效力。如果部分无效的条款与其他条款具有不可分性,或者当事人约定某劳动合同条款为劳动合同成立生效的必要条款,那么该劳动合同的部分无效就会导致整个劳动合同的无效,而不能确认该部分无效,另一部分劳动合同内容又保持其效力。(2)如果劳动合同的目的是违法的,或者根据诚实信用和公平原则,剩余部分的劳动合同内容的效力对当事人已经没有任何意义或者不公平合理的,劳动合同应当全部确认为无效。

部分无效的劳动合同通常表现为未经批准不得辞职、加班不给加班费、工作受伤自己负责等。

劳动合同是否有效,由劳动争议仲裁机构或者人民法院确认,其他任何部门或者个人都无权认定劳动合同无效或者部分无效。在司法实践中,不能任意扩大无效或者部分无效劳动合同的范围,特别要防止用人单位利用这一条款恶意解雇劳动者。如劳动者在应聘时隐瞒了一些事实,向用人单位提供了不实的个人资料等,在认定劳动合同的无效或者部分无效时,就有个度的问题,实际上,劳动者实际能力行就可以了,不能算作无效劳动合同,甚至部分无效劳动合同都构不成。相对于劳动合同的全部无效,实践中大部分情况是劳动合同的部分无效,如用人单位免除自己的法定责任、排除劳动者权利的劳动合同中的大多数。

司法实践中,部分无效劳动合同无效条件消失的,应当按照劳动合同有效处理,尽量促使劳动合同继续履行,维护劳动者的权益。

第二十八条　劳动合同被确认无效,劳动者已付出劳动的,用人单位应当向劳动者支付劳动报酬。劳动报酬的数额,参照本单位相同或者相近岗位劳动者的劳动报酬确定。

【释义】　本条是关于劳动合同无效后劳动者劳动报酬如何支付的规定。

无效的合同一般具有以下特征:(1)无效合同具有违法性。它们大都违反了法律和行政法规的强制性规定和损害了国家利益、社会公共利益。无效合同的违法性表明此类合同不符合国家的意志和立法的目的,所以,对此类合同国家就应当实行干预,使其不发生效力,而不管当事人是否主张合同的效力。(2)无效合同是自始无效的。就是从订立的时候起,就没有法律约束力,以后也不会转化为有效合同。国家不承认此类合同的效力。对于已经履行的,应当通过返还财产、赔偿损失等方式使当事人的财产恢复到合同订立前的状态。法律既不保护无效合同当事人的权益,也不强制当事人履行无效劳动合同规定的义务。

劳动合同有其特殊性,是一种具有人身属性、重实际履行的合同。已经发生的人身从属关系,无法按照一般民事关系的处理方式，恢复到合同关系发生前的状态；已经履行的劳动给付义务，不应该恢复到合同关系发生前的状态。如果对劳动合同简单地照搬民事合同中的无效、撤销制度，已经发生的劳动给付无法处理，也会引发大量的纠纷。

为了适应劳动合同的特殊性，劳动合同被确认无效，劳动者已付出劳动的，用人单位应当向劳动者支付劳动报酬。包括无营业执照经营的单位被依法处理，该单位的劳动者已经付出劳动的，由被处理的单位或者其出资人向劳动者支付劳动报酬。用人单位与劳动者有恶意串通，损害国家利益、社会公共利益或者他人合法权益的情形除外。

劳动报酬的数额，参考用人单位同类岗位劳动者的劳动报酬确定。如果双方约定的报酬高于用人单位同岗位劳动者工资水平的，除当事人恶意串通侵害社会公共利益的情况外，劳动者已经给付劳动的，劳动报酬按照实际履行的内容确认。

对因用人单位的过错导致劳动合同无效的，不仅要求用人单位支付劳动报酬、社会保险、经济补偿以及其他劳动者应享受的待遇，同时还要对其给予相应的制裁。本法在法律责任中规定劳动合同依照本法第 26 条规定被确认无效，给对方造成损害的，有过错的一方应当承担赔偿责任。在合同被确认无效后，一般都会产生损害赔偿的责任。在合同被确认无效后，如果因为劳动者的过错导致劳动合同的无效而给用人单位造成损失的，劳动者应当赔偿用人单位的财产损失。这体现了保护劳动合同无效无过错方合法权益的原则。

第三章 劳动合同的履行和变更

第二十九条 用人单位与劳动者应当按照劳动合同的约定,全面履行各自的义务。

【释义】 本条是关于劳动合同要全面履行的规定。

根据本法第3条第2款的规定,劳动合同依法订立即具有法律约束力,用人单位与劳动者应当履行劳动合同规定的义务。也就是说,劳动合同一经依法订立即具有法律效力,受法律保护,双方当事人应当做到切实履行,以实现劳动合同双方当事人订立劳动合同时的预期目的。这是市场经济秩序得以维护的基本要求,也是现代法治社会的基本要求。因此本条规定了用人单位与劳动者应当按照劳动合同的约定,全面履行各自的义务。

劳动合同的全面履行要求劳动合同的当事人双方必须按照合同约定的时间、期限、地点,用约定的方式,按质、按量全部履行自己承担的义务,既不能只履行部分义务而将其他义务置之不顾,也不得擅自变更合同,更不得任意不履行合同或者解除合同。对于用人单位而言,必须按照合同的约定向劳动者提供适当的工作场所和劳动安全卫生条件、相关工作岗位,并按照约定的金额和支付方式按时向劳动者支付劳动报酬；对于劳动者而言，必须遵守用人单位的规章制度和劳动纪律，认真履行自己的劳动职责，并且亲自完成劳动合同约定的工作任务。在劳动合同关系中，劳动者提供劳动力，而用人单位则是使用该劳动力，劳动合同作为具有人身关系性质的合同，其所规定的条款相互之间有其内在联系，不能割裂，因此，全面履行劳动合同也是劳动合同的基本要求。

劳动合同的全面履行要求劳动合同主体必须亲自履行劳动合同。因为劳动关系是具有人身关系性质的社会关系，劳动合同是特定主体间的合同。劳动者选择用人单位，是基于自身经济、个人发展等各方面利益关系的需要；而用人单位之所以选择该劳动者也是由于该劳动者具备用人单位所需要的基本素质和要求。劳动关系确立后，劳动者不能将应由自己完成的工作交由第三方代办，用人单位也不能将应由自己对劳动者承担的义务转嫁给其他第三方承担，未经劳动者同意不能随意变更劳动者的工作性质、岗位，更不能擅自将劳动者调到其他用人单位工作。

劳动合同的全面履行，还需要劳动合同双方当事人之间相互理解和配合，相互协作履行。这一方面要求劳动者应自觉遵守用人单位的规章制度和劳动纪律，以主人翁的姿态关心用人单位的利益和发展，理解用人单位的困难，为本单位发展献策出力；另一方面也要求用人单位爱护劳动者，体谅劳动者的实际困难和需要。具体而言，劳动合同的协作履行要求双方应当做到：(1)当事人双方首先应按照劳动合同的约定和劳动纪律的规定，履行自己应尽的义务，并为对方履行义务创造条件。(2)当事人双方应互相关心,通过生产经营管理和民主管理,互相督促,发现问题及时协商解决。(3)无论是用人单位还是劳动者遇到问题时,双方应在法律允许的范围内尽力给予对方帮助,协助对方尽快解决问题。(4)劳动者违纪,用人单位应依法进行教育,帮助劳动者改正;用人单位违约,劳动者要及时发现问题,尽快协助纠正,并设法防止和减少损失。(5)在履行过程中发生了劳动争议,当事人双方都应从大局出发,根据本法和《劳动法》等法律法规的有关规定,结合实际情况,及时协商解决,从而建立起和谐稳定的劳动关系。

第三十条　用人单位应当按照劳动合同约定和国家规定,向劳动者及时足额支付劳动报酬。

用人单位拖欠或者未足额支付劳动报酬的,劳动者可以依法向当地人民法院申请支付令,人民法院应当依法发出支付令。

【释义】　本条是关于用人单位支付劳动报酬问题的规定。

劳动者报酬指劳动者为用人单位提供劳动而获得的各种报酬。劳动者一方只要在用人单位的安排下按照约定完成一定的工作量,劳动者就有权要求按劳动取得报酬。劳动者通过自己的劳动获得劳动报酬,再用其所获得的劳动报酬来购买自己和家人所需要的消费,才能维持和发展自己的劳动力和供养自己的家人,从而实现劳动力的再生产。劳动报酬不仅是劳动者及其家属有力的生活保障,也是社会对其劳动的承认和评价。用人单位在生产过程中支付给劳动者的全部报酬包括三部分：一是货币工资，用人单位以货币形式直接支付给劳动者的各种工资、奖金、津贴、补贴等；二是实物报酬，即用人单位以免费或低于成本价提供给劳动者的各种物品和服务等；三是社会保险，是指用人单位为劳动者直接向政府或保险部门支付的失业、养老、人身、医疗、家庭财产等保险金。

劳动法中的工资是指用人单位根据国家有关规定或者劳动合同的约定，以货币形式直接支付给本单位劳动者的劳动报酬，根据国家统计局1990年发布的《关于工资总额组成的规定》，一般包括计时工资、计件工资、奖金、津贴和补贴、延长工作时间的工资报酬以及特殊情况下支付的工资等。其中，计时工资是指按计时工资标准（包括地区生活费补贴）和工作时间支付给个人的劳动报酬。计件工资是指对已做工作按计件单价支付的劳动报酬。奖金是指支付给劳动者的超额劳动报酬和增收节支的劳动报酬。津贴和补贴是指为了补偿劳动者特殊或者额外的劳动消耗和因其他特殊原因支付给劳动者的津贴，以及为了保证劳动者工资水平不受物价变化影响支付给劳动者的各种补贴。延长工作时间的劳动报酬是指劳动者在法定的标准工作时间之外超时劳动所获得的额外的劳动报酬，即加班费。特殊情况下支付的工资主要包括根据国家法律、法规和政策规定，在病假、事假和一些特殊休假期间及停工学习、执行国家或者社会义务时支付的工资和附加工资、保留工资。根据劳动部《关于贯彻执行〈中华人民共和国劳动法〉若干问题的意见》的规定，工资是劳动者劳动收入的主要组成部分。但劳动者的以下劳动收入不属于工资的范围：(1)单位支付给劳动者个人的社会保险福利费用，如丧葬抚恤救济费、生活困难补助费、计划生育补贴等；(2)劳动保护方面的费用，如用人单位支付给劳动者的工作服、解毒剂、清凉饮料费用等；(3)按规定未列入工资总额的各种劳动报酬及其他劳动收入，如根据国家规定发放的创造发明奖、国家星火奖、自然科学奖、科学技术进步奖、合理化建议和技术改进奖、中华技能大奖等，以及稿费、讲课费、翻译费等。

本条第1款规定了用人单位应当按照劳动合同约定和国家规定向劳动者及时足额支付劳动报酬问题，包含了三层意思：

第一，用人单位应当按照劳动合同约定和国家规定支付劳动报酬。

首先，结合各种灵活多变的用工形式，本法允许用人单位和劳动者双方在法律允许的范围内对劳动报酬的金额、支付时间、支付方式等进行平等协调，在劳动合同中约定一种对当事人而言更切合实际的劳动报酬制度。同时，用人单位向劳动者发放劳动报酬还要遵守国家有关规定，主要有：

1. 最低工资制度。《劳动法》第48条规定了国家实行最低工资保障制度，用人单位支付劳动者的工资不得低于当地的最低工资标准。最低工资是指劳动者在法定工作时间内履行了正常劳动义务的前提下，由其所在单位支付的最低劳动报酬。最低工资不包括延长工作时间的工资报酬，以货币形式支付的住房和用人单位支付的伙食补贴，中班、夜班、高温、低温、井下、有毒、有害等特殊工作环境和劳动条件下的津贴以及国家法律、法规、规章规定的社会保险福利待遇。此外，在劳动合同中约定的劳动者未完成劳动定额或者承包任务的情况下，用人单位可低于最低工资标准支付劳动者工资的条款不具有法律效力；劳动者与用人单位形成或者建立劳动关系后，试用、熟练、见习期内在法定工作时间内提供了正常劳动，其所在的用人单位应当支付其不低于最低工资标准的工资。当然，企业下岗待工人员，由企业依据当地政府的有关规定支付其生活费，生活费可以低于最低工资标准。

2. 工资应当以货币形式发放。我国《劳动法》第 50 条明确规定，工资应当以货币形式按月支付。根据《劳动法》的这一规定，工资应当以法定货币支付，不得以发放实物或有价证券等形式代替货币支付。

3. 劳动者加班费也是其劳动报酬的一个重要组成部分。用人单位应当严格按照劳动法的有关规定支付劳动者加班费。

4. 在一些特殊情况下，劳动者也应取得工资支付。所谓特殊情况下的工资支付是指在非正常情况下或者暂时离开工作岗位时，按照国家法律、法规的规定对劳动者的工资支付。这些特殊情况主要包括：(1)劳动者依法参加社会活动期间的工资支付。比如劳动者在法定工作时间内参加乡(镇)、区以上政府、党派、工会、共青团、妇联等组织召开的会议；依法行使选举权与被选举权；出席劳动模范、先进工作者大会等。(2)非因劳动者原因停工期间的工资支付。非因劳动者原因造成用人单位停工、停产在一个工资支付周期内，用人单位应按劳动合同规定的标准支付劳动者工资。超过一个工资支付周期的，若劳动者提供了正常劳动，则支付劳动者的劳动报酬不得低于当地最低工资标准；若劳动者没有提供正常劳动，则按照国家有关规定办理。(3)劳动者休假期间的工资支付。劳动者依法享受年休假期间，用人单位应按劳动合同规定的标准支付劳动者工资。(4)劳动者在法定休假日的工资支付。法定休假日，用人单位应当支付劳动者工资。(5)劳动者在享受探亲假期间的工资支付。劳动者在国家的规定探亲休假期内探亲的，用人单位应按劳动合同规定的标准支付劳动者工资。(6)婚丧假期间的工资支付。婚丧假是指劳动者本人结婚假期或者直系亲属死亡的丧事假期。一般为1至3天，不在一地的，可根据路程远近给予路程假。在此期间工资照发。(7)产假期间的工资支付。为了鼓励计划生育，有关法律法规对产假期间的工资发放也作相应规定。

第二，用人单位应当及时支付劳动报酬。

依照《劳动法》和其他有关规定，用人单位应当每月至少发放一次劳动报酬。劳动者从劳动到获得报酬再到消费，是一个完整的周期，在这个过程中，获得报酬是实现这个周期的重要环节，而工资正是获得劳动报酬的最重要的形式。以法律的形式将支付工资的周期规定为至多1个月，可以使劳动者的劳动到获得报酬的周期不至于过长，更有利保障劳动者的合法权益。

实行月薪制的用人单位，工资必须按月发放，实行小时工资制、日工资制、周工资制的用人单位的工资也可以按小时、按日或者按周发放。超过用人单位与劳动者约定的支付工资的时间发放工资的即构成拖欠劳动者劳动报酬的违法行为，应当依照本法和其他有关法律法规承担一定的法律责任。

第三，用人单位应当足额支付劳动报酬。

用人单位对履行了劳动合同规定的义务和责任，保质保量地完成生产工作任务的劳动者，应当足额支付劳动报酬，劳动者的工资获得权和使用权受法律的保护。工资不得随意扣除，企业不得将扣发工资作为处理职工的一种处罚性手段。不支付或者未足额支付劳动报酬的，则构成《劳动法》“克扣”劳动者工资的行为，是依照本法和有关法律法规应受处罚的行为。根据本法第 38 条的规定，用人单位未及时足额支付劳动报酬的，劳动者可以解除劳动合同。根据本法第 85 条的规定，用人单位未按照劳动合同的约定或者国家规定及时足额支付劳动者工资的，劳动行政部门可以责令其支付，逾期未支付的，责令用人单位按照应付金额的 50% 以上 100% 以下的标准向劳动者支付赔偿金。

本条第 2 款规定了用人单位拖欠或者未足额支付劳动报酬的，劳动者可以依法向当地人民法院申请支付令。

本款主要是针对用人单位拖欠劳动者工资，尤其是拖欠农民工工资问题所作的规定。近些年来,用人单位拖欠劳动者工资现象比较普遍和严重,其中拖欠农民工工资更为突出,主要发生在建筑施工企业和餐饮服务等企业。全国总工会调查发现,拖欠农民工工资的现象不仅在个体和私营企业中存在,在一些国有企业也相当严重;不仅在房地产开发工程中经常发生,在政府招标的工程中也存在欠薪现象。有的企业主为了提高利润,竟然把拖欠和克扣农民工工资作为一种经营策略,迫使农民工不得不走上艰难的追讨欠薪之路。据统计,近年来70%以上的工人群体性事件是因拖欠工资问题引起的。造成拖欠工资的原因有:一方面法律法规对拖欠工资的企业处罚太轻,一般情况下只要求用人单位补发工资,严重一点的也只是对用人单位加罚拖欠工资25%的补偿金;另一方面我国还没有专门统一的工资法对此进行规范,虽然不少地方有工资立法的准备,但当前总体上讲法律依据还是有些不足;再一方面也存在有关主管部门监管不到位的问题。

基于劳动者尤其是农民工的弱势地位,为了保护劳动者特别是农民工的合法权益,本法将支付令制度引入了欠薪案件中,赋予劳动者快捷进入司法救济程序的途径。根据本法和《民事诉讼法》的有关规定,用人单位拖欠或者未足额支付劳动报酬的,劳动者与用人单位之间没有其他债务纠纷且支付令能够送达用人单位的,劳动者可以向有管辖权的基层人民法院申请支付令。劳动者在申请书中应当写明请求给付劳动报酬的金额和所根据的事实、证据;劳动者提出申请后,人民法院应当在五日内通知其是否受理；人民法院受理申请后，经审查劳动者提供的事实、证据，对工资债权债务关系明确、合法的，应当在受理之日起15日内向用人单位发出支付令；人民法院经审查认为劳动者的申请不成立的，可以裁定予以驳回；用人单位应当自收到支付令之日起15日内清偿债务，或者向人民法院提出书面异议；用人单位在前款规定的期间不提出异议又不履行支付令的，劳动者可以向人民法院申请强制执行；人民法院收到用人单位提出的书面异议后，应当裁定终结支付令这一督促程序，支付令自行失效，劳动者可以依据有关法律的规定提出调解、仲裁或者起诉。

第三十一条　用人单位应当严格执行劳动定额标准，不得强迫或者变相强迫劳动者加班。用人单位安排加班的，应当按照国家有关规定向劳动者支付加班费。

【释义】　本条是关于用人单位安排劳动者加班的限制规定。

一、用人单位不得强迫劳动者加班

为了保障劳动者劳逸结合，保持其身心健康，保证其有必要的时间进行文化娱乐和科学技术学习，使其有必要的时间料理家务、教育子女、改善健康状况和生活环境，我国《宪法》规定了公民有休息权。为了保障公民的休息权，《劳动法》规定了完整的工作时间和休息休假制度，本条的规定，是对《劳动法》的工作时间和休息休假制度的补充。

目前，我国的工作时间和休息休假制度，主要体现为以下三个方面：

1. 实行劳动者8小时工作制。1994年的《劳动法》对8小时工作制作了完整的规定，即国家实行劳动者每日工作时间不得超过8小时、平均每周工作时间不得超过44小时的工时制度，用人单位应当保证劳动者每周至少休息1日，这是法定的标准工作时间。对于实行计件工作的劳动者的工时应参照8小时工时制度加以计算，合理确定其劳动定额和计件报酬标准。当然，企业因生产特点不能实行8小时工作制和每周至少休息1日的制度的，经劳动行政部门批准，可以实行其他工作和休息办法，但该其他工作和休息办法必须使劳动者的休息权得到充分有效的保障。

1995年国务院颁布实施的《关于职工工作时间的规定》又在劳动法的基础上对8小时工作制作了进一步的规定，即职工每周工作40小时。在特殊条件下从事劳动和有特殊情况，需要适当缩短工作时间的，按照国家有关规定执行；这主要是指在严重有害健康和劳动条件恶劣以及对女职工和未成年工实行特殊保护的条件下实行的少于标准工作日时数的工作时间制。国家机关、事业单位实行统一的工作时间，星期六和星期日为周休息日；企业和不能实行星期六和星期日为周休息日的事业单位，可以根据实际情况灵活安排周休息日。

2. 规定法定节假日、年休假和职工探亲假等休假制度。在元旦、春节、国际劳动节、国庆节以及法律法规规定的其他休假日，用人单位必须安排劳动者休假。

国家实行带薪年休假制度。劳动者连续工作 1 年以上的,享受带薪年休假。年休假,是指职工每年在一定时期内享有保留工作和工资的连续休息的时间。

根据国务院《关于职工探亲待遇的规定》,享受职工探亲假的条件是,凡是在国家机关、人民团体和全民所有制企业、事业单位工作满 1 年的职工,与配偶不在一起,又不能在公休假日团聚的,可以享受探望配偶的待遇;与父母不在一起,又不能在公休假日团聚的,可以享受探望父母的待遇。职工探亲假,是指职工与配偶、父母团聚的时间。另外根据实际需要,给予路程假。

3. 对加班进行限制性规定。加班,也称延长劳动时间,是指用人单位经过一定程序,要求劳动者超过法律、法规规定的最高限制的日工作时数和周工作天数而工作。

为了保障劳动者的休息权和身体健康,我国严格限制用人单位延长劳动者的工作时间,《劳动法》明确规定用人单位不得违反该法的规定延长劳动者的工作时间。也就是说,在一般情况下,用人单位不得随意安排劳动者加班。

用人单位安排劳动者加班,依据我国《劳动法》的规定,需要注意以下几个问题:(1)由于用人单位的生产经营需要,确实需要延长工作时间。生产经营需要主要是指生产任务紧急,必须连续生产、运输或者经营的。(2)必须与工会协商,经工会同意。用人单位决定安排劳动者加班的,应把安排加班的理由、涉及人数、时间长短等情况向工会说明,征得工会同意后,方可延长工作时间。如果工会不同意,不可以强令劳动者加班。(3)必须与劳动者协商。用人单位决定安排劳动者加班的,应进一步与劳动者协商,因为加班需要占用劳动者的休息时间,只有在劳动者自愿的情况下才可以安排加班。如果劳动者不同意,亦不可强令其加班。因为劳动者的休息权是法定的权利,任何人非依法定程序不可剥夺。(4)用人单位安排加班的时间长度必须符合《劳动法》的限制性规定。根据《劳动法》的规定,用人单位安排劳动者加班应严格控制延长工作时间的限度,一般每日不得超过1小时;因特殊原因需要延长工作时间的,在保障劳动者身体健康的条件下延长工作时间每日不得超过3小时,但是每月不得超过36小时。(5)正常情况下,用人单位是不得随意要求员工加班的,但出现紧急事件,危害公共安全和公众利益的情况下,法律允许用人单位延长劳动者工作时间适当突破上述规定。根据《劳动法》和有关国家规定,只有在下列情形时,用人单位安排加班才不受上述条件的限制:发生自然灾害、事故或者因其他原因,使人民生命安全健康和财产安全遭到严重威胁,需要紧急处理的;生产设备、交通运输线路、公共设施发生故障,影响生产和公众利益,必须及时抢修的;必须利用法定节假日或者公休日的停产期间进行设备检修、保养的;为完成国防紧急任务,或者完成国家在计划外安排的其他紧急生产任务,商业、供销企业在完成收购、运输、加工农副产品紧急任务的;法律、行政法规规定的其他情形。

当然,国家对加班人员也有一定的限制。根据《劳动法》和国家其他有关对女职工和未成年工特殊保护的规定,禁止用人单位安排未成年工、怀孕女工和哺乳未满12个月婴儿的女职工在正常工作日以外加班。

目前，强迫劳动者加班的现象在相当一部分劳动密集型企业中普遍存在。有些用人单位以完成订单为借口，强令工人每天工作十四五个小时，严重损害了工人的身体健康，侵害了工人的合法权益。有些用人单位通过扣发奖金、重罚等企业内部纪律方式胁迫工人加班。有些用人单位的负责人在下班前安排工作任务，而劳动者为了不至于失去饭碗，只能委曲求全。本法针对这些问题明确规定了用人单位不得强迫劳动者加班，否则就要承担相应的法律责任。

二、用人单位不得变相强迫劳动者加班

实践中，用人单位变相强迫劳动者加班主要表现为用人单位通过制定不合理不科学的劳动定额标准，使得该单位大部分劳动者在8小时制的标准工作时间内不可能完成生产任务，而为了完成用人单位规定的工作任务，获得足以维持其基本生活的劳动报酬，劳动者不得不在标准工作时间之外延长工作时间，从而被变相迫使不得不加班。

劳动定额是指在一定的生产和技术条件下，采用科学合理的方法，对生产单位产品或完成一定工作量应该消耗的劳动量，或在单位时间内生产产品或完成工作量所预先规定的限额标准。劳动定额一般根据过去完成该项工作或类似该项工作的实践经验来估算，或者根据生产同类产品的统计资料为基础，经过整理、分析来制定，或者是通过对生产技术组织

条件的分析，在挖掘生产潜力以及操作规程合理的基础上，在工作地对相关作业进行全工作日跟踪测试来制定。为了保证定额水平能够科学、先进、合理，在制定定额时必须符合三条要求：一是确定一个产品或者一项工作的工作消耗，必须要有科学依据。科学依据是指设计文件、工艺文件、质量标准、过去定额完成情况的统计资料，同行业同工种在条件相似情况下的定额资料等。二是要总结和推广节约劳动的先进经验，挖掘提高劳动生产率的潜力，保证定额水平的先进性。三是要保证相同工作定额的统一和不同工作（包括不同生产单位、不同工种、不同产品）定额水平的平衡。

制定科学合理的劳动定额标准对于维护劳动者合法权益极其重要。根据《劳动法》和有关行政法规的规定，对实行计件工作的劳动者，用人单位应当根据每日8小时、每周40小时标准工作时间合理确定其劳动定额和计件报酬标准。也就是说，计件工作的劳动者的劳动定额，应当是以多数劳动者在正常工作的情况下，能在每天工作8小时以内、每周工作40小时的法定工作时间以内完成的。超出这一标准，则应认定为不合理的劳动定额标准。

根据上述规定，用人单位有权自主确定实行计件工资制的劳动者的劳动定额和计件报酬标准，但其制定的劳动定额或者计件报酬标准应当遵循科学合理的原则；劳动定额、计件报酬标准确定后应当保持稳定，用人单位可以根据生产经营的需要，适当调整劳动定额，但是同样应当以大多数劳动者可以在法定工时内完成的实际数额为限度，不得随意调整。在此基础上制定的科学合理的劳动定额标准，依据本法的规定，用人单位应当严格予以执行。

20 世纪 90 年代以前，劳动定额管理是由国家劳动保障部门会同企业主管部门进行的。国家设立由各方面专家、部门负责人组成的劳动定额管理委员会，国务院有关部门制定行业劳动定额标准，企业依据“国标”和“部标”制定企业标准。1989 年国家劳动部和国家体改委联合下发了《关于加强劳动定额标准工作的意见》，指出企业要加强劳动定额标准工作，并对建立、完善和制定劳动定额标准等提出了具体要求。但是，随着机构改革和部委的被撤销，专门负责制定劳动定额标准的和管理的部门消失，从中央到地方，政府部门和有关行业协会都不过问企业劳动定额问题，劳动定额制定和管理基本处于无序状态。在这种无序状态下，一些用人单位不是在岗位测评的基础上科学确定劳动定额，而是自己事先设定一个预定工资额，然后再换算成定额，制定了许多即使是熟练工在 8 小时内也完不成的劳动定额标准；一些用人单位特别是非公企业随意提高劳动定额，变相压低劳动者工资，使许多劳动者只好被迫“自愿”接受较长时间的加班，用人单位还无须按法定标准向其支付加班工资；还有一些用人单位将加班作为一种“企业文化”，将其与员工的“敬业精神”、工资待遇、续签劳动合同、职务升迁等挂起钩来。据上海市总工会对本市 1000 名职工的调查，认为企业劳动定额过高或偏高的占 26.3%，在实行计件工资的 109 名员工中，因完不成劳动定额需经常加班的有 92 人，其中加班时间在 1 小时以内的占

70.6%,2小时以内的占24%,其余的5.4%加班时间都在2小时以上。2005年,全国人大常委会在劳动执法大检查中发现,一些企业随意修改劳动定额的现象非常普遍,“工人在八小时工作时间内根本无法完成定额任务”,只能选择“自愿加班”。

针对上述现象,《劳动合同法》在本条中明确规定用人单位不得变相强迫劳动者加班。用人单位违反上述规定的,应当依据本法和劳动法律、法规的有关规定承担一定的法律责任。同时根据本法第4条的规定,用人单位在制定、修改或者决定劳动定额标准管理制度时,应当经职工代表大会或者全体职工讨论,提出方案和意见,与工会或者职工代表平等协商确定;在劳动定额标准实施过程中,工会或者职工认为用人单位的劳动定额标准不适当的,有权向用人单位提出,通过协商作出修改完善。

三、用人单位安排劳动者加班的,应当支付其加班费

加班费是指劳动者按照用人单位生产和工作的需要在规定工作时间之外继续生产劳动或者工作所获得的劳动报酬。劳动者加班,延长了工作时间,增加了额外的劳动量,应当得到合理的报酬。对劳动者而言,加班费是一种补偿,因为其付出了过量的劳动;对于用人单位而言,支付加班费能够有效地抑制用人单位随意地延长工作时间,保护劳动者的合法权益。根据《劳动法》和国家的有关规定,用人单位在延长劳动者工作时间的情况下应当支付高于劳动者正常工作时间工资的工

资报酬,即加班费。本条肯定了《劳动法》和国家其他有关规定关于支付加班费的立法精神。

按照《劳动法》第 44 条的规定,支付加班费的具体标准是:在标准工作日内安排劳动者延长工作时间的,支付不低于工资的 150% 的工资报酬;休息日安排劳动者工作又不能安排补休的,支付不低于工资的 200% 的工资报酬;法定休假日安排劳动者工作的,支付不低于 300% 的工资报酬。

标准工作时间以外延长劳动者工作时间和休息日、法定休假日安排劳动者工作,都是占用了劳动者的休息时间,都应当严格加以限制,高于正常工作时间支付工资报酬即是国家采取的一种限制措施。但是,在上述三种情形下组织劳动者劳动是不完全一样的,如法定休假日对劳动者来说,其休息有着比往常和休息日更为重要的意义,也影响劳动者的精神文化生活和其他社会活动,这是用补休的办法无法弥补的,因此,应当给予更高的工资报酬。用人单位遇到上述情况安排劳动者加班时,应当严格按照劳动法及本法的规定支付加班费。属于哪一种情形的加班,就应执行法律对这种情况所作出的规定,相互不能混淆,不能代替,否则都是违反《劳动法》和本法的行为,都是对劳动者权益的侵犯,应当依法承担法律责任。根据本法第 85 条的规定,用人单位安排加班不支付加班费的,劳动行政部门可以责令其支付,逾期未支付的,责令用人单位按照应付金额的 50% 以上 100% 以下的标准向劳动者支付赔偿金。

根据本条的规定,变相强迫劳动者加班的,应当视为违反劳动法的规定延长劳动者的工作时间。劳动者可以依据《劳动法》和本法的有关规定，要求用人单位补发其为了完成超过合理数量的劳动定额而加班工作的工资报酬。

第三十二条　劳动者拒绝用人单位管理人员违章指挥、强令冒险作业的，不视为违反劳动合同。

劳动者对危害生命安全和身体健康的劳动条件，有权对用人单位提出批评、检举和控告。

【释义】　本条是关于劳动者在履行劳动合同过程中所享有的劳动安全卫生权利的进一步细化规定。

在劳动生产过程中，存在各种不安全、不卫生因素，如不采取措施对劳动者加以保护，就会危害劳动者的生命安全和身体健康，妨碍生产的正常进行。因此，我国严格保护劳动者在履行劳动合同、进行生产劳动过程中的劳动安全卫生权利。这一点也体现在我国《劳动法》第54条中，该条明确规定，用人单位必须为劳动者提供符合国家规定的劳动安全条件和必需的劳动防护用品，对从事有职业危害作业的劳动者应当定期进行健康检查。在建筑物、工作场所和通道的安全技术条件、机器设备的安全条件、电器设备的安全装置、锅炉和压力容器的安全设施、建筑工程的安全技术条件、矿山安全技术条件等方面我国都制定了大量的法律、法规、规程和标准，对用人单位提出了严格的义务性要求，用人单位必须遵照执行，切实保护劳动者的安全卫生权利。

根据本条第1款的规定，劳动者拒绝用人单位管理人员违章指挥、强令冒险作业的,不视为违反劳动合同。

目前有些用人单位特别是私营企业、外商投资企业,片面追求经济效益,忽视安全生产,甚至强令劳动者违章冒险作业,严重危及劳动者的生命安全和身体健康。用人单位强令劳动者违章冒险作业,是指用人单位的管理人员明知违反国家安全卫生规程,对劳动者生命安全或者身体健康具有危险性,仍然违章指挥,强令劳动者违反有关操作规程冒险作业。劳动者在劳动过程中劳动权仍属于劳动者自己,仍由劳动者自己支配,不是把劳动权完全交给用人单位,所以在用人单位管理人员违章指挥、强令冒险作业时,劳动者可以不服从其指挥或者命令,并有权拒绝执行。我国《劳动法》和《工会法》等有关法律明确规定了劳动者对用人单位管理人员违章指挥、强令冒险作业有权拒绝执行,在危及生命安全时,劳动者有权紧急撤离现场。这是在劳动安全卫生权利受到侵害、生命健康权受到威胁时,法律赋予劳动者的紧急处置权。本法在此基础上又进一步规定,劳动者拒绝执行用人单位管理人员违章指挥、强令冒险作业的行为不构成违反劳动合同的行为,从而更进一步明确了劳动者在这种情况下不用承担违反劳动合同的法律责任。同时,本法第 38 条第 2 款还进一步规定,用人单位违章指挥、强令冒险作业危及劳动者人身安全的,劳动者可以立即解除劳动合同,无须事先告知用人单位。

本条第 2 款规定了劳动者对危害生命安全和身体健康的劳动条件,有权对用人单位提出批评、检举和控告。

根据本法、《劳动法》及其他有关法律、法规的规定,用人单位必须建立、健全劳动安全卫生制度，严格执行国家的劳动安全卫生规程和标准，规范化、科学化地安排生产作业，对劳动者进行劳动安全卫生教育，积极采取切实有效的劳动安全卫生措施，防止劳动过程中的事故，减少职业危害。用人单位如果没有达到国家规定的安全卫生技术标准要求，职工有权提出异议，并要求用人单位改正、改进。对于危害生命安全和身体健康的劳动条件，劳动者有权对用人单位提出批评，并可以向有关主管部门检举和控告。

这里的“有关主管部门”主要为卫生部门、安全生产监督管理部门、特种设备安全监督管理部门等有关部门。因为依照我国有关的法律和行政法规的规定，劳动安全卫生的监督检查，由卫生部门、特种设备安全监督管理部门等有关部门依照有关的法律、行政法规执行。卫生部门主要负责用人单位职业病防治方面的监督检查，安全生产监督管理部门主要负责用人单位生产经营场所的安全生产条件、设备设施安全和作业场所的职业卫生方面的监督检查，特种设备安全监督管理部门主要负责涉及公众生命安全和身体健康的锅炉、压力容器、电梯、防爆电器等特种设备的安全生产的监督管理。

需要注意的是，就用人单位和劳动者双方的市场主体地位而言，由于用人单位掌握着招收录用权、岗位分配权、生产经营的监督管理权、劳动报酬决定权等实际权力，劳动者处于相对弱势地位，因此一些用人单位随意侵害劳动者权益的现象时有发生。为此，我国法律为了保护劳动者的权益，特别赋予了劳动者在一定条件下的紧急处置权。同时，法律还赋予劳动者对于危害生命安全和身体健康的劳动条件有批评权、检举权和控告权。用人单位不得因为劳动者行使了上述权利，就对劳动者进行打击报复，否则将依法承担法律责任。

第三十三条　用人单位变更名称、法定代表人、主要负责人或者投资人等事项，不影响劳动合同的履行。

【释义】　本条是关于劳动合同依法订立后用人单位发生变化劳动合同如何履行的规定。

根据本条的规定，用人单位变更名称、法定代表人、主要负责人或者投资人等事项，不影响劳动合同的效力，劳动合同应当继续履行。

劳动合同订立后，用人单位一方当事人发生变化后的劳动合同的履行在实践中存在这种情况：有些企业、公司或者事业单位等用人单位因更改了名称或者更换法定代表人、主要负责人而拒绝履行劳动合同，还有的用人单位也借口投资主体发生了变化而拒绝履行劳动合同。这是法律所不允许的。

用人单位的名称只是代表一个用人单位的称谓符号，用人单位的名称发生变更，也只是这一称谓符号发生了变化，而用人单位这一实体组织及其内部机构、人员并没有发生任何变动，这当然不会也不应该影响劳动合同的履行。

根据我国《民法通则》和其他有关法律的规定，用人单位的法定代表人或者主要负责人的职务行为都是代表用人单位这个实体组织的行为。我国《民法通则》规定，法人是具有民事权利能力和民事行为能力，依法独立享有民事权利和承担民事义务的组织;法人的法定代表人,是依照法律或者法人组织章程的规定,代表法人行使职权的负责人。法人对它的法定代表人和其他工作人员的经营活动,承担责任。可见,法人是独立于自然人的一类法律主体,它的内部由决定机构、执行机构和监督机构等组成,法定代表人是其中最为突出的一个机构,其虽然由自然人担任,但自然人的职务行为属于法人的行为,其一切法律后果由法人承担。担任法定代表人的自然人可以变动,但法定代表人的职务行为的归属却不能变,也就是说,法定代表人的行为即法人的行为没有变。只要法人存在,原法定代表人与职工依法签订的劳动合同就依然有效。因此,劳动合同依法订立后,用人单位的法定代表人或者主要负责人变更的,原法定代表人或者主要负责人与劳动者订立劳动合同的职务行为的后果也仍然要由用人单位承担。

至于投资人的变更,也不会改变用人单位这个实体组织独立承担民事责任的性质,用人单位仍要继续履行其与劳动者已经订立的劳动合同。

综上所述,本条明确规定,用人单位变更名称、法定代表人、主要负责人或者投资人等事项,不影响劳动合同的履行。

第三十四条　用人单位发生合并或者分立等情况,原劳动合同继续有效,劳动合同由承继其权利和义务的用人单位继续履行。

【释义】　本条是关于用人单位发生合并、分立等情况后劳动合同效力的规定。

用人单位的合并一般指两种情况：一种情况是指用人单位与其他法人或者组织联合成立一个新的法人或者其他组织承担被合并的用人单位的权利和义务；另一种情况是指一个用人单位被撤销后，将其权利和义务一并转给另一个法人或者其他组织。在这两种情况下，原用人单位在合并后均不再存在。为了保护原用人单位劳动者的合法权益，合并后的法人或者其他组织作为一个新的用人单位承继了原用人单位所有的权利和义务，包括原用人单位对其劳动者的权利和义务。因此，根据本条的规定，用人单位订立劳动合同后合并的，原劳动合同继续有效，由合并后的新的用人单位继续履行该劳动合同。

用人单位发生分立，是指在订立劳动合同后，用人单位由一个法人或者其他组织分裂为两个或者两个以上的法人或者其他组织，即由一个用人单位分裂为两个或者两个以上用人单位。用人单位的分立分为两种情况：一种情况是原用人单位只是分出一部分财产设立了新的用人单位，原用人单位不因分出财产而终止；另一种情况是原用人单位分解为两个以上的用人单位，原用人单位随之解体终止。为了充分保护劳动者的权利，本条首先规定了用人单位发生分立的，原劳动合同继续有效，防止用人单位以分立后原用人单位不存在或者劳动者权利和义务已经转移到新的用人单位为由损害劳动者的合法权益。其次根据本条的规定，用人单位分立后，劳动合同由承继其权利和义务的用人单位继续履行。目前有的用人单位采用“金蝉脱壳”的办法逃避债务或者逃避对其劳动者的其他义务,即不转移债务,而只是把资金转移到新设立的法人或者其他组织,使原来的用人单位丧失承担义务的能力而拒绝履行劳动合同或者对劳动者负责。根据本条的规定,只要新成立的用人单位继承了原用人单位的权利,就应当同时承担其作为用人单位的义务,继续履行原劳动合同并对劳动者负责。

用人单位的合并和分立不仅是现实中经常出现的情况,也是容易产生各种债权债务纠纷和劳动争议的问题。在我国市场经济秩序还未完全建成的情况下,为了防止一些用人单位假借合并和分立转移债务,逃避应当承担的各种法律责任,包括对劳动者的义务,我国《民法通则》第 44 条第 2 款规定:"企业法人分立、合并,它的权利和义务由变更后的法人享有和承担。"这一规定就是要在法人或者其他组织合并或者分立时,尽最大可能地保护对方当事人的合法权益。而本法关于用人单位合并和分立的规定,是《民法通则》上述立法精神在劳动法领域里的具体体现,即尽最大可能地保护劳动者的合法权益。

近些年来,随着经济改革的进一步深入,不少用人单位根据市场要求和国家的政策,进行了重组和改建。一些用人单位被兼并或者被撤销;另一些用人单位分立为新的用人单位。无论用人单位的这些改变是出于何种原因,其合并或者分立后,原劳动合同都是继续有效,都应该按照本法的规定得到继续履行。

第三十五条 用人单位与劳动者协商一致，可以变更劳动合同约定的内容。变更劳动合同，应当采用书面形式。

变更后的劳动合同文本由用人单位和劳动者各执一份。

【释义】 本条对劳动合同的变更作出了规定。

一、劳动合同的变更

劳动合同的变更是指劳动合同依法订立后，在合同尚未履行或者尚未履行完毕之前，经用人单位和劳动者双方当事人协商同意，对劳动合同内容做部分修改、补充或者删减的法律行为。劳动合同的变更是原劳动合同的派生，是双方已存在的劳动权利义务关系的发展。

根据本法第16条和第3条的规定，劳动合同由用人单位与劳动者协调一致，并经用人单位与劳动者在劳动合同文本上签字或者盖章生效。因此，劳动合同一经依法订立，即具有法律约束力，受法律保护，双方当事人应当严格履行，任何一方不得随意变更劳动合同约定的内容。但是，在当事人订立合同时，不可能对涉及合同的所有问题都作出明确的规定；合同订立后，在履行劳动合同的过程中，由于社会生活和市场条件的不断变化，订立劳动合同所依据的客观情况发生变化，使得劳动合同难以履行或者难以全面履行，或者使合同的履行可能造成当事人之间权利义务的不平衡，这就需要用人单位和劳动者双方对劳动合同的部分内容进行适当的调整。否则，在劳动合同与实际情况相脱节的情况下，若继续履行，有可能会对当事人的正当利益造成损害。因此，本法允许当事人在一定条件下可以变更劳动合同。双方当事人可以依据有关法律法规的规定，经协商一致，就劳动合同的部分条款进行修改、补充或者删减，通过对双方权利义务关系重新进行调整和规定，使劳动合同适应变化发展了的新情况，从而保证劳动合同的继续履行。

劳动合同的变更是在原合同的基础上对原劳动合同内容作部分修改、补充或者删减，而不是签订新的劳动合同。原劳动合同未变更的部分仍然有效，变更后的内容就取代了原合同的相关内容，新达成的变更协议条款与原合同中其他条款具有同等法律效力，对双方当事人都有约束力。

二、劳动合同变更的情形

1. 根据本条的规定，在一般情况下，只要用人单位与劳动者协商一致，即可变更劳动合同约定的内容。也就是说，首先，劳动合同是劳动关系双方协商达成的协议，当然也可以协商变更；对于劳动合同约定的内容，只要是经双方当事人协商一致而达成的，都可以经协商一致予以变更。其次，对变更劳动合同，用人单位和劳动者之间应当采取自愿协商的方式，不允许合同的一方当事人未经协商单方变更劳动合同。一方当事人未经对方当事人同意任意改变合同内容的，在法律上是无效行为，变更后的内容对另一方没有约束力，而且这种擅自改变合同的做法也是一种违约行为。再次，劳动合同的变更只是对原劳动合同的部分内容做修改、补充或者删减，而不是对合同内容的全部变更。对劳动合同所要变更的部分内容，当事人双方通过协商后,必须达成一致。如果在协商过程中,有任何一方当事人不同意所要变更的内容,则就该部分内容的合同变更就不能成立,原有的合同就依然具有法律效力。最后,在变更过程中必须遵循与订立劳动合同时同样的原则,即遵循合法、公平、平等自愿、协商一致、诚实信用的原则。

2. 根据本法第 40 条第 3 款的规定,劳动合同订立时所依据的客观情况发生重大变化,致使劳动合同无法履行,经用人单位与劳动者协商,未能就变更劳动合同内容达成协议的,用人单位在提前 30 日以书面形式通知劳动者本人或者额外支付劳动者 1 个月工资后,可以解除劳动合同。由此可以确定,劳动合同订立时所依据的客观情况发生重大变化,是劳动合同变更的一个重要事由。

所谓“劳动合同订立时所依据的客观情况发生重大变化”,主要是指:

(1)订立劳动合同所依据的法律、法规已经修改或者废止。劳动合同的签订和履行必须以不得违反法律、法规的规定为前提。如果合同签订时所依据的法律、法规发生修改或者废止,合同如果不变更,就可能出现与法律、法规不相符甚至违反法律、法规的情况,导致合同因违法而无效。因此,根据法律、法规的变化而变更劳动合同的相关内容是必要而且是必需的。

(2)用人单位方面的原因。用人单位经上级主管部门批准或者根据市场变化决定转产、调整生产任务或者生产经营项目等。用人单位的生产经营不是一成不变的，而是根据上级主管部门批准或者根据市场变化可能会经常调整自己的经营策略和产品结构，这就不可避免地发生转产、调整生产任务或者生产经营项目的情况。在这些情况下，有些工种、产品生产岗位就可能因此而撤销，或者为其他新的工种、岗位所替代，原劳动合同就可能因签订条件的改变而发生变更。

（3）劳动者方面的原因。如劳动者的身体健康状况发生变化、劳动能力部分丧失、所在岗位与其职业技能不相适应、职业技能提高了一定等级等，造成原劳动合同不能履行或者如果继续履行原合同规定的义务对劳动者明显不公平。

（4）客观方面的原因。这种客观原因的出现使得当事人原来在劳动合同中约定的权利义务的履行成为不必要或者不可能。这时应当允许当事人对劳动合同有关内容进行变更。主要有：①由于不可抗力的发生，使得原来合同的履行成为不可能或者失去意义。不可抗力是指当事人所不能预见、不能避免并不能克服的客观情况，如自然灾害、意外事故、战争等。②由于物价大幅度上升等客观经济情况变化致使劳动合同的履行会花费太大代价而失去经济上的价值。这是民法中的情势变更原则在劳动合同履行中的运用。

三、劳动合同变更时应注意的问题

变更劳动合同，应注意以下问题：

1. 必须在劳动合同依法订立之后，在合同没有履行或者尚未履行完毕之前的有效时间内进行。劳动合同双方当事人已经存在劳动合同关系,如果劳动合同尚未订立或者是已经履行完毕则不存在劳动合同的变更问题。

2. 必须坚持平等自愿、协商一致的原则,即劳动合同的变更必须经用人单位和劳动者双方当事人的同意。平等自愿、协商一致是劳动合同订立的原则,也是其变更应遵循的原则。劳动合同关系,是通过劳动者与用人单位协商一致而形成的,其变更当然应当通过双方协商一致才能进行。劳动合同允许变更,但不允许单方变更,任何单方变更劳动合同的行为都是无效的。

在实践中,有些用人单位为达到变更劳动合同的目的,采取了许多变通的手段。如某用人单位根据工作的需要,决定采取公开考试的办法,对考试通不过的职工,一律另行安排工作岗位或予以辞退。这种形式是否合法呢?我们认为,劳动合同的变更需要经过双方当事人协商一致,否则不能变更。采取公开考试的办法似乎公平,在未经劳动者同意的情况下,对劳动者不具有约定力。用人单位对原合同仍应履行。

3. 必须合法,不得违反法律、法规的强制性规定。劳动合同变更也并非是任意的,用人单位和劳动者约定的变更内容必须符合国家法律、法规的相关规定。

4. 变更劳动合同必须采用书面形式。劳动合同双方当事人经协商后对劳动合同中的约定内容的变更达成一致意见时,必须达成变更劳动合同的书面协议,任何口头形式达成的变更协议都是无效的。劳动合同变更的书面协议应当指明对劳动合同的哪些条款作出变更,并应订明劳动合同变更协议的生效日期，书面协议经用人单位和劳动者双方当事人签字盖章后生效。本条的这一规定，是为了避免劳动合同双方当事人因劳动合同的变更问题而产生劳动争议。

5. 劳动合同的变更也要及时进行。提出变更劳动合同的主体可以是用人单位，也可以是劳动者，无论是哪一方要求变更劳动合同的，都应当及时向对方提出变更劳动合同的要求，说明变更劳动合同的理由、内容和条件等。如果应该变更的劳动合同内容没有及时变更，由于原订条款继续有效，往往使劳动合同不适应变化了的新情况，从而引起不必要的争议。当事人一方得知对方变更劳动合同的要求后，应在对方规定的合理期限内及时做出答复，不得对对方提出的变更劳动合同的要求置之不理。因为根据《劳动法》第26条和本法第40条的规定，劳动合同订立时所依据的客观情况发生重大变化，致使劳动合同无法履行，如果用人单位经与劳动者协商，未能就变更劳动合同内容达成协议的，用人单位可以单方解除劳动合同。

四、变更后的劳动合同文本的执有

根据本条第2款的规定，变更后的劳动合同文本由用人单位和劳动者各执一份。

第四章 劳动合同的解除和终止

第三十六条 用人单位与劳动者协商一致，可以解除劳动合同。

【释义】 本条是关于协商解除劳动合同的规定。

劳动合同的解除是劳动合同制度中与双方利益最密切相关的行为，目前，劳动合同方面发生的大量争议，大多是由于解除合同而引起的。有的企业片面强调其用人“自主权”，随意解除劳动合同，损害了劳动者的合法权益。同时，也有不少劳动者误解“择业自由”，任意跳槽，甚至不辞而别，影响了企业劳动力的正常流动。因此，我国将劳动者的保护重点放在合同的解除上。了解并切实执行有关劳动合同解除上的规定和制度，有助于理顺劳动关系，规范劳动合同管理，维护劳动关系双方的正当权益。

一、劳动合同解除的概念

劳动合同的解除，是指劳动合同在订立以后，尚未履行完毕或者未全部履行以前，由于合同双方或者单方的法律行为导致双方当事人提前消灭劳动关系的法律行为。可分为协商解除、法定解除和约定解除三种情况。本条规定：“用人单位与劳动者协商一致，可以解除劳动合同。”此为协商解除，是指用人单位与劳动者在完全自愿的情况下，互相协商，在达成一致意见的基础上提前终止劳动合同的效力。

二、劳动合同协商解除的条件

劳动合同依法订立后，双方当事人必须履行合同义务，遵守合同的法律效力，任何一方不得因后悔或者难以履行而擅自解除劳动合同。但是，为了保障用人单位的用人自主权和劳动者劳动权的实现，本法规定在特定条件和程序下，用人单位与劳动者协商一致且不违背国家利益和社会公共利益，可以解除劳动合同，但必须符合以下几个条件：

1. 被解除的劳动合同是依法成立的有效的劳动合同；

2. 解除劳动合同的行为必须是在被解除的劳动合同依法订立生效之后、尚未全部履行之前进行；

3. 用人单位与劳动者均有权提出解除劳动合同的请求；

4. 在双方自愿、平等协商的基础上达成一致意见，可以不受劳动合同中约定的终止条件的限制。

应当注意的是，按照本法第46条第2项和劳动部颁发的《违反和解除劳动合同的经济补偿办法》的规定，如果用人单位提出解除劳动合同的，应依法向劳动者支付经济补偿金。

第三十七条　劳动者提前三十日以书面形式通知用人单位，可以解除劳动合同。劳动者在试用期内提前三日通知用人单位，可以解除劳动合同。

【释义】 本条是关于劳动者单方解除劳动合同程序的规定。

在劳动关系中,劳动者相对于用人单位而言始终处于弱势地位,从保护劳动者权益出发,法律赋予了劳动者单方解除劳动合同的权利。我国《劳动法》第31条规定:"劳动者解除劳动合同,应当提前三十日以书面形式通知用人单位。"本法对此项权利也作了规定,从而以立法的形式原则性规定了劳动者单方解除劳动合同的权利。这样有利于劳动者根据自身的能力、特长、志趣爱好来选择最适合自己的职业,充分发挥劳动者的自身潜能,从而有利于实现劳动力资源的合理配置。但劳动者在行使解除劳动合同权利的同时必须遵守法定的程序,主要体现在两个方面:

一、遵守解除预告期

劳动合同的解除预告期是各国劳动立法的通行做法。劳动者在享有解除劳动合同自主权的同时,也应当遵守解除合同预告期,提前30天通知用人单位。也就是说,劳动者在书面通知用人单位后还应继续工作至少30天,这样便于用人单位及时安排人员接替其工作,保持劳动过程的连续性,确保正常的工作秩序,避免因解除劳动合同影响企业的生产经营活动,给用人单位造成不必要的损失。同时,这样也使劳动者解除劳动合同合法化;否则,将会构成违法解除劳动合同,并可能承担赔偿责任。

二、书面形式通知用人单位

无论是劳动者还是用人单位在解除劳动合同时，都必须以书面形式告知对方。因为这一时间的确定直接关系解除预告期的起算时间，也关系劳动者的工资等利益，所以必须采用慎重的方式来表达。

本条还对劳动者在试用期内与用人单位解除劳动合同作了规定。试用期既是用人单位对新招收职工各方面的情况进行考察的期限，看劳动者是否具备录用条件，也是新招收职工用以考察用人单位的劳动条件、劳动报酬是否符合劳动合同规定的选择期限。在试用期内，劳动者与用人单位的劳动关系处于一种不确定状态，劳动者对是否与用人单位建立正式的劳动关系仍有选择的权利。为此，劳动者在试用期内，发现用人单位的实际情况与订立劳动合同时所介绍的实际情况不相符合，或者发现自己不适于从事该工种工作，以及存在其他不能履行劳动合同的情况，劳动者无须任何理由，可以通知用人单位予以解除劳动合同。但应提前 3 天通知用人单位，以便用人单位安排人员接替其工作。

第三十八条　用人单位有下列情形之一的，劳动者可以解除劳动合同：

（一）未按照劳动合同约定提供劳动保护或者劳动条件的；

（二）未及时足额支付劳动报酬的；

（三）未依法为劳动者缴纳社会保险费的；

（四）用人单位的规章制度违反法律、法规的规定，损害劳动者权益的；

（五）因本法第二十六条第一款规定的情形致使劳动合同无效的；

（六）法律、行政法规规定劳动者可以解除劳动合同的其他情形。

用人单位以暴力、威胁或者非法限制人身自由的手段强迫劳动者劳动的，或者用人单位违章指挥、强令冒险作业危及劳动者人身安全的，劳动者可以立即解除劳动合同，不需事先告知用人单位。

【释义】　本条是关于因用人单位的过错劳动者可以解除劳动合同的规定。

目前社会上一些用人单位任意克扣职工工资，停发、少发甚至完全不发工资，不为职工缴纳社会保险费，有的用人单位为了赚钱不顾劳动者死活，让职工在有毒气体、无防护设备等恶劣的生产环境下劳动，导致职工中毒生病、死亡或残废。针对这种情况，为保护劳动者的合法权益，本法明确规定劳动者享有特别解除权，可无条件与用人单位解除劳动合同。

特别解除权是劳动者无条件单方解除劳动合同的权利，它是指如果出现了法定的事由，劳动者无须向用人单位预告就可通知用人单位解除劳动合同。由于劳动者行使特别解除权往往会给用人单位的正常生产经营带来很大的影响，所以，立法在平衡保护劳动者与企业合法利益基础上对此类情形作了具体的规定，只限于在用人单位有过错行为的情况下允许劳动者行使特别解除权。具体有以下几种情况：

1. 未按照劳动合同约定提供劳动保护或者劳动条件的。(1)保护劳动者在劳动过程中的生命健康安全等是用人单位的基本责任和义务。用人单位为劳动者提供相应的劳动保护是对劳动者基本利益的维护。(2)劳动保护和劳动条件是指在劳动合同中约定的用人单位对劳动者所从事的劳动必须提供的生产、工作条件和劳动安全卫生保护措施，即用人单位保障劳动者完成劳动任务和劳动过程中安全健康保护的基本要求，包括劳动场所和设备、劳动安全卫生设施、劳动防护用品等。本法第17条规定劳动保护和劳动条件是劳动合同的必备条款，即提供劳动保护和劳动条件是用人单位应尽的义务，如果用人单位未按照国家规定的标准或劳动合同的规定提供劳动条件，致使劳动安全、劳动卫生条件恶劣，严重危害职工的身体健康，经国家劳动部门、卫生部门确认，劳动者可以与用人单位解除劳动合同。

2. 未及时足额支付劳动报酬的。劳动报酬，即我们通常所说的工资，也称为“薪水”“薪金”“薪酬”“薪资”等，是指用人单位依据国家有关规定或劳动合同约定，根据劳动者劳动岗位、技能及工作数量、质量，以货币形式直接支付给劳动者的工资。在劳动者已履行劳动义务的情况下，用人单位应按劳动合同约定或国家法律、法规规定的数额、日期及时足额支付劳动报酬，禁止克扣和无故拖欠劳动者工资。支付劳动报酬，也是劳动合同所规定的必备条款，用人单位未按照劳动合同约定及时足额支付劳动报酬，就是违反劳动合同，也是对劳动者合法权益的侵犯。劳动者有权随时告知用人单位解除劳动合同。

3. 未依法为劳动者缴纳社会保险费的。社会保险是指国家对劳动者在患病、伤残、失业、工伤、年老以及其他生活困难情况下，给予物质帮助的制度。它包括养老保险、疾病保险、失业保险、工伤保险和生育保险。我国《宪法》第 45 条第 1 款规定："中华人民共和国公民在年老、疾病或者丧失劳动能力的情况下，有从国家和社会获得物质帮助的权利。国家发展为公民享受这些权利所需要的社会保险、社会救济和医疗卫生事业。"《宪法》赋予我国公民的这一基本权利，就劳动者而言，主要是通过社会保险实现。根据我国《劳动法》第 72 条的规定，"用人单位和劳动者必须依法参加社会保险，缴纳社会保险费"。对于拒不依法缴纳或延迟缴纳保险费的用人单位，劳动行政部门可以责令其限期缴纳；逾期不缴的，可以加收滞纳金。因此可以看出社会保险具有国家强制性，用人单位应当依照有关法律、法规的规定，负责缴纳各项社会保险费用，并负有代扣、代缴本单位劳动者社会保险费的义务。因此，如果用人单位未依法为劳动者缴纳上述社会保险费，是对劳动者基本权利的侵害，劳动者可以与用人单位解除劳动合同。

4. 用人单位的规章制度违反法律、法规的规定，损害劳动者权益的。此项规定包含了两层含义：第一，用人单位的规章制度违反了法律、法规的规定。规章制度是由用人单位制定的旨在保证劳动者履行劳动义务和享有劳动权利的规则和制度。首先，规章制度的内容要合法，即其内容不得违反国家《宪法》、《劳动法》、《劳动合同法》及其他法律、法规的规定，也不得与劳动合同或集体合同的内容相冲突。因为劳动合同、集体合同和规章制度往往都会涉及对劳动条件和劳动待遇的规定，劳动合同和集体合同是劳动者与用人单位双方合意的结果，而规章制度是由用人单位单方面制定的，这就要求规章制度中有关劳动条件和劳动待遇的规定不得低于合同的约定。其次，规章制度的制定和公布的程序要合法。（1）要经过一定的民主程序。规章制度的制定权虽然属于用人单位，但规章制度的内容涉及的是劳动者的劳动权利和劳动义务，因此，法律上要求用人单位在制定规章制度时，要经过一定的民主程序。（2）应当公示。职工作为规章制度的遵守者，有权了解规章制度的内容，法律不要求职工遵守一个自己不知晓或无法知晓的规章制度。本法第 4 条第 4 款规定："用人单位应当将直接涉及劳动者切身利益的规章制度和重大事项决定公示，或者告知劳动者。"因此，公示是规章制度产生效力的必要条件之一。第二，用人单位的规章制度损害了劳动者的权益，即因用人单位没有按法律规定制定规章制度，给劳动者的权益带来了损害。只有同时具备以上两点要求，劳动者才可以此为由通知用人单位解除劳动合同。

5. 因本法第 26 条第 1 款规定的情形致使劳动合同无效的。本法第 26 条第 1 款规定了劳动合同无效或者部分无效的几种情况。无效的劳动合同从订立的时候起就没有法律约束力，劳动者可以不予履行，对已经履行的，给劳动者造成损害的，用人单位还应承担赔偿责任。

6. 法律、行政法规规定劳动者可以解除劳动合同的其他情形。本项是一条兜底条款，以避免遗漏现行法律、法规规定的其他情况，并采用此种方法以使该法和其他法律以及以后颁行的新法相衔接。

本条第 2 款规定了可立即解除劳动合同的情形，即当用人单位存在严重违法行为时，劳动者可以立即解除劳动合同而无须事先告知用人单位。

1. 用人单位以暴力、威胁或者非法限制人身自由的手段强迫劳动者劳动的。本条中的“暴力”是指对劳动者实施捆绑、拉拽、殴打、伤害等行为。“威胁”是指对劳动者施以暴力或者其他强迫手段。“非法限制人身自由”是指采用拘留、禁闭或其他强制方法非法剥夺或限制他人按照自己的意志支配自己的身体活动自由的行为。人身自由是公民各种自由权利当中的一项基本权利，是公民参加社会活动和享受其他权利的先决条件。我国公民的人身自由受宪法和法律的保护，《宪法》第 37 条规定：“中华人民共和国公民的人身自由不受侵犯。任何公民，非经人民检察院批准或者决定或者人民法院决定，并由公安机关执行，不受逮捕。禁止非法拘禁和以其他方法非法剥夺或者限制公民的人身自由，禁止非法搜查公民的身体。”企业采取强迫劳动者劳动，如把劳动者非法拘禁在特定的场所，强迫其劳动，不让他出来，是严重侵犯劳动者人身权利的行为，是非法的，劳动者有权随时解除劳动合同，而无须事先告知用人单位。

2. 用人单位违章指挥、强令冒险作业危及劳动者人身安全的。对于用人单位不顾劳动者的人身安全，对从事危险作业，如采矿工人、高空作业人员等，在没有安全防护的情况下，强令劳动者进行作业的行为，劳动者有权拒绝并撤离作业场所，并可以立即解除劳动合同。

因用人单位的上述行为引发重大伤亡事故时，用人单位和相关责任人应依法被追究行政责任和刑事责任。

第三十九条　劳动者有下列情形之一的，用人单位可以解除劳动合同：

（一）在试用期间被证明不符合录用条件的；

（二）严重违反用人单位的规章制度的；

（三）严重失职，营私舞弊，给用人单位造成重大损害的；

（四）劳动者同时与其他用人单位建立劳动关系，对完成本单位的工作任务造成严重影响，或者经用人单位提出，拒不改正的；

（五）因本法第二十六条第一款第一项规定的情形致使劳动合同无效的；

（六）被依法追究刑事责任的。

【释义】　本条是关于因劳动者的过错用人单位单方解除劳动合同的规定。

本法在赋予劳动者单方解除权的同时，也赋予用人单位对劳动合同的单方解除权，以保障用人单位的用工自主权，但为了防止用人单位滥用解除权，随意与劳动者解除劳动合同，立法上严格限定企业与劳动者解除劳动合同的条件，以保护劳动者的劳动权。禁止用人单位随意或武断地与劳动者解除劳动合同。

用人单位单方解除劳动合同主要有以下几种情形：

一、在试用期间被证明不符合录用条件的

适用此项条款首先要注意以下几点：(1)要求用人单位所规定的试用期期间符合法律规定。本法第19条规定："劳动合同期限三个月以上不满一年的，试用期不得超过一个月；劳动合同期限一年以上三年以下的，试用期不得超过二个月；三年以上固定期限和无固定期限的劳动合同，试用期不得超过六个月。"用人单位只能在此范围内约定试用期。(2)是否在试用期间。试用期间的确定应当以劳动合同的约定为准；若劳动合同约定的试用期超出法定最长时间，则以法定最长时间为准；若试用期满后仍未办理劳动者转正手续，则不能认为还处在试用期间，用人单位不能以试用期不符合录用条件为由与其解除劳动合同。(3)对是否合格的认定。劳动者是否符合录用条件，是用人单位在试用期间，单方与劳动者解除劳动合同的前提条件。如果没有这个前提条件，用人单位无权在试用期内单方解除劳动合同。一般情况下应当以法律、法规规定的基本录用条件和用人单位在招聘时规定的知识文化、技术水平、身体状况、思想品质等条件为准。(4)对于劳动者在试用期间不符合录用条件的，用人单位必须提供有效的证明。如果用人单位没有证据证明劳动者在试用期间不符合录用条件，用人单位就不能解除劳动合同，否则，需承担因违法解除劳动合同所带来的一切法律后果。所谓证据，实践中主要看两方面：一是看用人单位对某一岗位的工作职能及要求有没有做出描述；二是看用人单位对员工在试用期内的表现有没有客观的记录和评价。

二、严重违反用人单位的规章制度的

适用这一项要符合以下三个条件：首先，规章制度的内容必须是符合法律、法规的规定，而且是通过民主程序公之于众的。其次，劳动者的行为客观存在，并且是属于“严重”违反用人单位的规章制度。何为“严重”，一般应根据劳动法规所规定的限度和用人单位内部的规章制度依此限度所规定的具体界限为准。例如，违反操作规程，损坏生产、经营设备造成经济损失，不服从用人单位正常工作调动，不服从用人单位的劳动人事管理，无理取闹，打架斗殴，散布谣言损害企业声誉等，这些都给用人单位的正常生产经营秩序和管理秩序带来了损害。最后，用人单位对劳动者的处理是按照本单位规章制度规定的程序办理的，并符合相关法律、法规规定。

三、严重失职，营私舞弊，给用人单位造成重大损害的

这是指劳动者在履行劳动合同期间，没有按照岗位职责履行自己的义务，违反其忠于职守、维护和增进用人单位利益的义务，有未尽职责的严重过失行为或者利用职务之便谋取私利的故意行为，使用人单位有形财产、无形财产遭受重大损

害，但不够刑罚处罚的程度。例如，因粗心大意、玩忽职守而造成事故；因工作不负责而经常产生废品、损坏工具设备、浪费原材料或能源等。劳动者的行为符合此种情形的，用人单位可以与其解除劳动合同。

四、劳动者同时与其他用人单位建立劳动关系，对完成本单位的工作任务造成严重影响，或者经用人单位提出，拒不改正的

劳动者同时与其他用人单位建立劳动关系，即我们通常所说的"兼职"。我国有关劳动方面的法律、法规虽然没有对"兼职"作禁止性的规定，但作为劳动者而言，完成本职工作，是其应尽的义务。从事兼职工作，在时间上、精力上必然会影响本职工作。作为用人单位来讲，对一个不能全心全意为本单位工作并严重影响工作任务完成的人员，有权与其解除劳动合同。

根据该条规定，符合下列情形之一的，用人单位可以单方面解除劳动合同：(1)劳动者同时与其他用人单位建立劳动关系，对完成本单位的工作任务造成严重影响的；(2)劳动者同时与其他用人单位建立劳动关系，经用人单位提出，拒不改正的。需要注意的是，必须是给用人单位造成"严重"影响的，如果影响轻微，用人单位不能以此为由与劳动者解除合同。

五、因本法第 26 条第 1 款第 1 项规定的情形致使劳动合同无效的

本法第 26 条第 1 款第 1 项规定，"以欺诈、胁迫的手段或

者乘人之危,使对方在违背其真实意思的情况下订立或者变更的劳动合同”属于无效或部分无效劳动合同。所谓“欺诈”是指一方当事人故意告知对方当事人虚假的情况,或者故意隐瞒真实的情况,诱使对方当事人做出错误意思表示,并基于这种错误的认识而签订了劳动合同。“胁迫”是指以给公民及其亲友的生命健康、荣誉、名誉、财产等造成损害为要挟,迫使对方做出违背真实的意思表示的行为,并签订了劳动合同。“乘人之危”是指行为人利用他人的危难处境或紧迫需要,为牟取不正当利益,迫使对方违背自己的真实意愿而订立的合同。本法第3条规定:“订立劳动合同,应当遵循合法、公平、平等自愿、协商一致、诚实信用的原则。”任何一方利用任何一种行为手段而使对方在违背真实意思的情况下订立或者变更劳动合同,均违反了意思自治的基本原则,是被法律所禁止的,因此当然允许利益受损者解除当事人之间的合同关系。

六、被依法追究刑事责任的

根据劳动部《关于贯彻执行〈中华人民共和国劳动法〉若干问题的意见》第29条的规定,“‘被依法追究刑事责任’是指:被人民检察院免予起诉的、被人民法院判处刑罚的、被人民法院依据刑法第三十二条免予刑事处分的。劳动者被人民法院判处拘役、三年以下有期徒刑缓刑的,用人单位可以解除劳动合同”。

第四十条　有下列情形之一的，用人单位提前三十日以书面形式通知劳动者本人或者额外支付劳动者一个月工资后，可以解除劳动合同：

（一）劳动者患病或者非因工负伤，在规定的医疗期满后不能从事原工作，也不能从事由用人单位另行安排的工作的；

（二）劳动者不能胜任工作，经过培训或者调整工作岗位，仍不能胜任工作的；

（三）劳动合同订立时所依据的客观情况发生重大变化，致使劳动合同无法履行，经用人单位与劳动者协商，未能就变更劳动合同内容达成协议的。

【释义】　本条是关于无过失性辞退的规定。

用人单位根据劳动合同履行中客观情况的变化而解除劳动合同。这里的"客观情况"既包括用人单位的，也有劳动者自身的原因。前者可能是由于经营上的原因发生困难，亏损或业务紧缩；也可能因为市场条件、国际竞争、技术革新等造成工作条件的改变而导致使用劳动者数量下降。后者则是由于原本胜任的工作在用人单位采取自动化或新生产技术后不能胜任，或者是因为身体原因不能胜任。本条对因客观情况变化导致劳动合同解除规定了"提前通知"或"额外支付劳动者 1 个月工资"，目的在于对劳动者的保护，为劳动者寻找新的工作提供必要的时间保障。

用人单位因客观情况变化而解除劳动合同，主要包括以下几种情况：

一、劳动者患病或者非因工负伤，在规定的医疗期满后不能从事原工作，也不能从事由用人单位另行安排的工作的

根据劳动部颁发的《企业职工患病或非因工负伤医疗期规定》第2条的规定，“医疗期是指企业职工因患病或非因工负伤停止工作治病休息不得解除劳动合同的时限”。这里的“医疗期”，是指劳动者根据其工龄等条件，依法可以享受的停工医疗并发给病假工资的期间，而不是劳动者病伤治愈实际需要的医疗期。劳动者患病或者非因工负伤，有权在医疗期内进行治疗和休息，不从事劳动。但在医疗期满后，劳动者就有义务进行劳动。如果劳动者由于身体健康原因不能胜任工作，用人单位有义务为其调动岗位，选择他力所能及的岗位工作。如果劳动者对用人单位重新安排的工作也无法完成，说明劳动者履行合同不能，用人单位需提前30日以书面形式通知其本人或额外支付劳动者1个月工资后，解除劳动合同。以便劳动者在心理上和时间上为重新就业做准备。

二、劳动者不能胜任工作，经过培训或者调整工作岗位，仍不能胜任工作的

这里所谓“不能胜任工作”，是指不能按要求完成劳动合同中约定的任务或者同工种、同岗位人员的工作量。但用人单位不得故意提高定额标准，使劳动者无法完成。劳动者没有具备从事某项工作的能力，不能完成某一岗位的工作任务，这时用人单位可以对其进行职业培训，提高其职业技能，也可

以把其调换到能够胜任的工作岗位上，这是用人单位负有的协助劳动者适应岗位的义务。如果用人单位尽了这些义务，劳动者仍然不能胜任工作，说明劳动者不具备在该用人单位的职业能力，用人单位可以在提前30日书面通知的前提下，解除与该劳动者的劳动合同。

需要注意的是，用人单位不能随意调动劳动者工作岗位或提高工作强度，借口劳动者不能胜任工作而解除劳动合同。

三、劳动合同订立时所依据的客观情况发生重大变化，致使劳动合同无法履行，经用人单位与劳动者协商，未能就变更劳动合同内容达成协议的

本项规定是情势变更原则在劳动合同中的体现。这里的“客观情况”是指履行原劳动合同所必要的客观条件，因不可抗力或出现致使劳动合同全部或部分条款无法履行的其他情况，如自然条件、企业迁移、被兼并、企业资产转移等，使原劳动合同不能履行或不必要履行的情况。发生上述情况时，为了使劳动合同能够得到继续履行，必须根据变化后的客观情况，由双方当事人对合同进行变更的协商，直到达成一致意见，如果劳动者不同意变更劳动合同，原劳动合同所确立的劳动关系也没有存续的必要，在这种情况下，用人单位也只有解除劳动合同。

此外根据本法的相关规定，用人单位因劳动者的非过失性原因而解除劳动合同的还应当给予劳动者相应的经济补偿。

第四十一条 有下列情形之一，需要裁减人员二十人以上或者裁减不足二十人但占企业职工总数百分之十以上的，用人单位提前三十日向工会或者全体职工说明情况，听取工会或者职工的意见后，裁减人员方案经向劳动行政部门报告，可以裁减人员：

（一）依照企业破产法规定进行重整的；

（二）生产经营发生严重困难的；

（三）企业转产、重大技术革新或者经营方式调整，经变更劳动合同后，仍需裁减人员的；

（四）其他因劳动合同订立时所依据的客观经济情况发生重大变化，致使劳动合同无法履行的。

裁减人员时，应当优先留用下列人员：

（一）与本单位订立较长期限的固定期限劳动合同的；

（二）与本单位订立无固定期限劳动合同的；

（三）家庭无其他就业人员，有需要扶养的老人或者未成年人的。

用人单位依照本条第一款规定裁减人员，在六个月内重新招用人员的，应当通知被裁减的人员，并在同等条件下优先招用被裁减的人员。

【释义】 本条是关于经济性裁员的规定。

一、规定经济性裁员的原因

经济性裁员是用人单位行使解除劳动合同权的主要方式之一。凡是实行劳动合同制的国家，都或多或少允许用人单位在一定条件下解除劳动合同,其原因是法律赋予了企业经营自主权。我国《劳动合同法》允许在一定条件下用人单位进行经济性裁员,其原因也是企业享有经营自主权。我国《宪法》第 16 条、第 17 条规定了国有企业、集体经济组织在法律规定的范围内有权自主经营。第 11 条第 2 款规定了国家保护个体经济、私营经济等非公有制经济的合法权利和利益。我国实行社会主义市场经济,与社会主义市场经济相适应的是现代企业制度。现代企业制度中企业是独立经济主体,自主经营,自负盈亏,因此享有经营自主权是现代企业的应有内容。企业的经营自主权不仅包括生产自主权,也包括用人自主权。用人自主权是企业经营自主权的重要内容,企业可以根据企业的实际需要招用人员,也可以裁减人员。如果企业在生产经营困难等情况下不能裁减人员,那么企业的经营自主权就没有办法落实,也会使企业背上冗员的包袱,无法适应社会主义市场经济的要求,不利于进行公平竞争。

在劳动法中承认经济性裁员是各国的普遍做法。国外劳动法中基本上都有经济性裁员的内容。如英国《雇佣权利法》中规定,在企业关闭或者企业对其人员确需减少时,用人单位可以经济性裁员。我国《劳动法》第 27 条规定,用人单位濒临破产进行法定整顿期间或者生产经营状况发生严重困难,确需裁减人员的,可以裁减人员。由于经济性裁员涉及劳动者的人数众多,社会影响广泛,因此在制定《劳动合同法》过程中,如何进一步规范经济性裁员一直是讨论和修改的重点和热点。关于经济性裁员主要的立法原则是:既要保护用人单位合理调整企业人员结构的权利，也要防止用人单位以经济性裁员为名，随意裁减人员。

二、经济性裁员的内涵

简单地讲，经济性裁员就是指企业由于经营不善等经济性原因，解雇多个劳动者的情形。对经济性裁员应从以下几个方面进行理解：

第一，经济性裁员属于用人单位解除劳动合同的一种情形。在市场经济中，用人单位直接面对的是市场竞争，为更好地适应市场需求，使企业保持一定的活力，用人单位必须在用人方面形成"能上能下""能进能出"的体制。为此，劳动合同法规定，在满足一定条件下，用人单位可以单方解除还未到期的固定期限劳动合同以及无固定期限劳动合同。经济性裁员是用人单位出于经营方面考虑，单方解除劳动合同的方式。尽管名为经济性裁员，但其实质是用人单位单方解除劳动合同的一种方式。在经济性裁员中，由于是用人单位单方解除劳动合同，且劳动者并没有过错，因此用人单位应当依法向劳动者支付经济补偿。

第二，进行经济性裁员的主要原因是经济性原因，而不是劳动者个人原因。为保障劳动者的合法权益，平衡用人单位与劳动者的权利义务，促使劳动合同的正常履行，《劳动合同法》不允许用人单位随意单方解除劳动合同，只有在四种情况下用人单位才可以解除劳动合同：一是劳动合同双方协商一致的情况下，用人单位解除劳动合同。二是劳动者有法定过错的,如不符合录用条件的;严重违反规章制度的;严重失职,营私舞弊,给用人单位造成重大损失的;兼职的;欺诈、胁迫或者乘人之危致使劳动合同无效的;犯罪的等。三是劳动者不能适应工作的,如患病或者非因工负伤的、不能胜任工作的、客观情况发生重大变化导致劳动合同无法履行的等。四是劳动者没有任何过错或者不适应工作岗位的情形,由于经济性原因而经济性裁员的。在上述用人单位解除劳动合同的四种方式中,经济性裁员有着特殊的解除原因,这些经济性原因大致可以分为三大类:一是企业因为经营发生严重困难或者依照破产法规定进行重整的;二是企业为了寻求生存和更大发展,进行转产、重大技术革新,经营方式调整的;三是兜底条款,即其他因劳动合同订立时所依据的客观经济情况发生重大变化,致使劳动合同无法履行的。

第三,经济性裁员只发生在企业中。本法第 2 条规定了适用范围,用人单位的范围比较广,包括各类企业、个体经济组织、民办非企业单位等组织。经济性裁员只能发生在企业中,只有企业才有可能进行经济性裁员。

在有些国家中,经济性裁员只发生在中型或者大型企业中,微型和小型企业不受经济性裁员规定的约束。作这样的区分主要原因是微型或者小型企业一次性解除劳动合同的数量较少,其社会影响比较小,不需要纳入经济性裁员的范围进行规范。同时,国外的经济性裁员需要企业与工会进行谈判,而微型或者小型企业缺乏谈判的能力。在《劳动合同法》制定过程中,考虑到整部《劳动合同法》中都没有区分企业的规模，且我国经济性裁员并没有国外的谈判机制，我国经济性裁员主要是履行一些法定程序，微型或者小型企业都容易做到，因此本条中并没有区分企业的规模。

第四，构成经济性裁员必须要一次性解除法定数量的劳动合同。

在劳动合同法的制定过程中，经济性裁员究竟要一次性裁减多少人才是合适的一直是讨论的热点。《劳动合同法草案》曾规定，裁减人员 50 人以上的构成经济性裁员。对此，在全文公开征求社会意见过程中，批评意见几乎呈一边倒的趋势，绝大部分意见都认为 50 人的标准太高。有的主张人数越少越好，甚至认为只要裁减 2 人以上就构成经济性裁员，以保护劳动者的合法权益。还有些意见认为，规定一个固定数不全面，有些企业规模小，一次性裁员 20 人以下的就可能对企业和职工来讲是一件很大的事情，建议在规定一个固定数的同时再规定一个比例。考虑到对于劳动者而言，经济性裁员是"双刃剑"，经济性裁员的人数标准太低，用人单位容易利用解除条件较为宽泛的经济性裁员进行解除劳动合同，反倒对劳动者不利。同时要考虑社会的承受力，如果一次性解雇较多劳动者但不履行说明情况、听取意见、报告程序，将会给社会带来不稳定因素。两个标准并列相对更全面，能兼顾不同的情况。因此，《劳动合同法》规定一次性裁减人员 20 人或者裁减不足 20 人但占企业职工总人数 10% 以上的，构成经济性裁员。

有的意见认为，用人单位为了规避经济性裁员的规定，可以在经济性裁员法定人数标准之下分批解雇人员，因此建议规定经济性裁员有一个时间标准，如 1 个月内或者 3 个月内等。经济性裁员对于劳动者而言是一把“双刃剑”；对用人单位而言，也是一把“双刃剑”。用人单位如果裁减人员人数不足法定标准，就不能以经济性裁员的实体条件为由成批解除劳动合同，只能按照《劳动合同法》第 36 条、第 39 条、第 40 条的规定单个解除劳动合同，其中的权衡，决定了用人单位不会一味地规避经济性裁员。因此，经济性裁员的时间标准就是一次性裁员。

三、进行经济性裁员必须满足法定条件

经济性裁员作为用人单位单方解除劳动合同的一种方式，必须满足法定条件。这些法定条件包括实体性条件和程序性条件，只有同时具备了实体性条件之一和全部的程序性条件，才是合法有效的经济性裁员。

（一）实体性条件

《劳动合同法》规定，在四种情形下用人单位可以进行经济性裁员：

第一，依照企业破产法规定进行重整。《企业破产法》第 2 条规定：“企业法人不能清偿到期债务，并且资产不足以清偿全部债务或者明显缺乏清偿能力的，依照本法规定清理债务。企业法人有前款规定情形，或者有明显丧失清偿能力可能的，可以依照本法规定进行重整。”依照《企业破产法》的规定，在三种情形下，债务人或者债权人可以向人民法院申请对

债务人进行重整：一是企业法人不能清偿到期债务，并且资产不足以清偿全部债务；二是企业法人不能清偿到期债务，并且明显缺乏清偿能力的；三是企业法人不能清偿到期债务，并且有明显丧失清偿能力可能的。另外，根据《企业破产法》第70条第2款的规定，债权人申请对债务人进行破产清算的，在人民法院受理破产申请后、宣告债务人破产前，债务人或者出资额占债务人注册资本1/10以上的出资人，可以向人民法院申请重整。《企业破产法》设置重整制度，主要目的就是使用人单位根据企业重整的经营方案、债权的调整和清偿方案以及其他有利于企业重整的方案等重整计划，继续经营并清偿债务，避免用人单位进入破产清算程序，使经营失败的企业有可能通过重整而得到复苏、振兴的机会。在重整过程中，用人单位可根据实际经营情况，进行经济性裁员。

第二，生产经营发生严重困难。市场经济中的企业无时不面临着激烈竞争，一旦对市场需求判断失误或者决策偏差，企业的生产经营可能就会发生困难。在用人单位的生产经营发生严重困难时，应允许用人单位通过各种方式进行自救，而不是进一步陷入破产、关闭的绝境。在用人单位的生产经营发生严重困难时，裁减人员、缩减员工规模是一项较有效的缓减措施，从全局看，对用人单位的劳动者群体是有利的，但涉及特定劳动者的权益，应慎重处理。因此，《劳动合同法》允许用人单位在生产经营发生困难时采取经济性裁员措施，但同时要求用人单位要慎用该手段，在“困难”两字前加了“严重”的限制。

第三，企业转产、重大技术革新或者经营方式调整，经变更劳动合同后，仍需裁减人员。在企业生产经营过程中，企业为了寻求生存和更大发展，必然要进行结构调整和整体功能优化，这些方式包括企业转产、重大技术革新和经营方式调整。企业转产、重大技术革新或者经营方式调整并不必然导致用人单位进行经济性裁员，如企业转产的，从事原工作岗位的劳动者可以转到转产后的工作岗位。为了更好地保护劳动者合法权益，同时引导用人单位尽量不使用经济性裁员手段，劳动合同法要求企业转产、重大技术革新或者经营方式调整，只有在变更劳动合同后，仍需要裁减人员，才可进行经济性裁员。

第四，其他因劳动合同订立时所依据的客观经济情况发生重大变化，致使劳动合同无法履行的。实践中，除了本条中列举的三类情形外，还有一些客观经济情况发生变化需要经济性裁员的情形，如有些企业为了防治污染进行搬迁需要经济性裁员的，也应允许用人单位进行经济性裁员。作为兜底条款，对本规定应作较为严格的解释。

（二）程序性条件

为了尽量缓减经济性裁员对劳动者和整个社会的安定团结造成的冲击，《劳动合同法》延续了《劳动法》关于经济性裁员的程序性规定，要求用人单位进行经济性裁员必须履行一套法定程序。这些法定程序是有顺序的，须全部履行。

第一，必须提前 30 日向工会或者全体职工说明情况，并听取工会或者职工的意见。

由于经济性裁员涉及较多劳动者的权益，为便于工会和劳动者了解裁减人员方案及裁减理由，获得工会和劳动者对经济性裁员行为的理解和认同，用人单位必须提前30日向工会或者全体职工说明情况，并听取工会或者职工的意见。有的企业中已建立了工会，有的企业中还没有建立工会。已建立工会的用人单位进行经济性裁员，可以选择向工会或者全体职工说明情况，并听取工会或者职工的意见。没有建立工会的用人单位进行经济性裁员，应当向全体职工说明情况，听取职工的意见。

在修改过程中，有的意见提出，有些企业规模比较大，为便于操作，建议将“全体职工”“职工”修改为“职工代表”。考虑到经济性裁员中有些职工是被裁减的，有些职工没有被裁减，如果是职工代表必然涉及职工代表的产生方法，比较复杂，反而不易操作。听取职工意见可以有多种形式，如座谈会、设置意见箱、部门负责人收集意见等。如果是职工代表反映的，也是职工意见，因此听取职工意见不需要修改。

第二，裁减人员方案向劳动行政部门报告。

用人单位经向工会或者全体职工说明情况，听取工会或者职工的意见，对原裁减人员方案进行必要修改后，形成正式的裁减人员方案。按照1994年劳动部《企业经济性裁减人员规定》（劳部发〔1994〕447号）第4条的规定，裁减人员方案的内容包括：被裁减人员名单，裁减时间及实施步骤，符合法律、法规规定和集体合同约定的被裁减人员经济补偿办法。该裁减人员方案需要向劳动行政部门报告，以使劳动行政部门了解裁减情况,必要时采取相应措施,防止出现意外情况,监督经济性裁员的合法进行。这里的“报告”性质上属于事后告知,不是事前许可或者审批。当然,有的企业出于各种考虑,自愿提前与劳动行政部门报告协商,法律并不禁止。

四、进行经济性裁员必须遵循社会福利原则

根据实际情况,经济性裁员中裁减的人数不定,在裁减一部分劳动者时,就涉及裁减哪些劳动者的问题。有些意见认为,用人单位进行经济性裁员时,除了出于削减人员工资费用的目的外,有时还要达到一个对员工结构进行调整以增强经营能力的目的,因此建议裁减人员名单由用人单位根据实际需要确定。这种观点有其合理的一面,但经济性裁员不能只考虑用人单位的需求,很多国家都规定经济性裁员必须遵循社会福利原则,即经济性裁员中还要考虑社会因素,优先保护对用人单位贡献较大、再就业能力较差的劳动者。在德国,劳动法规定经济性裁员时,必须先裁减年龄小的、工龄短的、家庭负担轻的、身无残疾的劳动者,否则就是违法。劳动合同法规定经济性裁员中优先留用人员时,主要从劳动合同期限和保护社会弱势群体角度出发,规定了三类优先留用人员。其中与本单位订立较长期限的固定期限劳动合同和订立无固定期限劳动合同的人员,主要是考虑劳动者对劳动合同的有较长期限的预期,法律应对这种预期予以相应保护。规定优先留用家庭无其他就业人员,有需要抚养的老人或者未成年人的劳动者,主要是考虑这类劳动者对工作的依赖性非常强,一份工作关系一个家庭的基本生活,不能将其随意推向社会,对这类社会弱势群体法律应给予相应保护。三类优先留用的劳动者之间并没有谁优先的顺序,用人单位可以根据实际需要予以留用。

五、重新招用人员的,被裁减人员具有优先就业权

《劳动法》第 27 条第 2 款规定:“用人单位依据本条规定裁减人员,在六个月内录用人员的,应当优先录用被裁减的人员。”劳动合同关于经济性裁员后,重新招用人员,被裁减人员具有优先就业权的规定主要是延续了《劳动法》第 27 条第 2 款的规定。之所以赋予被裁减人员优先就业权,主要出于三方面考虑:一是被裁减人员并不是因为个人有违法违纪违规的行为而被解除劳动合同的,是因为用人单位经营出现严重困难等情况服从大局而被解除劳动合同的,因此在用人单位生产经营正常后,重新招用人员时,应优先照顾被裁减的劳动者;二是被裁减人员对用人单位比较熟悉,技术也熟练,对用人单位而言并不完全是负担;三是可以有效防止用人单位以经济性裁员为借口,随意裁减劳动者。同时,为更好地保护被裁减人员的合法权益,《劳动合同法》增加规定了用人单位有通知被裁减人员的义务,以使被裁减人员慎重考虑,及时行使优先就业权。

有的意见提出,优先招用被裁减人员对被裁减人员是一种保护,但同时却对其他未就业者是一种限制。为了更好地平衡被裁减人员、未就业者及用人单位的合法权益,《劳

动合同法》对被裁减人员的优先就业权作了限制，即强调在同等条件下的优先权。如果被裁减人员各方面条件与其他劳动者的条件没有明显差距的，用人单位应当优先招用被裁减的人员。

第四十二条 劳动者有下列情形之一的，用人单位不得依照本法第四十条、第四十一条的规定解除劳动合同：

（一）从事接触职业病危害作业的劳动者未进行离岗前职业健康检查，或者疑似职业病病人在诊断或者医学观察期间的；

（二）在本单位患职业病或者因工负伤并被确认丧失或者部分丧失劳动能力的；

（三）患病或者非因工负伤，在规定的医疗期内的；

（四）女职工在孕期、产期、哺乳期的；

（五）在本单位连续工作满十五年，且距法定退休年龄不足五年的；

（六）法律、行政法规规定的其他情形。

【释义】 本条是关于用人单位不得解除劳动合同的规定。

根据本法第39条、第40条、第41条的规定，出现法定情形时，用人单位可以单方解除劳动合同。为保护一些特定群体劳动者的合法权益，本条又规定在6类法定情形下，禁止用人单位根据本法第40条、第41条的规定单方解除劳动合同。对用人单位不得解除劳动合同规定的理解需注意以下两个方面：一是本条禁止的是用人单位单方解除劳动合同，并不禁止劳动者与用人单位协商一致解除劳动合同；二是本条的前提是用人单位不得根据本法第40条、第41条解除劳动合同，即使劳动者具备了本条规定的六种情形之一，用人单位仍可以根据本法第39条的规定解除。

一、从事接触职业病危害作业的劳动者未进行离岗前职业病健康检查，或者疑似职业病病人在诊断或者医学观察期间的

受到职业病威胁的劳动者以及职业病人是社会弱势群体，非常需要国家的关怀和法律的保障，因此《职业病防治法》的一个重要特点是以保护劳动者的合法权益为基本出发点，给予劳动者法律保障。根据《职业病防治法》第32条的规定，对从事接触职业病危害的作业的劳动者，用人单位应当按照国务院卫生行政部门的规定组织上岗前、在岗期间和离岗时的职业健康检查，并将检查结果如实告知劳动者。对未进行离岗前职业健康检查的劳动者不得解除或者终止与其订立的劳动合同。根据第49条的规定，用人单位在疑似职业病病人诊断或者医学观察期间，不得解除或者终止与其订立的劳动合同。值得一提的是，对于这两类情况，根据《职业病防治法》的规定和《劳动合同法》的精神，用人单位一般不得单方解除劳动合同。

二、在本单位患职业病或者因工负伤并被确认丧失或者部分丧失劳动能力的

职业病是劳动者在生产劳动及其职业活动中，接触职业性有害物质引起的疾病。因工负伤，顾名思义是因工作遭受事故伤害的情形。无论是职业病还是因工负伤，都与用人单位有关工作条件、安全制度或者劳动保护制度不尽完善有关，发生职业病或者因工负伤，用人单位作为用工组织者和直接受益者理应承担相应责任。同时，一旦发生职业病或者因工负伤，都可能造成劳动者丧失或者部分丧失劳动能力，如果此时允许用人单位解除劳动合同，将会给劳动者的医疗、生活等带来困难，因此《劳动合同法》规定在本单位患职业病或者因工负伤并被确认丧失或者部分丧失劳动能力的，用人单位不得解除劳动合同。

职业病的认定，需要根据职业病防治法的有关规定，由专门医疗机构认定。《工伤保险条例》对工伤的情形作了列举，包括：在工作时间和工作场所内，因工作原因受到事故伤害的；工作时间前后在工作场所内，从事与工作有关的预备性或者收尾性工作受到事故伤害的；在工作时间和工作场所内，因履行工作职责受到暴力等意外伤害的；患职业病的；因工外出期间，由于工作原因受到伤害或者发生事故下落不明的；在上下班途中，受到非本人主要责任的交通事故或者城市轨道交通、客运轮渡、火车事故伤害的；法律、行政法规规定应当认定为工伤的其他情形。《工伤保险条例》还对视同为工伤的情

形作了规定。

根据《职工工伤与职业病致残程度鉴定标准》的规定：评残标准分为10级，符合评残标准1～4级为完全丧失劳动能力；5～6级为大部分丧失劳动能力；7～10级为部分丧失劳动能力。本规定所讲的“部分丧失劳动能力”包括大部分丧失劳动能力和部分丧失劳动能力。完全丧失劳动能力，是指因损伤或疾病造成人体组织器官缺失、严重缺损、畸形或严重损害，致使伤病的组织器官或生理功能完全丧失或存在严重功能障碍。大部分丧失劳动能力，是指因损伤或疾病造成人体组织器官大部分缺失、明显畸形或损害，致使受损组织器官功能中等度以上障碍。

三、患病或者非因工负伤，在规定的医疗期内的

根据劳动部1994年颁布的《企业职工患病或非因工负伤医疗期规定》（劳部发〔1994〕479号）的规定，所谓医疗期，是指企业职工因患病或非因工负伤停止工作治病休息不得解除劳动合同的时限。医疗期一般为3个月到24个月，以劳动者本人实际参加工作年限和在本单位工作年限为标准计算具体的医疗期。有几类标准：实际工作年限10年以下的，在本单位工作年限5年以下的为3个月，5年以上的为6个月；实际工作年限10年以上的，在本单位工作年限5年以下的为6个月，5年以上10年以下的为9个月，10年以上15年以下的为12个月，15年以上20年以下的为18个月，20年以上的为24个月。企业职工在医疗期内，其病假工资、疾病救济费和医疗

待遇按照有关规定执行。根据《企业职工患病或非因工负伤医疗期规定》第7条的规定，企业职工非因工致残和经医生或医疗机构认定患有难以治疗的疾病，医疗期满，应当由劳动鉴定委员会参照工伤与职业病致残程度鉴定标准进行劳动能力的鉴定。被鉴定为1～4级的，应当退出劳动岗位，解除劳动关系，并办理退休、退职手续，享受退休、退职待遇。

四、女职工在孕期、产期、哺乳期的

我国宪法和法律一贯重视对女职工的权益保护。《妇女权益保障法》第27条规定，任何单位不得因结婚、怀孕、产假、哺乳等情形，降低女职工的工资，辞退女职工，单方解除劳动（聘用）合同或者服务协议。但是，女职工要求终止劳动（聘用）合同或者服务协议的除外。所谓孕期，是指妇女怀孕期间。产期，是指妇女生育期间，产假一般为90天。哺乳期，是指从婴儿出生到1周岁之间的期间。根据本条规定，妇女只要在孕期、产期、哺乳期的，用人单位就不得根据本法第40条、第41条的规定单方解除劳动合同。

五、在本单位连续工作满15年，且距法定退休年龄不足5年的

考虑到老职工对于企业的贡献较大，再就业能力较低，政府和社会都比较关注这部分弱势群体，因此本法加强了对老职工的保护，包括劳动者已在用人单位连续工作满10年的，应订立无固定期限劳动合同；用人单位初次实行劳动合同制

度或者国有企业改制重新订立劳动合同时，劳动者在该用人单位连续工作满 10 年且距法定退休年龄不足 10 年的，应订立无固定期限劳动合同；在本单位连续工作满 15 年，且距法定退休年龄不足 5 年的，用人单位不得根据本法第 40 条、第 41 条的规定单方解除劳动合同。

六、法律、行政法规规定的其他情形

考虑到有些法律、行政法规中也有不得解除劳动合同的规定，同时为了便于与以后颁布的法律相衔接，本条规定了这个兜底条款，以加强对劳动者的保护。

第四十三条　用人单位单方解除劳动合同，应当事先将理由通知工会。用人单位违反法律、行政法规规定或者劳动合同约定的，工会有权要求用人单位纠正。用人单位应当研究工会的意见，并将处理结果书面通知工会。

【释义】　本条是关于工会在用人单位解除劳动合同中发挥监督职责的规定。

一、工会是维护劳动者合法权益的群众组织

根据《工会法》第 2 条的规定，工会是职工自愿结合的工人阶级的群众组织。中华全国总工会以及各工会组织代表职工的利益，依法维护职工的合法权益。本法第 6 条明确规定了工会在劳动合同的订立、履行过程中的功能，工会应当帮助、指导劳动者与用人单位依法订立和履行劳动合同，并与用人单位建立集体协商机制，维护劳动者的合法权益。根据本法的规定，用人单位可以在出现法定情形时，单方解除劳动合同。由于解除劳动合同关系意味着劳动关系的结束，对劳动者而言就是失业，将直接影响劳动者的基本生活。在用人单位单方解除劳动合同时，防止用人单位随意解除劳动合同，要求用人单位慎重行使解除权，依法保护劳动者合法权益，工会责无旁贷。因此，《工会法》第21条第2款规定，企业单方面解除职工劳动合同时，应当事先将理由通知工会，工会认为企业违反法律、法规和有关合同，要求重新研究处理时，企业应当研究工会的意见，并将处理结果书面通知工会。《劳动法》第30条规定，用人单位解除劳动合同，工会认为不适当的，有权提出意见。如果用人单位违反法律、法规或者劳动合同，工会有权要求重新处理；劳动者申请仲裁或者提起诉讼的，工会应当依法给予支持和帮助。本法第43条基本上延续了《劳动法》第30条和《工会法》第21条第2款的规定，只是从规范劳动合同的角度在文字上做了一些处理。

二、用人单位单方解除劳动合同，应当事先将理由通知工会

为了充分发挥工会的作用，缓减矛盾，减少劳动争议的发生，工会对用人单位单方解除劳动合同的行为有知情权。根据本条的规定，用人单位凡是要单方解除劳动合同的，都必须将解除理由通知工会。为了更好地保护工会的知情权，使工会能及时发挥法定职责，用人单位还必须事先提前将理由通知工会。

三、用人单位违反法律、行政法规规定或者劳动合同约定的，工会有权要求用人单位纠正

这里的“法律、行政法规”，主要是指有关于劳动合同解除规定的法律、行政法规，如《劳动合同法》《职业病防治法》等。如果工会认为用人单位单方解除劳动合同是违反了法律、行政法规规定或者劳动合同约定的，有权以书面形式正式提出不同意见，要求用人单位纠正错误的解除行为。这是工会的一项法定权利，任何组织和个人都不得剥夺和侵害。工会提出不同意见，有利于用人单位发现和纠正违法或者违反约定的单方解除劳动合同的行为，防止劳动争议的出现，因此对用人单位而言，理应认真研究，慎重处理，并将处理结果以书面形式正式通知工会。

四、为了更好地保护工会及工会成员履行职责，防止工会成员因为履行职责，提出纠正意见等原因受到用人单位的排挤甚至解除劳动合同

2003 年最高人民法院颁布了《关于在民事审判工作中适用〈中华人民共和国工会法〉若干问题的解释》。其中第 6 条规定，根据《工会法》第 52 条规定，人民法院审理涉及职工和工会工作人员因参加工会活动或者履行《工会法》规定的职责而被解除劳动合同的劳动争议案件，可以根据当事人的请求裁判用人单位恢复其工作，并补发被解除劳动合同期间应得的报酬；或者根据当事人的请求裁判用人单位给予本人年

收入2倍的赔偿,并参照《违反和解除劳动合同的经济补偿办法》第8条规定给予解除劳动合同时的经济补偿金。

第四十四条 有下列情形之一的,劳动合同终止:

(一)劳动合同期满的;

(二)劳动者开始依法享受基本养老保险待遇的;

(三)劳动者死亡,或者被人民法院宣告死亡或者宣告失踪的;

(四)用人单位被依法宣告破产的;

(五)用人单位被吊销营业执照、责令关闭、撤销或者用人单位决定提前解散的;

(六)法律、行政法规规定的其他情形。

【释义】 本条是关于劳动合同终止的规定。

在法学理论上,所谓劳动合同终止,是指劳动合同的法律效力依法被消灭,即劳动关系由于一定法律事实的出现而终结,劳动者与用人单位之间原有的权利义务不再存在。但是,劳动合同终止,原有的权利义务不再存在,并不是说劳动合同终止之前发生的权利义务关系消灭,而是说合同终止之后,双方不再执行原劳动合同中约定的事项,如用人单位在合同终止前拖欠劳动者工资的,劳动合同终止后劳动者仍可依法请求法律救济。

我国合同法上合同终止包括合同解除的情形,我国劳动法学界也一直对劳动合同终止与解除的关系存在争议,有并列说和包容说两种观点。1994年《劳动法》第23条规定,劳动合同期满或者当事人约定的劳动合同终止条件出现，劳动合同即行终止。显然，《劳动法》确立了劳动合同终止与解除的并列说。考虑到劳动合同终止与解除存在以下几方面的不同，《劳动合同法》延续了《劳动法》并列说的做法：第一，阶段不同，劳动合同终止是劳动合同关系的自然结束，而解除是劳动合同关系的提前结束。第二，结束劳动关系的条件都有约定条件和法定条件，但具体内容不同。劳动合同终止的条件中，约定条件主要是合同期满的情形，而法定条件主要是劳动者和用人单位主体资格的消灭。劳动合同解除的条件中，约定条件主要是协商一致解除合同情形，而法定条件是一些违法违纪违规等行为。第三，预见性不同，劳动合同终止一般是可以预见的，特别是劳动合同期满终止的，而劳动合同解除一般不可预见。第四，适用原则不同，劳动合同终止受当事人意思自治的程度多一点，一般遵循民法的原则和精神，而解除受法律约束的程度较高，更多地体现社会法的性质和国家公权力的介入，体现对劳动者的倾斜保护。

实践中劳动合同终止的情形比较多，而《劳动法》仅规定了两类劳动合同终止的情形，包括劳动合同期满和双方约定的终止条件出现，显然过于简单。因此《劳动合同法》在制定过程中借鉴了各地方立法中有关劳动合同终止情形的具体规定，对劳动合同终止情形做了进一步细化：

一、劳动合同期满

这主要适用于固定期限劳动合同和以完成一定工作任务

为期限的劳动合同两种情形。劳动合同期满，除依法续订劳动合同的和依法应延期的以外，劳动合同自然终止，双方权利义务结束。根据劳动保障部的规定，劳动合同的终止时间，应当以劳动合同期限最后1日的24时为准。

实践中，对于劳动合同期满后，劳动者仍在原用人单位工作，原用人单位未表示异议的，但也未办理终止或者续订劳动合同的，该如何处理？对此，1996年，劳动部《关于实行劳动合同制度若干问题的通知》（劳部发〔1996〕354号）中规定，有固定期限的劳动合同期满后，因用人单位方面的原因未办理终止或续订手续而形成事实劳动关系的，视为续订劳动合同。用人单位应及时与劳动者协商合同期限，办理续订手续。由此给劳动者造成损失的，该用人单位应当依法承担赔偿责任。2001年，最高人民法院在《关于审理劳动争议案件适用法律若干问题的解释》中规定，劳动合同期满后，劳动者仍在原用人单位工作，原用人单位未表示异议的，视为双方同意以原条件继续履行劳动合同。一方提出终止劳动关系的，人民法院应当支持。2001年，劳动和社会保障部在《关于对事实劳动关系解除是否应该支付经济补偿金问题的复函》中规定，在上述情形下，“终止”是指劳动合同期满后，劳动者仍在原用人单位工作，用人单位未表示异议的，劳动者和用人单位之间存在的是一种事实的劳动关系，而不等于双方按照原劳动合同约定的期限续签了一个新的劳动合同。一方提出终止劳动关系的，应认定为终止事实上的劳动关系。上述的规定和司法解释，有其合理性，但对劳动者的保护显然弱了一点。

根据本法,该种情形下的劳动者可以得到进一步的保护。按照本法的规定,劳动合同期满自然终止,原劳动合同消灭。如果劳动者仍在原用人单位工作,用人单位未表示异议的,应视为一个新劳动合同的开始。《劳动合同法》实施后,劳动者要增强劳动合同意识,主动提出续订劳动合同。考虑到用人单位续签劳动合同的实际情况,以及在这种情形下劳动者也有一定责任,所以可依照本法第 10 条的规定,在前一劳动合同终止之日后劳动者提供劳动的第 1 天起 1 个月内订立书面劳动合同,否则用人单位就要承担本法第 14 条第 3 款、第 82 条的法律责任。至于后一劳动合同的内容,除了期限,应视为与原劳动合同一致。

二、劳动者开始依法享受基本养老保险待遇

我国基本养老保险制度从无到有,现还处于改革过程中。1991 年国务院颁布了《关于企业职工养老保险制度改革的决定》(国发〔1991〕33 号),要求企业逐步建立健全企业职工养老保险制度。1994 年《劳动法》第 73 条规定:"劳动者在下列情形下,依法享受社会保险待遇:(一)退休;(二)患病、负伤;(三)因工伤残或者患职业病;(四)失业;(五)生育……劳动者享受社会保险待遇的条件和标准由法律、法规规定……"《劳动法》第 73 条规定的五类保险待遇分别是基本养老保险、医疗保险、工伤保险、失业保险和生育保险五大类。在劳动者退休的情况下,可以享受基本养老保险。1995 年,国务院颁布了《关于深化企业职工养老保险制度改革的通知》(国发〔1995〕6 号），规定职工到达法定离退休年龄，凡个人缴费累计满 15 年，或本办法实施前参加工作连续工龄（包括缴费年限）满 10 年的人员，均可享受基本养老保险待遇，按月领取养老金。1997 年，国务院颁布了《关于建立统一的企业职工基本养老保险制度的决定》（国发〔1997〕26 号），规定本决定实施后参加工作的职工、个人缴费年限累计满 15 年的，退休后按月发给基本养老金。本决定实施前参加工作、实施后退休且个人缴费和视同缴费年限累计满 15 年的人员，按照新老办法平衡衔接、待遇水平基本平衡等原则，在发给基础养老金和个人账户养老金的基础上再确定过渡性养老金，过渡性养老金从养老保险基金中解决。根据法律、行政法规的规定，我国劳动者开始依法享受基本养老保险待遇的条件大致有两个：一是劳动者已退休，二是个人缴费年限累计满 15 年或者个人缴费和视同缴费年限累计满 15 年。

从 1951 年开始，我国政府机关、城镇企业和事业单位便实行了退休制度。根据有关政策和法律规定，职工达到退休年龄（男 60 岁，女 50 岁，女干部 55 岁）、工龄年限（连续工龄满 10 年）和身体健康状况的条件，即可以申请退休。从批准退休的第二个月开始，停发工资，按照工龄及其他条件支付个人工资一定比例的退休金，直至退休人员死亡。按照劳动和社会保障部的相关解释（劳社厅函〔2001〕125 号），“国家法定的企业职工退休年龄”，是指国家法律规定的正常退休年龄，即“男年满 60 周岁，女工人年满 50 周岁，女干部年满 55 周岁”。

按照现行有关基本养老保险的规定和实际做法，劳动者达到退休年龄是依法享受基本养老保险的前提，享受基本养老保险基本上可以涵盖达到法定退休年龄的情形。同时，退休制度主要发生在国有企业中，面比较窄，而且现在退休情况比较复杂，有正常退休、提前退休、内退等，因此本条并没有以退休为劳动合同终止的情形之一。如果劳动者达到了退休年龄但并没有依法享受基本养老保险待遇的，除国家另有规定的外，其劳动合同并不终止。

三、劳动者死亡，或者被人民法院宣告死亡或者宣告失踪

《民法通则》第 9 条规定，公民从出生时起到死亡时止，具有民事权利能力，依法享有民事权利，承担民事义务。第 20 条规定，公民下落不明满 2 年的，利害关系人可以向人民法院申请宣告他为失踪人。第 23 条规定，公民有下列情形之一的，利害关系人可以向人民法院申请宣告其死亡：（1）下落不明满 4 年的；（2）因意外事故下落不明，从事故发生之日起满 2 年的。在民事领域中，公民死亡、被人民法院宣告失踪或者宣告死亡的，将丧失民事权利能力和民事行为能力。在劳动领域中，公民死亡、被人民法院宣告失踪或者宣告死亡的，劳动合同签订一方主体资格消灭，客观上丧失提供劳动的可能，之前签订的劳动合同因为缺乏一方主体而归于消灭，属于劳动合同终止的情形之一。

四、用人单位被依法宣告破产

《企业破产法》第 107 条规定，人民法院依照本法规定宣

告债务人破产的,应当自裁定作出之日起5日内送达债务人和管理人,自裁定作出之日起10日内通知已知债权人,并予以公告。第121条规定,管理人应当自破产程序终结之日起10日内,持人民法院终结破产程序的裁定,向破产人的原登记机关办理注销登记。根据《企业破产法》的规定,用人单位一旦被依法宣告破产,就进入破产清算程序,用人单位的主体资格即将归于消灭,因此用人单位一旦进入被依法宣告破产的阶段,意味着劳动合同一方主体资格必然消灭,劳动合同归于终止。

五、用人单位被吊销营业执照、责令关闭、撤销或者用人单位决定提前解散

《公司法》第181条规定,公司因下列原因解散:(1)公司章程规定的营业期限届满或者公司章程规定的其他解散事由出现;(2)股东会或者股东大会决议解散;(3)因公司合并或者分立需要解散;(4)依法被吊销营业执照、责令关闭或者被撤销;(5)人民法院依照本法第183条的规定予以解散。根据《公司法》的规定,公司解散是指已经成立的公司,因公司章程或者法定事由出现而停止公司的经营活动,开始公司的清算,使公司法人资格消灭的法律行为。由于公司解散将会导致公司法人归于消灭,因此,在公司解散的情况下,劳动合同由于缺乏一方主体,而归于终止。考虑到与后面条文中有关经济补偿规定的衔接,因此本项仅规定用人单位被吊销营业执照、责令关闭、撤销或者用人单位决定提前解散的,劳动

合同终止。

所谓吊销营业执照，是指剥夺用人单位已经取得的营业执照，使其丧失继续从事生产或者经营的资格。所谓责令关闭，是指行为人违反了法律、行政法规的规定，被行政机关作出了停止生产或者经营的处罚决定，从而停止生产或者经营。所谓被撤销，是指由行政机关撤销有瑕疵的公司登记。用人单位被依法吊销营业执照、责令关闭或者被撤销，已经不能进行生产或者经营，应当解散，以该用人单位为一方的劳动合同终止。所谓用人单位决定提前解散，是指在股东会或者股东大会决议解散，或者公司合并或者分立需要解散，或者持有公司全部股东表决权10%以上的股东，请求人民法院解散公司的情形下，用人单位提前于公司章程规定的公司终止时间而解散公司的。

六、法律、行政法规规定的其他情形

有关劳动终止的情形，除了《劳动合同法》规定的五种情形外，可由法律、行政法规作出规定。考虑到保持整个劳动合同终止制度的统一性和劳动合同终止并没有地方独特性等情况，《劳动合同法》并没有授权地方性法规创设劳动合同终止制度。

第四十五条　劳动合同期满，有本法第四十二条规定情形之一的，劳动合同应当续延至相应的情形消失时终止。但是，本法第四十二条第二项规定丧失或者部分丧失劳动能力

劳动者的劳动合同的终止，按照国家有关工伤保险的规定执行。

【释义】 本条是关于劳动合同期满不得终止的规定。

《劳动合同法》的重要宗旨之一是保护劳动者的合法权益，对于一些处于特殊困难阶段或者做出特殊贡献的劳动者，《劳动合同法》给予了相应的特殊保护，《劳动合同法》第42条规定在5种情形下的劳动者，用人单位不得解除劳动合同。如果劳动者有《劳动合同法》第42条规定的5种情形的，劳动合同期满时，用人单位能否终止？本条对此作出了基本否定的回答，要求必须将劳动合同延续至相应情形消失时才能终止。其中从事接触职业病危害作业的劳动者未进行离岗前职业健康检查，劳动合同期满的，必须等到进行了职业健康检查后，劳动合同才能终止。疑似职业病病人在诊断或者医学观察期间，劳动合同期满的，必须等到排除了职业病、确认了职业病或者医学观察期间结束，劳动合同才能终止。在本单位患职业病，劳动合同期满的，必须等到职业病治愈，劳动合同才能终止，如果职业病不能治愈，劳动合同就不能终止，国家另有规定的除外。患病或者非因工负伤在医疗期内，劳动合同期满的，必须等到医疗期满后才能终止劳动合同。女职工孕期、产期、哺乳期满后，劳动合同才可以终止。在本单位连续工作满15年，且距法定退休年龄不足5年的，如果劳动合同期满，由于这种工作年限的情况不可能消失，因此就不能终止劳动合同。

本条对劳动者患职业病或者因工负伤并被确认丧失或者

部分丧失劳动能力的情形作了例外规定。

在劳动者患职业病或者因工负伤并被确认丧失或者部分丧失劳动能力的时，劳动合同何时终止，不以相应情形消失为准，而是按照国家有关工伤保险的规定执行。按照《工伤保险条例》第33条、第34条、第35条的规定，对于劳动者被鉴定为丧失、大部分丧失、部分丧失劳动能力，劳动合同终止的标准更有不同，具体有如下规定：

第一，劳动者因工致残被鉴定为1级至4级伤残的，即丧失劳动能力的，保留劳动关系，退出工作岗位。换言之，劳动者被鉴定为丧失劳动能力的，无论其劳动能力是否恢复，用人单位都不得终止劳动合同，直至劳动者达到退休年龄并办理退休手续，享受基本养老保险待遇。

第二，劳动者因工致残被鉴定为5级、6级伤残的，即大部分丧失劳动能力的，经工伤职工本人提出，该职工可以与用人单位解除或者终止劳动关系。换言之，劳动者被鉴定为大部分丧失劳动能力的，只要工伤职工本人提出，劳动合同就可以终止，但如果工伤职工本人没有提出，不管其劳动能力是否恢复，劳动合同就不得终止。

第三，职工因工致残被鉴定为7级至10级伤残的，即部分丧失劳动能力的，劳动合同期满终止。换言之，劳动者被鉴定为部分丧失劳动能力的，不管其劳动能力是否恢复，劳动合同期满即可终止。

第四十六条　有下列情形之一的，用人单位应当向劳动

者支付经济补偿:

(一)劳动者依照本法第三十八条规定解除劳动合同的;

(二)用人单位依照本法第三十六条规定向劳动者提出解除劳动合同并与劳动者协商一致解除劳动合同的;

(三)用人单位依照本法第四十条规定解除劳动合同的;

(四)用人单位依照本法第四十一条第一款规定解除劳动合同的;

(五)除用人单位维持或者提高劳动合同约定条件续订劳动合同,劳动者不同意续订的情形外,依照本法第四十四条第一项规定终止固定期限劳动合同的;

(六)依照本法第四十四条第四项、第五项规定终止劳动合同的;

(七)法律、行政法规规定的其他情形。

【释义】 本条是关于支付经济补偿的规定。

经济补偿是劳动合同制度中的一项重要内容,是一种引导用人单位的有效手段,是一类与劳动者密切相关的重大经济利益。在制定劳动合同法过程中,围绕着经济补偿问题各种观点激烈交锋。根据常委会委员和各方面意见,本法对经济补偿作了明确规定。

一、经济补偿的性质

各方面对劳动合同中经济补偿的性质争议较大。有的认为,经济补偿是违约责任,用人单位提前单方解除劳动合同就要承担违约责任,支付经济补偿。因此经济补偿是对用人单位的一种惩罚。有的认为,经济补偿是国家要求用人单位承担的一种社会责任。国家要求用人单位解除或者终止劳动合同时,支付一定经济补偿,以帮助劳动者在失业阶段维持基本生活,不至于生活水平急剧下降。这种社会责任,国家承担的多一点,用人单位支付的经济补偿就少一点,国家承担的少一点,用人单位支付的经济补偿就多一点。有的认为,经济补偿是对劳动者以往为用人单位做出贡献的补偿,是对劳动者过去劳动内容和成果的肯定。劳动者对用人单位的贡献不完全体现在用人单位支付给劳动者的劳动报酬中,用人单位的经营效益、持续发展能力和资产的积累都有劳动者的贡献。经研究,我们比较认同对经济补偿性质的第二种观点。经济补偿是企业承担社会责任的主要方式之一,在我国失业保险制度建立健全过程中,经济补偿可以有效缓减失业者的焦虑情绪和生活实际困难,维护社会稳定,形成社会互助的良好氛围。经济补偿不同于经济赔偿,不是一种惩罚手段。

另外,经济补偿是国家调节劳动关系的一种经济手段,引导用人单位长期使用劳动者,谨慎行使解除权利和终止权利。《劳动法》规定,用人单位单方解除劳动合同,依法支付经济补偿。用人单位为了减少成本,避免支付经济补偿,就不会随意解除劳动合同,从而达到稳定劳动关系的目的。《劳动合同法》基本延续了《劳动法》关于用人单位单方解除劳动合同支付经济补偿的规定,同时增加规定劳动合同期满,满足一定条件的,用人单位依法支付经济补偿。这一增加规定有利于解决劳动合同短期化的问题。实践中,劳动合同一年一签的情况比较普遍,用人单位为了规避关于解除劳动合同支付经济补偿的规定,通过签订短期劳动合同,待劳动合同终止时,再结束劳动关系。《劳动合同法》通过规定劳动合同终止时,用人单位依法支付经济补偿,可以起到遏制劳动合同短期化趋势,防止用人单位钻法律的空子,按照企业实际需求,签订劳动合同。

二、经济补偿的范围

1. 有《劳动合同法》第 38 条情形的,用人单位支付经济补偿

用人单位有违法、违约行为的,劳动者可以随时或者立即解除劳动合同,并有权取得经济补偿。较《劳动法》的规定,本项经济补偿是《劳动合同法》增加的内容。本法第 38 条规定,在用人单位有违约、违法行为时,劳动者可以解除劳动合同。用人单位的违约、违法行为有:用人单位未依照劳动合同约定提供劳动保护或者劳动条件的;用人单位未及时足额支付劳动报酬的;用人单位未依法为劳动者缴纳社会保险费的;用人单位的规章制度违反法律、法规的规定,损害劳动者权益的;用人单位有《劳动合同法》第 26 条中欺诈、胁迫或者乘人之危等行为致使劳动合同无效或者部分无效的;法律、行政法规规定的其他情形;用人单位以暴力、威胁或者非法限制人身自由的手段强迫劳动者劳动的;用人单位违章指挥、强令冒险作业危及劳动者人身安全的。

2. 双方协商一致解除劳动合同，但是由用人单位提出解除动议的，用人单位支付经济补偿

用人单位与劳动者可以协商一致解除劳动合同，但由用人单位首先提出解除动议的，应当支付经济补偿。较《劳动法》的规定，本项经济补偿范围有所缩小。《劳动法》第24条、第28条规定，用人单位与劳动者协商一致解除劳动合同的，用人单位应当依照国家有关规定给予经济补偿。在《劳动合同法》制定过程中，考虑到有的情况下，劳动者主动跳槽，与用人单位协商解除劳动合同，此时劳动者一般不会失业，或者对失业早有准备，如果要求用人单位支付经济补偿不太合理，因此对协商解除情形下，给予经济补偿的条件做了一定限制。

3. 用人单位依照本法第40条规定解除劳动合同的

本法第40条规定，劳动者患病或者非因工负伤，在规定的医疗期满后不能从事原工作也不能从事由用人单位另行安排的工作的；劳动者不能胜任工作，经过培训或者调整工作岗位，仍不能胜任工作的；劳动合同订立时所依据的客观情况发生重大变化，致使劳动合同无法履行，经用人单位与劳动者协商，未能就变更劳动合同内容达成协议的，用人单位可以在提前30日通知或者额外支付1个月工资后，解除劳动合同。也就是说，在劳动者有一定不足，用人单位没有过错，且做了一些补救措施，但劳动者仍不符合工作要求的情况下，允许用人单位解除劳动合同，但为平衡双方的权利义务，用人单位须支付经济补偿。本项经济补偿与《劳动法》的规定一致。

4. 用人单位依照《劳动合同法》第 41 条第 1 款规定解除劳动合同的

本法第 41 条规定的是经济性裁员。经济性裁员中,劳动者没有任何过错,用人单位也是迫于无奈,为了企业的发展和大部分劳动者的权益,解除一部分劳动者的劳动合同。为平衡双方的权利义务,经济性裁员中,用人单位应当支付经济补偿。本项经济补偿与《劳动法》的规定一致。

5. 除用人单位维持或者提高劳动合同约定条件续订劳动合同,劳动者不同意续订的情况外,依照本法第 44 条第 1 项规定终止固定期限劳动合同的

根据本项规定,劳动合同期满时,用人单位同意续订劳动合同,且维持或者提高劳动合同约定条件,劳动者不同意续订的,劳动合同终止,用人单位不支付经济补偿;如果用人单位同意续订劳动合同,但降低劳动合同约定条件,劳动者不同意续订的,劳动合同终止,用人单位应当支付经济补偿;如果用人单位不同意续订,无论劳动者是否同意续订,劳动合同终止,用人单位应当支付经济补偿。在本法制定过程中,本项规定引起了较大的争议。有的意见认为,劳动合同期满劳动合同自然终止,合同双方当事人的权利义务已经履行完毕,对这种情况劳动者有明确的预期,因此用人单位不应当支付经济补偿。有的意见认为,有些用人单位利用劳动者的青春期,在固定期限劳动合同终止时,不再续订劳动合同,劳动者的年龄和身体对再次求职已有很大影响,此时用人单位给予一定的经济补偿是合理的。有些劳动者在同一用人单位工作较长时

间，这些劳动者的劳动合同到期终止不给经济补偿不合情理。为平衡劳动者与用人单位的权利义务，《劳动合同法》在保留劳动合同期满终止给经济补偿的规定外，也做了一定限制。较《劳动法》的规定，本项经济补偿是增加规定。

6. 依照本法第44条第4项、第5项规定终止劳动合同的

本法第44条第4项规定，用人单位被依法宣告破产的，劳动合同终止。第44条第5项规定，用人单位被吊销营业执照、责令关闭、撤销或者用人单位决定提前解散的，劳动合同终止。《企业破产法》第113条规定，破产清偿顺序中第一项为破产人所欠职工的工资和医疗、伤残补助、抚恤费用，所欠的应当划入职工个人账户的基本养老保险、基本医疗保险费用，以及法律、行政法规规定应当支付给职工的补偿金。用人单位因为有违法行为而被吊销营业执照、责令关闭、撤销时，劳动者是无辜的，其权益应该受到保护。劳动合同终止时，用人单位应该支付经济补偿。较《劳动法》的规定，本项规定是增加的规定。

7. 法律、行政法规规定的其他情形

有些法律、行政法规中有关于用人单位支付经济补偿的规定。例如，《国营企业实行劳动合同制度暂行规定》规定，国营企业的老职工在劳动合同期满与企业终止劳动关系后可以领取相当于经济补偿的有关生活补助费。尽管《国营企业实行劳动合同制度暂行规定》于2001年被废止，但2001年之前参加工作的劳动者，在劳动合同终止后，仍可以领取工作之日起至2001年的生活补助费。在本法施行后，劳动者仍可按照有关规定领取生活补助费。

第四十七条　经济补偿按劳动者在本单位工作的年限，每满一年支付一个月工资的标准向劳动者支付。六个月以上不满一年的，按一年计算；不满六个月的，向劳动者支付半个月工资的经济补偿。

劳动者月工资高于用人单位所在直辖市、设区的市级人民政府公布的本地区上年度职工月平均工资三倍的，向其支付经济补偿的标准按职工月平均工资三倍的数额支付，向其支付经济补偿的年限最高不超过十二年。

本条所称月工资是指劳动者在劳动合同解除或者终止前十二个月的平均工资。

【释义】　本条是关于如何计算经济补偿的规定。

在劳动合同解除或者终止，用人单位依法支付经济补偿时，就涉及如何计算经济补偿的问题。计算经济补偿的普遍模式是：工作年限×每工作一年应得的经济补偿。《劳动合同法》及有关国家规定对工作年限及经济补偿标准作了明确的规定。

一、计算经济补偿中的工作年限

劳动者在单位工作的年限，应从劳动者向该用人单位提供劳动之日起计算。如果由于各种原因，用人单位与劳动者未及时签订劳动合同的，不影响工作年限的计算。如果劳动者连续为同一用人单位提供劳动，但先后签订了几份劳动合同的，工作年限应从劳动者提供劳动之日起连续计算。例如，劳动者甲自2008年在某企业工作，期间劳动合同一年一签，一直工作到2012年。最后一份劳动合同期满后终止,用人单位依法支付经济补偿时,计算的工作年限应从2008年算起,共4年。如果劳动者为同一用人单位提供劳动多年,但间隔了一段时间,也先后签订了几份劳动合同,工作年限原则上应从劳动者提供劳动之日起连续计算,已经支付经济补偿的除外。总之,本条"在本单位工作的年限"的规定,不能理解为连续几个合同的最后一个合同期限,原则上应连续计算。当然,随着《劳动合同法》的实施,用人单位利用短期劳动合同长期用工的现象将会减少,这主要是《劳动合同法》规定了两个措施:一是连续签订两次固定期限劳动合同的,劳动者可以要求签订无固定期限劳动合同;二是劳动合同期满终止的,用人单位也要依法支付经济补偿。

根据劳动部1996年《关于终止或解除劳动合同计发经济补偿金有关问题的请示的复函》的规定,对于因用人单位的合并、兼并、合资、单位改变性质、法人改变名称等原因而改变工作单位的,其改制前的工作时间可以计算为"在本单位的工作时间"。

另外,根据《劳动合同法》第97条第3款的规定,在《劳动合同法》施行前签订,施行前解除或者终止的劳动合同,依照《劳动法》和原有关国家规定计算经济补偿。在《劳动合同法》施行前签订,施行后解除或者终止的劳动合同,依照《劳动合同法》第46条规定应当支付经济补偿的,经济补偿年限自本法施行之日起计算;本法施行前按照当时有关规定,用人单位应当向劳动者支付经济补偿的,按照当时有关规定执行。

二、计算标准

经济补偿的计算标准为:6 个月以上不满 1 年的,按 1 年计算;不满 6 个月的,向劳动者支付半个月工资的经济补偿。本法关于经济补偿的计算标准较我国以往的做法,更为细化了。1994 年,劳动部颁布了《违反和解除劳动合同的经济补偿办法》,规定了计算经济补偿时,不满 1 年发给相当于 1 个月工资的经济补偿金。工作时间不满 1 年的,按 1 年的标准发给经济补偿金。《劳动合同法草案》也曾规定工作不满 1 年的,按 1 年的标准发给经济补偿金。在修改过程中,有的意见提出,为适应生产需求,有些企业每年招用许多季节工和临时工,这些人员一般工作期限较短,只工作几个月,却按 1 年支付经济补偿,加大了用人单位的负担,建议细化标准。因此,本条将计算标准进一步细化,以 6 个月为界限,分别支付 1 个月和半个月工资为经济补偿。如果劳动者工作 1 年又 6 个月,经济补偿为 2 个月的工资;如果劳动者工作 1 年又 5 个月的,经济补偿为 1.5 月的工资;如果劳动者工作 5 个月的,经济补偿为半个月的工资。

三、计算基数

计算经济补偿时,工作满 1 年支付 1 个月工资。关于 1 个月工资是劳动者本人月工资、本企业的职工月平均工资还是当地月平均工资,在《劳动合同法》制定过程中进行了讨论和研究,最后规定月工资是指劳动者解除或者终止劳动合同前12个月的平均工资。之所以如此规定，主要有以下考虑：第一，保持制度的延续性，原有规定有不足的，适当进行修改。《违反和解除劳动合同的经济补偿办法》第11条规定，本办法中经济补偿金的工资计算标准是指企业正常生产情况下劳动者解除劳动合同前12个月的月平均工资。用人单位依据本办法第6条、第8条、第9条解除劳动合同时，劳动者的月平均工资低于企业月平均工资的，按企业月平均工资的标准支付。按照该规定，月平均工资在不同的情形下有不同的内容，这样的规定一定程度上有利于保护低收入劳动者的权益，但失之于设计过于复杂，不利于劳动者掌握。同时也与其他国家和地区的做法不同。因此，《劳动合同法》统一了月平均工资的内容，这样便于操作，一目了然。第二，讲究公平性，平衡劳动合同双方的权利义务。《劳动合同法》规定月平均工资为劳动者解除或者终止劳动合同前12个月的平均工资，这样的规定一方面保护了劳动者的合法权益，有的劳动者在用人单位工作年限比较长，最初的工资可能比最后的工资要低得多，考虑到物价等因素，《劳动合同法》规定了以最近12个月的平均工资为标准。另一方面也考虑到用人单位的实际情况。劳动者的经济补偿应与劳动者本人的工资收入相适应。一般来说，受市场规律的调节，有的工作岗位的工资水平很高，有的工作岗位的工资水平较低。某一个地区，不同企业之间有着很大差别。如果规定以企业职工平均工资或者当地平均工资为标准，将对部分劳动者和用人单位不公。

四、计算封顶

在《劳动合同法》制定过程中，有的意见认为有些高端劳动者，工资收入较高，谈判能力较强，在劳动关系中并不总处于弱势地位，如果完全适用经济补偿的规定，用人单位负担太重，也体现不出经济补偿的性质和特点，建议《劳动合同法》作出调整。这种观点有一定的合理性，目前最迫切的问题是如何更好地保护处于弱势地位的低端劳动者的基本劳动权利，对于高端劳动者，可以通过法律强制性规定和市场调节并举的方式，保护其合法劳动权益。但考虑到我国还没有将劳动者区分不同群体，并适用不同法律的先例，在立法技术上也较难处理，因此《劳动合同法》并没有将高端劳动者排除在保护范围之外，但在经济补偿部分对高端劳动者做了一定限制。即从工作年限和月工资基数两个方面做了限制，规定劳动者月工资高于用人单位所在直辖市、设区的市级人民政府公布的上年度职工月平均工资的 3 倍的，用人单位向其支付经济补偿的标准按职工月平均工资 3 倍的数额支付，向其支付经济补偿的年限最高不超过 12 年。

另外，为督促用人单位及时支付经济补偿，本法第 85 条规定，解除或者终止劳动合同，未依照本法规定向劳动者支付经济补偿的，由劳动行政部门责令限期支付经济补偿，逾期不支付的，责令用人单位按应付金额 50% 以上 100% 以下的标准向劳动者加付赔偿金。

第四十八条　用人单位违反本法规定解除或者终止劳动合同，劳动者要求继续履行劳动合同的，用人单位应当继续履行；劳动者不要求继续履行劳动合同或者劳动合同已经不能继续履行的，用人单位应当依照本法第八十七条规定支付赔偿金。

【释义】　本条是关于用人单位违法解除或者终止劳动合同法律后果的规定。

为保护劳动者的合法权益，《劳动合同法》对用人单位解除或者终止劳动合同作了明确的规定，这些规定都是强制性规定，用人单位不得违反，如果违反了，将承担相应的法律后果。

所谓"违反本法规定"，是指违反《劳动合同法》第 36 条、第 39 条、第 40 条、第 41 条、第 42 条、第 44 条、第 45 条等规定。具体情形包括不符合法定条件用人单位单方解除的、解除时没有履行法定义务的、不符合法定条件用人单位终止的等。

用人单位违反本法规定解除或者终止劳动合同的，首先要保护劳动者的合法劳动权益，使劳动关系"恢复原状"，不能让用人单位从违法行为中获益。同时考虑到实际情况，应尊重劳动者对于是否继续劳动合同的选择。因此，如果劳动者权衡利弊后，要求继续履行劳动合同的，用人单位应当继续履行劳动合同；如果劳动者认为继续履行劳动合同实际困难太大，不要求继续履行劳动合同的，劳动合同可以解除或者终止，同时用人单位应当依法支付赔偿金。关于赔偿金标准，《劳动合同法》第 87 条规定为经济补偿标准的 2 倍。

另外，在有的情况下，劳动合同客观上已经不能继续履行了，如原用人单位已经搬迁外地、原工作部门已经被撤销等，此时即使劳动者想继续劳动合同也无法继续，因此，在用人单位支付经济赔偿金后，劳动合同解除或者终止。为防止用人单位从违法解除或者终止中获益，劳动部门应对“劳动合同已经不能继续履行”作限制性解释，不能做宽泛理解。经济补偿与经济赔偿是两个性质不同的概念，用人单位支付经济赔偿不能免除其依法支付经济补偿的法定义务。

第四十九条　国家采取措施，建立健全劳动者社会保险关系跨地区转移接续制度。

【释义】　本条是关于社会保险转移的规定。

在《劳动合同法》制定过程中，有些意见提出，实践中一些用人单位不替劳动者缴纳社会保险的统筹部分，其中原因有的是用人单位利用劳动者不了解国家法律法规的有关规定，逃避责任；有的是劳动者没有缴纳社会保险的积极性，主动要求用人单位将应缴的社会保险费直接发放。这些情形，不利于我国全面建立社会保险制度，不利于劳动者退休后的生活保障。同时，有些用人单位和劳动者为规避缴纳社会保险不签书面劳动合同，《劳动合同法》对此作出相应规定。

对于用人单位利用劳动者不了解国家法律法规的有关规定，逃避缴纳社会保险义务的情形，《劳动合同法》重申了国家建立健全社会保险制度的重大决策，不仅在劳动合同的必备条款中将社会保险列明，而且在本条中作了原则性、倡导性规定，以便劳动者了解国家关于社会保险制度的法律规定，杜绝用人单位钻空子。

劳动者没有缴纳社会保险的积极性，主动要求用人单位将应缴的社会保险费直接发放的情形，主要是社会保险制度上的原因造成的。现在社会养老保险分个人账户和社会统筹账户两部分，按照各地方规定，社会统筹账户不得跨省，有的是不得跨市、跨县转移，在劳动者跨地区换工作时，有关用人单位缴纳的社会统筹部分既不能转走，也不能提取。如果劳动者不在该地区工作的，最终也无法享受社会养老保险待遇，因此有的劳动者没有缴纳社会保险的积极性。这种情形，党和国家都非常重视，2007 年政府工作报告中就讲到：继续完善企业职工基本养老保险制度，推进做实个人账户扩大试点工作。抓紧研究制定社会保险关系跨地区转移接续办法。

社会保险制度与劳动合同制度有着非常密切的关系，要求《劳动合同法》规范社会保险制度的社会呼声也比较高，因此本法应对社会保险制度进行规定，但考虑到社会保险制度比较复杂，需要国家统筹安排，应由《社会保险法》作出具体规定，因此本法只作原则性规定。

第五十条　用人单位应当在解除或者终止劳动合同时出具解除或者终止劳动合同的证明，并在十五日内为劳动者办理档案和社会保险关系转移手续。

劳动者应当按照双方约定，办理工作交接。用人单位依照本法有关规定应当向劳动者支付经济补偿的，在办结工作

交接时支付。

用人单位对已经解除或者终止的劳动合同的文本,至少保存二年备查。

【释义】 本条是关于劳动合同解除或者终止后双方义务的规定。

劳动合同依法解除或者终止,劳动关系结束后,劳动合同中约定的权利义务结束,但是原劳动合同双方当事人仍应履行有关法定义务。在《劳动合同法》制定过程中,有的意见反映,在解除或者终止劳动合同后,有的用人单位刁难劳动者,不开具有关解除或者终止劳动合同的证明,扣押劳动者档案,对社会保险问题含糊其辞等。有的意见提出,实践中有的劳动者不辞而别,有的则不办理工作交接手续,导致用人单位有关工作陷入混乱,影响正常的生产活动。有的意见认为,在很多劳动争议案件中,由于劳动合同文本的缺失,导致了劳动关系难以确认,劳动合同中的权利义务很难证明,案件难以处理,建议作出相应规定。本条主要是针对实践中存在的问题而规定的。

一、用人单位有出具解除或者终止劳动合同证明的义务

根据《劳动合同法》及有关法律、法规的规定,依法解除或者终止劳动合同时,用人单位都必须履行出具解除或者终止劳动合同证明的义务,这包括用人单位依法解除劳动合同、劳动者依法解除劳动合同、用人单位和劳动者依法终止劳动合同、在用人单位违法解除或者终止劳动合同后依法责令用人单位解除或者终止劳动合同等情形。用人单位出具证明的

时间是在依法解除或者终止劳动合同的同时。规定用人单位有出具解除或者终止劳动合同证明的义务，主要是考虑便于劳动者办理失业登记。1999 年国务院颁布的《失业保险条例》第 16 条规定，城镇企业事业单位职工失业后，应当持本单位为其出具的终止或者解除劳动关系的证明，及时到指定的社会保险经办机构办理失业登记。根据《失业保险条例》的规定，用人单位出具的终止或者解除劳动关系证明是进行失业登记的必备条件，因此《劳动合同法》不仅将失业保险条例中城镇企业事业单位应当及时为失业人员出具终止或者解除劳动合同的证明的义务上升为法律义务，而且还规定了法律责任。在第 89 条中规定，用人单位违反本法规定未向劳动者出具解除或者终止劳动合同的书面证明，由劳动行政部门责令改正；给劳动者造成损失的，用人单位应当承担赔偿责任。

二、用人单位有在 15 日内为劳动者办理档案和社会保险关系转移手续的义务

在实践中，用人单位扣留劳动者档案，不明确告知劳动者社会保险缴纳情况比较普遍，因此《劳动合同法》作了专门规定。首先是规定，用人单位为劳动者办理档案和社会保险关系转移手续是用人单位的一项法定义务，用人单位必须依法履行。其次为有关手续办理规定了时间限制，必须在依法解除或者终止劳动合同之日起 15 日内办理完毕。《劳动合同法》第 84 条第 3 款规定，劳动者依法解除或者终止劳动合同，用人单位扣押劳动者档案或者其他物品的，由劳动行政部门

责令限期退还劳动者本人,按每一名劳动者500元以上2000元以下的标准处以罚款;给劳动者造成损害的,用人单位应当承担赔偿责任。

《劳动合同法草案》曾规定:用人单位在30日内履行上述义务。在修改过程中,考虑到解除或终止劳动合同后,劳动者还要等上30日才能办好档案和社会保险手续,这对异地就业的劳动者而言,成本过高。同时也考虑到办理有关手续有个过程,需要一定的时间,因此改为了15日,值得一提的是,这里的"日"不是指工作日,但最后一天是节假日的,按有关规定顺延至下一工作日。

三、劳动者有按照双方约定,遵循诚实信用的原则办理工作交接的义务

劳动者在劳动合同解除或者终止时,不能一走了之,还必须履行相应的法律义务,即按照双方约定,遵循诚实信用的原则办理工作交接的义务。之所以规定劳动者有办理工作交接的义务,主要是考虑到用人单位的实际情况,为了保持用人单位相关工作的有序、顺利进行,不至于因为劳动者换人后有关工作前后衔接不上,影响正常的生产经营。工作交接主要包括公司财产物品的返还、资料的交接等。

四、用人单位有在办理交接手续时向劳动者支付经济补偿的义务

在劳动者办理交接手续的同时,用人单位应当及时支付

经济补偿。劳动部《违反和解除劳动合同的经济补偿办法》第2条规定，对劳动者的经济补偿金，由用人单位一次性发给。对于用人单位不及时发给经济补偿的，《劳动合同法》第85条规定了法律责任：解除或者终止劳动合同，未依照本法规定向劳动者支付经济补偿的，由劳动行政部门责令限期支付经济补偿；逾期不支付的，责令用人单位按应付金额50%以上100%以下的标准向劳动者加付赔偿金。

五、用人单位有对已经解除或者终止的劳动合同文本至少保存2年备查的义务

实践中，发生在劳动合同解除或者终止之后的一些劳动争议，往往因为时过境迁，劳动合同文本灭失，导致劳动合同的约定内容无从查证，法院难以判明事实，有时对劳动者极其不利。劳动合同文本也是劳动行政部门监督检查的重要内容之一。考虑到劳动合同文本是记载劳动合同双方权利义务的基本文件，用人单位有保留相关档案的义务，因此，《劳动合同法》规定了用人单位有对已经解除或者终止的劳动合同文本至少保存2年备查的义务。

第五章　特别规定

第一节　集体合同

第五十一条　企业职工一方与用人单位通过平等协商，可以就劳动报酬、工作时间、休息休假、劳动安全卫生、保险福利等事项订立集体合同。集体合同草案应当提交职工代表大会或者全体职工讨论通过。

集体合同由工会代表企业职工一方与用人单位订立；尚未建立工会的用人单位，由上级工会指导劳动者推举的代表与用人单位订立。

【释义】　本条是关于集体合同的内容和集体合同的订立的规定。

集体合同制度，是当今国际上普遍采用的调整劳动关系的一项重要法律制度。我国1994年制定的《劳动法》首次从法律制度的层面规定了这一制度。这一制度实施12年来，对保障劳动者的权益，调整和协调劳动关系发挥了重要的作用。在研究《劳动合同法》的过程中，全国人大常委会吸收了工会、学者和各界群众的意见，保留《劳动法》中行之有效的规定，并将实践中发展的推行集体合同制度的成熟经验以法律形式规定下来，形成了该章专节的特别规定。

一、集体合同制度的特点和功能

集体合同，是指工会或职工代表代表全体职工与用人单位之间根据法律、法规的规定，就劳动报酬、工作时间、休息休假、劳动安全卫生、保险福利等事项，在平等协商一致的基础上签订的书面协议。之所以要作为专节的特别规定，是因为集体合同与劳动合同相比存在明显不同，它们主要有以下区别：(1)当事人不同。劳动合同当事人为单个劳动者和用人单位；集体合同当事人为劳动者团体和用人单位或其团体，故又称团体协议或团体合同。(2)目的不同。订立劳动合同的主要目的是确立劳动关系；订立集体合同的主要目的，是为确立劳动关系设定具体标准，即在其效力范围内规范劳动关系。(3)内容不同。劳动合同以单个劳动者的权利和义务为内容，一般包括劳动关系的各个方面；集体合同以集体劳动关系中全体劳动者的共同权利和义务为内容，可能涉及劳动关系的各个方面，也可能只涉及劳动关系的某个方面。(4)形式不同。劳动合同在有的国家为书面合同，在有的国家则书面合同与口头合同并存；集体合同一般为书面合同。(5)效力不同。劳动合同对单个的用人单位和劳动者有法律效力；集体合同对签订合同的单个用人单位或用人单位所代表的全体用人单位，以及工会和工会所代表的全体劳动者，都有法律效力。并且，集体合同的效力一般高于劳动合同的效力。此外，它们在签订程序和适用范围等方面也有所不同。

集体合同盛行于现代各国，是因为在保护劳动者利益和协调劳动关系方面，集体合同具有劳动法规和劳动合同所无法取代的功能。一方面，集体合同可以弥补劳动立法的不足。(1)《劳动法》规定的关于劳动者利益的标准属于最低标准，按此标准进行保护只是法律所要求的最低水平，而立法意图并不是希望对劳动者利益的保护仅仅停留在最低水平上，但想要通过劳动立法的方式规定更高的标准又恐怕难以施行。通过集体合同，可以对劳动者利益作出高于法定最低标准的约定，从而使劳动者利益保护的水平能够实际高于法定最低标准。(2)《劳动法》关于劳动者利益和劳动关系协调的规定可能比较原则，相对于复杂丰富的劳动关系而言难免有所疏漏。通过集体合同可以对这些共性问题作出约定，从而更具体地规范劳动关系，对劳动立法不完备起到补充作用。另一方面，集体合同可以弥补劳动合同的不足。(1)在签订劳动合同时，因单个劳动者是相对弱者，不足以与用人单位抗衡，难免违心地接受用人单位提出的不合理条款。而由工会代表全体劳动者签订集体合同，就可以与用人单位平等协商，避免劳动者被迫接受不合理条款。(2)劳动者之间因各自实力不同，在与用人单位签订劳动合同时的实际地位有差别，仅以劳动合同来确定劳动者的权利义务，就难免使有的劳动者遭受歧视，不能平等地享有权利和承担义务；通过集体合同可以确保在一定范围内，全体劳动者的权利和义务实现平等。(3)劳动关系的内容包括工时、定额、工资、保险、福利、安全卫生等多个方面，若都由劳动合同具体规定，每个劳动合同的篇幅必将冗长,集体合同对劳动关系的主要内容作出了具体规定后,劳动合同只需要就单个劳动者的特殊情况作出约定即可。

二、集体合同的内容

集体合同的具体内容,可能涉及劳动关系的各个方面,也可能只涉及劳动关系的某个方面。因此,企业职工一方与用人单位可以就劳动报酬、工作时间、休息休假、劳动安全卫生、保险福利等事项中的一项或者数项订立集体合同。以上事项与劳动合同必备条款的理解基本相同。例如,有关休息休假的规定,主要是指对劳动者周休假、年休假、病事假、女职工生理病假和产假、婚丧假、探亲假、职工带薪休假、奖励假期等各类假日的期限、休假办法、休假待遇等项内容的约定,其中还应包括关于如何实施国家规定的劳动者休息休假制度的规定。再如,集体合同中关于劳动安全卫生的规定,主要包括有关企业劳动条件、安全卫生设施、劳动安全卫生规程和标准、防护用品、职工健康检查、职业病防治以及企业应当采取的其他劳动保护措施等项内容的约定。

需要注意的是,一般来说,集体合同的内容比相关法律规定更具体更专业,但是比单个劳动合同更原则更具有一般性。单个劳动者在签订劳动合同时可以依据法律法规和参照集体合同的相关规定,来约定更有利于自己的条款。例如,集体合同关于保险福利的规定,主要包括有关职工养老、待业、工伤、医疗、死亡的待遇和职工住房、生活供应、保健、文化、教育、娱乐设施等项内容的约定。由于《劳动法》实施后,我国的劳动保险以社会保险为主体，因此，集体合同对于劳动保险的约定，主要在于说明除国家基本社会保险外，企业将为职工建立哪些补充保险和举办哪些职工福利。

另外，除了本条点明的休息休假、劳动安全卫生、保险福利等事项以外，具体还有哪些事项呢？依据由劳动部颁发的《集体合同规定》（自 2004 年 5 月 1 日起施行）第 8 条规定："集体协商双方可以就下列多项或某项内容进行集体协商，签订集体合同或专项集体合同：（一）劳动报酬；（二）工作时间；（三）休息休假；（四）劳动安全与卫生；（五）补充保险和福利；（六）女职工和未成年工特殊保护；（七）职业技能培训；（八）劳动合同管理；（九）奖惩；（十）裁员；（十一）集体合同期限；（十二）变更、解除集体合同的程序；（十三）履行集体合同发生争议时的协商处理办法；（十四）违反集体合同的责任；（十五）双方认为应当协商的其他内容。"

三、集体合同的订立

关于集体合同的订立，本条只作了几项原则性规定：第一，规定了平等协商原则。集体合同双方当事人在签订协议的过程中，处于平等的法律地位，不考虑工会或者职工代表与企业之间在行政上的隶属关系。双方都可以平等地提出自己的主张和要求，本着合作的态度讨论和解决问题，任何一方都不得以任何方式压制或者威胁对方。第二，规定了民主参与原则，集体合同草案应当提交职工代表大会或者全体职工讨论通过，这实际上是保留了《劳动法》第 33 条的规定。在签订集体合同的过程中，应当充分发挥职工代表大会的民主管理作用，保障劳动者的知情权和参与权，这样才能更有效地维护劳动者的合法权益，也更有利于推进企业和职工双方积极履行集体合同。第三，规定了订立集体合同的双方主体。订立集体合同是一种法律行为，订立集体合同的主体、内容、程序乃至于格式都必须符合国家法律、法规和政策的规定。在主体方面，根据《劳动法》的规定，订立集体合同的一方当事人必须是工会或者职工代表，另一方当事人必须是用人单位的行政部门。本法还规定，尚未建立工会的用人单位，由上级工会指导劳动者推举的代表与用人单位订立。也就是说，职工代表的推举需要接受上级工会的指导，不能随便某一群体的劳动者就推举出几个职工代表要求与用人单位订立集体合同，这样规定是为了保证职工代表的普遍性和权威性。

除本条规定的三个方面以外，订立集体合同的具体程序和要求，如怎样推举或指定协商代表，怎样依次经过协商、审议通过、签字、报送审查、公布等程序，可以参照自 2004 年 5 月 1 日起施行的《集体合同规定》。

第五十二条　企业职工一方与用人单位可以订立劳动安全卫生、女职工权益保护、工资调整机制等专项集体合同。

【释义】 本条是关于订立专项集体合同的规定。

所谓专项集体合同，是指用人单位与劳动者根据法律、法规、规章的规定，就集体协商的某项内容签订的专项书面协议。集体合同的具体内容，可能涉及劳动关系的各个方面，也可能只涉及劳动关系的某个方面。随着社会经济的发展，各方面的问题也逐渐展现，想要一劳永逸地在一个集体合同里面解决所有问题越来越不可能。为了减少协商谈判所需要的社会成本，也为了更有针对性、更有效地解决劳动关系某一个方面的问题，工会在推进集体合同制度的实践中订立专项集体合同，逐渐成为一种普遍形式。像劳动安全卫生、女职工权益保护、工资调整机制等社会关注较多的方面已经签订了不少专项集体合同，《集体合同规定》中也有不少相关规定。但是“专项集体合同”的概念在法律层面上还没有出现过，《劳动合同法》有必要对此予以规定。

一、关于劳动安全卫生的专项集体合同

随着保护劳动者权益的认识逐渐深入，劳动安全卫生标准越来越为社会所关注。在已有《劳动法》《工会法》《安全生产法》《职业病防治法》《消防法》《危险化学品安全管理条例》等劳动安全卫生法律、法规及标准的前提下，为进一步规范企业与职工双方在生产经营活动中的行为，加强安全生产的管理和监督，防止和减少安全生产事故的发生，维护职工的安全健康合法权益，促进企业的稳步发展，依据有关规定，结合某行业、某企业实际订立劳动安全卫生专项协议，已经越来越受到人民群众的关注。例如，在安全事故多发的采矿业，制定劳动安全卫生专项集体合同呼之欲出。

二、关于女职工权益保护专项集体合同

女职工权益保护专项集体合同，是用人单位与本单位女职工根据法律、法规、规章的规定，就女职工合法权益和特殊利益方面的内容通过集体协商签订的专项协议，它对用人单位和本单位的全体女职工具有法律约束力。结合公司的工作实际制定的女职工特殊权益保护专项集体合同，往往具有较强的针对性、实效性和可操作性，是切实维护女职工合法权益和特殊利益的重要机制和手段。例如，专项集体合同里规定企业与女职工建立劳动关系应当订立劳动合同，实行男女同工同酬；在企业工会委员会、职工民主管理和进修、培训、出国考察、挂职锻炼时企业必须安排一定比例的女职工参加；根据女职工的生理特点，对月经期、孕期、产期和哺乳期的女职工给予特殊保护；企业不得在孕期、产期、哺乳期，降低其基本工资或终止、解除其劳动合同；单位每年对女职工（含离退休女职工）进行一次妇科检查；集体合同还对合同的检查和监督等方面进行了明确规定，使女职工合法权益得到了切实的维护和保障。

三、工资调整机制专项集体合同

国家劳动和社会保障部于2007年提出，中国将力争在5年内，使各类企业都建立工资集体协商制度，形成正常的工资增长机制。工资集体协商，是指职工代表与企业代表依法就企业内部工资分配制度、工资分配形式、工资收入水平进行平等协商，并在协商一致的基础上签订工资协议的一种制度安排。在企业工资集体协商过程中，职工一方明显处于弱势。代表企业利益的一方往往组织严密，具有很强的专业素质，而代表职工利益的一方往往是由选举、任命等方式临时产生，缺乏谈判的动力与技能，致使工资谈判常常走过场，难有实际效果。为此，企业职工一方需要借助有组织的工会力量，能够真正与企业一方平等协商，订立工资调整机制方面的专项集体合同。

第五十三条　在县级以下区域内，建筑业、采矿业、餐饮服务业等行业可以由工会与企业方面代表订立行业性集体合同，或者订立区域性集体合同。

【释义】　本条是关于行业性集体合同、区域性集体合同的规定。

随着集体合同制度的实施，各级工会积极开展各种形式的实践，近年来行业性集体合同、区域性集体合同得到了相当大的发展。例如，上海市总工会与上海市劳动和社会保障局、上海市企业联合会共同联手，积极推动本市区域性集体合同、行业性集体合同工作。据统计，截至 2006 年年底，上海市共签订了 4923 份区域性集体合同，覆盖企业 63,559 个、职工 858,820 人；签订了 325 份行业性集体合同，覆盖企业 3979 个、职工 412,607 人。可以说，推行行业性集体合同、区域性集体合同有了比较成熟的经验，有利于跳出单个企业的局限，促进某行业、某区域的劳动者和用人单位平等协商，从而能够保护更大范围的劳动者的合法权益。如果法律明确行业性集体合同、区域性集体合同的法律地位，一方面将更加有利于推动行业性集体合同、区域性集体合同的发展，另一方面也能够对行业性集体合同、区域性集体合同的发展起到规范作用。

因此,《劳动合同法》在该条对行业性集体合同、区域性集体合同作出了规定。

一、行业性集体合同

行业性集体合同主要是指在一定行业内,由地方工会或者行业性工会联合会与相应行业内企业方面代表,就劳动报酬、工作时间、休息休假、劳动安全卫生、保险福利等事项进行平等协商,所签订的集体合同。例如,2006 年 3 月 27 日,山东省机械电子工会与省机械工业办公室的首席代表共同签订了《山东省机械行业集体合同》,由此,全国第一份行业集体合同在济南诞生。该合同内容涉及职工工资、工作时间和休假、保险福利、劳动争议等多个方面。全省三千余家企业、科研院所和三百多万企业职工,包括农民工、协议工都适用该集体合同。该合同有许多"闪光点":明确规定职工最低工资在当地最低工资基础上上浮 20% ~50%;工资要与企业效益同步增长,工资增幅不得低于利润增幅三个百分点;企业应以货币形式按月足额支付工资;职工在企业连续工作满 8 年,职工提出订立无固定期限劳动合同的,企业应与其订立无固定期限劳动合同。

可见,行业性集体合同一般具有以下优势:(1)同一领域的各企业具有行业共同性,在利润和职工工资水平、职业危害状况、劳动者素质等方面往往比较接近,可以就某一方面制定具体的、有针对性的共同标准,从而容易达成行业性集体合同。(2)行业性集体合同能够更广泛地保护整个行业内的劳动者的合法权益,同时在和谐稳定劳动关系的基础上,使行业整体素质也得到提升。(3)协商订立行业性集体合同能够减少劳资谈判的社会成本,因此行业性集体合同有逐渐向越来越广大区域扩展的趋势。

本条规定里提到的建筑业、采矿业、餐饮服务业等,行业特点都比较显著,决定了这些行业容易订立切实可行的行业性集体合同。例如,建筑业、采矿业大量使用农民工,拖欠农民工工资或者造成人身危害的问题比较突出,就此工会出面签订行业性集体合同,对于约束建筑企业、保护农民工利益能够起到较好的作用。像餐饮服务业,劳动者工资报酬通常比较平均、比较低下,在这些方面签订行业性集体合同能够建立良好的工资调整机制、有效提高餐饮服务业劳动者的工资水平。

二、区域性集体合同

区域性集体合同,是指在一定区域内(指县、区、乡、镇、街道、村),由区域性工会联合会与相应经济组织或区域内企业,就劳动报酬、工作时间、休息休假、劳动安全卫生、保险福利等事项进行平等协商,所签订的集体合同。发展区域性集体合同制度,需要注意以下几点:(1)区域性集体合同是不适合在大范围大区域内推行的,由于企业性质差异、各行业劳动者需求不同等原因,在一个较大区域内协商签订集体合同往往比较困难,即使签订集体合同也往往因为缺少针对性而难以实施。(2)区域性集体合同的优势在于,在基层(镇、村、街道）较小的区域内，基层工会能够较好地发挥熟悉当地企业和劳动者的优势，就当地某些特殊情况、特殊需要订立区域性集体合同。

第五十四条　集体合同订立后，应当报送劳动行政部门；劳动行政部门自收到集体合同文本之日起十五日内未提出异议的，集体合同即行生效。

依法订立的集体合同对用人单位和劳动者具有约束力。行业性、区域性集体合同对当地本行业、本区域的用人单位和劳动者具有约束力。

【释义】　本条是关于集体合同的生效时间及其法律效力的规定。

一、关于集体合同的生效

订立集体合同对于保障劳动者各项重要权益的实现、协调稳定企业和职工劳动关系、保障企业生产经营顺利进行等具有非常重要的意义。为了保证集体合同的正确实施，必须强化劳动行政部门对集体合同运作过程的监督和指导作用。因此法律规定，由劳动行政部门对集体合同进行审查，不仅是订立集体合同的必经程序，也是集体合同的生效条件。《劳动法》第34条规定："集体合同签订后应当报送劳动行政部门；劳动行政部门自收到集体合同文本之日起十五日内未提出异议的，集体合同即行生效。"第1款的内容，实际上是保留了《劳动法》中原有的规定。该款规定在实践中可能产生两种后果：一是劳动行政部门自收到集体合同文本之日起15日内未提出异议的，集体合同即行生效；二是劳动行政部门自收到集体合同文本之日起15日内提出异议的。例如，集体合同的约定内容违反法律法规的规定，或者集体合同的双方主体不合法等，集体合同不能即行生效。

具体地说，劳动行政部门如何审查集体合同呢？参照《集体合同规定》第6章的内容，可以概括出以下几点：(1)报送集体合同的时间规定。“集体合同或专项集体合同签订或变更后，应当自双方首席代表签字之日起10日内，由用人单位一方将文本一式三份报送劳动保障行政部门审查。”“劳动保障行政部门对报送的集体合同或专项集体合同应当办理登记手续。”(第42条)(2)审查机关。“集体合同或专项集体合同审查实行属地管辖，具体管辖范围由省级劳动保障行政部门规定。”“中央管辖的企业以及跨省、自治区、直辖市的用人单位的集体合同应当报送劳动保障部或劳动保障部指定的省级劳动保障行政部门。”(第43条)(3)审查事项。“劳动保障行政部门应当对报送的集体合同或专项集体合同的下列事项进行合法性审查：(一)集体协商双方的主体资格是否符合法律、法规和规章规定；(二)集体协商程序是否违反法律、法规、规章规定；(三)集体合同或专项集体合同内容是否与国家规定相抵触。”(第44条)(4)劳动行政部门提出异议的。“劳动保障行政部门对集体合同或专项集体合同有异议的，应当自收到文本之日起15日内将《审查意见书》送达双方协商代表。《审查意见书》应当载明以下内容：(一)集体合同或专项集体合同当事人双方的名称、地址;(二)劳动保障行政部门收到集体合同或专项集体合同的时间;(三)审查意见;(四)做出审查意见的时间。《审查意见书》应当加盖劳动保障行政部门印章。”(第 45 条)(5)当事人应对劳动行政部门的异议。“用人单位与本单位职工就劳动保障行政部门提出异议的事项经集体协商重新签订集体合同或专项集体合同的,用人单位一方应当根据本规定第四十二条的规定将文本报送劳动保障行政部门审查。”(第 46 条)(6)劳动行政部门未提出异议的。“劳动保障行政部门自收到文本之日起 15 日内未提出异议的,集体合同或专项集体合同即行生效。”(第 47 条)

二、集体合同的法律效力

集体合同订立、生效后,对签订集体合同双方所代表的人员都具有约束力。任何一方不得擅自变更或解除集体合同。如果集体合同的当事人违反集体合同的规定,就要承担相应的法律责任。对于劳动者来说,除集体合同有特别规定外,集体合同的全部内容适用于企业内部全体职工,即在一个企业内部,只要工会与企业签订了集体合同,工会就代表了全体职工,而不只是代表工会会员,对于非工会会员也适用。对集体合同生效后被企业录用的职工而言,集体合同也是适用的。对于用人单位来说,集体合同生效后则不因企业法人代表的变动而影响其效力。而且,对于存在第 2 款所述区域性集体合同、行业性集体合同的情况下,同一区域的所有劳动者和用人单位都要平等履行区域性集体合同,同一行业的所有劳动者和用人单位都要平等履行行业性集体合同,而不局限于约束协商谈判、签订该项集体合同的双方代表。依法订立的集体合同对用人单位和劳动者具有约束力,这体现出集体合同对人效力的普遍性。

第五十五条 集体合同中劳动报酬和劳动条件等标准不得低于当地人民政府规定的最低标准;用人单位与劳动者订立的劳动合同中劳动报酬和劳动条件等标准不得低于集体合同规定的标准。

【释义】 本条规定的是集体合同对于劳动合同的效力的规定。

一、人民政府规定的最低工资标准

《劳动法》第48条第1款规定:国家实行最低工资保障制度。最低工资的具体标准由省、自治区、直辖市人民政府规定。按照2004年1月20日劳动部颁布的《最低工资规定》,"社会平均工资法"是三种确定最低工资标准的通用方法之一。"社会平均工资法"也是按照国际上通用的方法,即月最低工资一般是月平均工资的40%~60%。目前我国没有任何一个省份达到了这个要求,而且各省份差别很大。另外,为逐步解决进城务工农民工资偏低问题,国务院要求各地从2006年起,要合理调整和严格执行最低工资制度,制定和推行最低小时工资标准。截至2012年12月底,全国31个省份都颁布了月最低工资标准以及最低小时工资标准。据介绍，当前各地月最低工资标准最高为1500元(深圳市)，最低为870元(江西省)；最低小时工资标准最高为15.2元(北京市)，最低为8.5元(广西自治区)。在提高最低工资标准方面，各省市都还有很大空间，这也引起了广泛的社会关注。随着各地人民政府规定的最低劳动条件和劳动报酬标准的提高，集体合同中劳动条件和劳动报酬标准也要相应提高，劳动合同法有必要对此加以规定。

二、集体合同、劳动合同和法定最低标准的关系

本条包括两层含义：一方面，集体合同中的劳动条件和劳动报酬等标准不得低于当地人民政府规定的最低标准；另一方面，用人单位与劳动者订立的劳动合同中劳动条件和劳动报酬等标准不得低于集体合同规定的标准。这也反映出集体合同与劳动合同以及劳动法律、法规的效力关系，即集体合同的法律效力高于劳动合同，劳动法律、法规的法律效力高于集体合同。

当地人民政府制定的最低劳动条件和劳动报酬标准等，一般是以法规、规章的形式出现，对于企业和劳动者具有普遍的约束作用。按此标准进行保护只是法律所要求的最低水平，而立法意图并不是希望对劳动者利益的保护只是停留在最低水平上。通过集体合同，可以对劳动者利益作出高于法定最低标准的约定，从而使劳动者利益保护的实际水平能够高于法定最低标准。集体合同中的劳动条件和劳动报酬标准

等不得低于当地法规、规章规定的标准，这里有两种情况：(1)集体合同订立之初，劳动条件和劳动报酬标准等低于当地人民政府制定的最低标准的，在报送劳动行政部门审查的时候就会提出异议，从而无法生效。(2)集体合同生效以后，当地人民政府制定的最低劳动条件和劳动报酬标准提高的，高于集体合同约定标准的，集体合同中的相关标准应当变更、予以提高，否则也确认为无效。低于最低工资标准向劳动者支付工资的，违反了《劳动法》和《劳动合同法》的规定，应当按照《劳动合同法》第85条的规定追究其法律责任。

对于签订了集体合同的企业来说，集体合同对于本企业全部劳动合同都具有约束力，或者称为基准作用。这表现在以下两个方面：(1)补充性效力，即集体合同所规定的标准在一定条件下可以成为劳动合同的补充。集体合同中有的内容是单个的劳动合同未涉及的，这些内容对劳动者和企业也是有约束力的，即都应当按照集体合同的规定执行。(2)不可贬低性效力，即集体合同所规定的标准在其效力范围内是劳动者利益的最低标准，劳动合同中关于劳动者利益的规定可以高于但不得低于这些标准，若低于此标准就由集体合同的规定取而代之。劳动合同中的劳动条件和劳动报酬等标准低于集体合同规定标准的，确认为无效；集体合同规定的标准变更的，劳动合同中相关内容的标准也要变更，以使其不低于集体合同规定的标准。

第五十六条　用人单位违反集体合同，侵犯职工劳动权

益的，工会可以依法要求用人单位承担责任；因履行集体合同发生争议，经协商解决不成的，工会可以依法申请仲裁、提起诉讼。

【释义】 本条是关于如何处理集体合同争议方面的规定。

用人单位违反集体合同，侵犯职工劳动权益的情况多种多样，只要是集体合同有规定的，用人单位没有履行就构成了对职工劳动权益的侵犯。例如，用人单位违反集体合同规定，侵犯职工休息休假或者保险福利等约定权益的；违反女职工权益专项集体合同，侵犯女职工月经期、孕期、产期和哺乳期应得到特殊保护等权益的，用人单位都需要承担法律责任。

一、工会在集体合同中所承担的责任

从法理上讲，工会与用人单位是集体合同的双方当事人。集体合同对企业所有劳动者（关系人）和用人单位、工会都具有约束力。由于集体合同双方当事人的性质及其订约目的不同，订立集体合同的双方当事人虽然都有履行合同规定义务的职责，但其所承担责任的性质不同，当事人双方的义务具有不对等性。对企业来说，集体合同规定的义务都是它必须履行的法定义务，如果不按照合同规定履行义务，企业就要承担法律责任。工会组织及其所代表的全体职工都应当自觉履行集体合同规定的义务，在用人单位违反集体合同、侵犯职工劳动权益的时候，工会作为职工权益代表，作为与用人单位签订集体合同的法律主体，也可以依法要求用人单位承担责任；因履行集体合同发生争议,经协商解决不成的,工会还可以依法申请仲裁或者提起诉讼。

二、工会在处理集体合同争议方面的程序

工会在处理集体合同争议时遵循什么样的程序？首先,劳动者、工会和用人单位协商解决。根据本条规定,协商解决是处理集体合同争议的必用方式和必经程序。由工会出面代表劳动者与用人单位协商,可以避免因单个劳动者的弱势地位所造成的种种不利,能够与用人单位更平等、更有效地进行协商。工会依法要求用人单位履行集体合同的,用人单位应当继续履行,并对之前违反集体合同的行为承担法律责任。其次,协商解决不成的,工会可以代表全体职工,将履行集体合同的争议申请仲裁或者提起诉讼。

需要注意的是,这里规定了工会选择或裁或审的两种途径,仲裁不再是提起诉讼的必经程序,这与《劳动法》的规定明显不同。《劳动法》第 84 条第 2 款规定:“因履行集体合同发生争议,当事人协商解决不成的,可以向劳动争议仲裁委员会申请仲裁;对仲裁裁决不服的,可以自收到仲裁裁决书之日起十五日内向人民法院提起诉讼。”

《劳动合同法》规定因履行集体合同发生争议时,协商解决不成的,工会可以代表劳动者向劳动争议仲裁委员会申请仲裁,由受理该集体合同争议案件的劳动争议仲裁委员会依照《劳动人事争议仲裁办案规则》(2009 年 1 月 1 日颁布实施)规定的特别程序进行处理;或者在不申请仲裁的前提下,

协商解决集体合同争议不成的，工会还可以直接向法院提起诉讼，由受理该集体合同争议案件的人民法院的民事审判庭依照《民事诉讼法》的有关规定进行处理。

第二节　劳务派遣

劳务派遣，是指劳务派遣单位（用人单位）分别与被派遣劳动者（劳务派遣工）签订劳动合同、与用工单位签订劳务派遣协议，劳务派遣工在用工单位的调配和管理下提供劳动，劳务派遣单位从用工单位获取相关费用，并向劳务派遣工支付劳动报酬的一种用工形式。作为一种新型的用工形式，劳务派遣在我国开展的时间并不长，但由于劳务派遣适应了用工单位用工灵活性的需求，因此很快发展起来，它顺应国有企业事业单位改革、下岗职工再就业、农村劳动力有序转移、企业节约劳动力成本等形势发展，在促进劳动力市场发育，满足企业灵活用工需求等方面发挥了积极作用。劳务派遣是劳动者和劳务派遣单位签订劳动合同，再由派遣单位将劳动者派到用工单位工作的一种用工方式。劳务派遣单位负责招聘、考核劳动者；用工单位提供具体劳动岗位，指挥、管理被派遣劳动者工作，并按照约定向劳务派遣单位支付劳动者的工资、社会保险费用等。劳务派遣作为一种特殊的用工方式，有其促进灵活就业、减少企业人力资源管理成本等优势，但由于“劳动”和“劳动关系”分离，传统的劳动者与用工单位的双方关系转化为劳动者、劳务派遣单位、用工单位三方关系，使劳动者合法权益的保护难度加大。与传统的劳动关系不同，劳务派遣中的劳动关系涉及三方主体，与传统的劳动关系相比关系更为复杂。在传统的劳动关系中，雇主与签约劳动者构成了双方主体，而在劳务派遣关系中这种双方主体关系除了由派遣单位与派遣劳动者组成，还增加了一个重要的第三方主体，即与派遣公司签署劳务派遣协议的用工单位。劳务派遣单位是劳动者的法定雇主（用人单位），具体的工作单位和劳动服务对象则是第三方的用工单位，在这一过程中，劳动者的雇用和使用发生了分离，派遣单位与劳动者之间的雇佣关系是一种有关系无劳动的劳动合同关系，用工单位与劳动者之间则是一种有劳动无劳动关系的用工管理关系，用工单位与派遣单位之间则是一种民事的合同关系。

我国的劳务派遣始于20世纪80年代初，当时主要是一些外国企业通过我国外企服务机构向其派遣劳动者，解决其在华用工问题。自20世纪90年代末以来，劳务派遣在各行业、各领域快速发展，成为一些企业的用工形式。劳务派遣单位良莠不齐，用工单位和派遣单位侵害派遣工合法权益的现象时有发生。2007年制定《劳动合同法》时，针对一些派遣单位克扣派遣工工资、规避与劳动者签订劳动合同、滥用劳务派遣用工方式等问题，专门作了规定，第63条规定派遣工享有与用工单位职工同工同酬权利，第66条规定劳务派遣一般在临时性、辅助性或者替代性工作岗位上实施，目的在于对劳务派遣的发展予以规范。但是《劳动合同法》实施以来，上述有关规定的实际执行效果并不理想，劳务派遣单位数量和派遣工人数在一些地区进一步快速增长，有的单位甚至将劳务派遣作为用工的主渠道。一些大型国有企业、事业单位和外资企业开始大范围使用劳务派遣工，劳务派遣工的数量迅猛增长。根据对2011年全国职工的测算，全国企业劳务派遣工占企业职工总数13.1%，约3700万人。从地区分布来看，东部沿海地区使用被派遣劳动者人数明显多于中西部地区；从行业分布来看，石油石化、电信、电力、铁路、金融5个行业使用的被派遣劳动者占全国被派遣劳动者总数的25%；从用工单位来看，国有企业、外资企业是劳务派遣用工主体，还包括一些机关事业单位，中央企业劳务派遣用工占中央企业职工总数的16%；从用工岗位来看，被派遣劳动者主要分布在一线生产岗位和操作性岗位，大部分是普通操作工和一般技术工人，在初级工作岗位工作，大多数是长期性岗位；从被派遣劳动者人员构成来看，以农民工和城镇失业人员为主。

2008年以来，劳务派遣行业迅速发展，新注册的劳务派遣单位大幅增加。我国劳务派遣机构主要有四类：一是经国务院及省级政府批准成立的外服系统劳务派遣企业；二是各级政府劳动行政部门依托公共就业服务机构或人才交流服务机构成立的劳务派遣机构；三是民营派遣公司；四是外资与合资派遣公司。由于准入门槛低，劳务派遣单位良莠不齐，用工单位和派遣单位侵害派遣工合法权益的现象时有发生，造成大量的劳动争议。一些地方劳务派遣单位无序竞争，一些行业、企业滥用劳务派遣工，劳务派遣工数量急剧上升，劳务派遣工合法权益受侵害、与合同制用工同工不同酬等问题，引起了社会各方面的高度关注。

目前,劳务派遣领域中劳动者的权益受损的问题日益突出。产生这些问题的根本原因在于,由于劳务派遣工与用工单位之间不是直接的劳动关系双方当事人,因此,劳动者合法权益的实现要么打折扣,要么处于缺位状态。实践中存在的问题主要表现在以下几方面:(1)用工不规范。在非临时性、辅助性或者替代性工作岗位上大量使用劳务派遣工。2008年实施的《劳动合同法》第66条规定,劳务派遣一般在临时性、辅助性或者替代性的工作岗位上实施。实践中,不少用工单位的做法背离了这一规定。特别是一些国有企业为规避与职工签订劳动合同,在主营业务岗位上大量使用劳务派遣工。许多派遣工与派遣单位多次续签合同后,已在同一用工单位工作了4到5年,有的甚至超过10年。劳务派遣已经成为一些用工单位在主营业务岗位上长期使用的用工方式,主要集中在技术含量不高的低端岗位,如企业生产一线工人、电信企业和银行前台柜员、快递员、铁路列车员、交通协管员、护士等,专业技术人员也有一定比重,也有少数是企业中高层管理人员。(2)劳务派遣工的合法权益难以得到有效保障。一是劳务派遣工与用工单位职工同工同酬的权利难以落实。《劳动合同法》第63条中规定,派遣工享有与用工单位的劳动者同工同酬的权利。但实践中,绝大多数劳务派遣工的劳动报酬低于所在单位同岗位的正式职工,有的只相当于正式职工的一半左右,最低的略高于当地最低工资标准。有些国有企业尽管逐步做到了同一岗位工资相同,但福利待遇等其他收入仍然差别很大。一些用工单位在某些生产部门全部使用派遣工,使派遣工无法用相同或同类岗位正式职工工资作参照,以此规避同工同酬的要求。部分企业甚至采取“逆向派遣”方式,将原有的正式工转入劳务派遣公司成为劳务派遣工,再派回来继续工作,其岗位、工作内容不变,但身份却发生了根本变化,在劳动报酬方面与正式职工拉开了差距,直接损害劳动者的合法权益,这也是近年来劳动争议信访案件增加的重要原因之一。二是一些劳务派遣工参加和享受社会保险的权利受损。目前各地区在缴费基数、费率等方面都有不同。如某省一些劳务派遣单位在省会城市等地招收并派遣职工,却通过其在经济落后的市甚至经济不发达的外省设立的分支机构与派遣工签订劳动合同,并为其在当地参保,以此减少参保费用支出。也有的单位不给派遣工缴纳社会保险,直接剥夺了劳动者参加和享受社会保险的权利。三是一些劳务派遣工加入工会、参与企业民主管理的权利难以实现。《劳动合同法》第64条规定,派遣工有权在派遣单位或者用工单位依法参加或者组织工会,维护自身的合法权益。据某省总工会统计,该省有近半数的派遣工未加入工会。多数派遣单位中未成立工会,一些用工单位工会也没有把派遣工纳入其中,派遣工无法参与用工单位的民主管理。部分派遣工心理落差较大,没有归属感,有的认为自己是企业的“二等公民”。四是劳务派遣工职业发展空间小、机会少。劳务派遣工难以获得业务培训机会。除一些技术含量较高的企业对具有管理和技术能力的劳务派遣工开展培训外,多数劳务派遣企业和用工单位没有对劳务派遣工开展必要的培训。派遣单位一般在劳务派遣工输出后就不再对派遣人员进行技能培训。大多数劳务派遣工接受职业技能培训的权利被剥夺，成为职业技能培训中被边缘化的特殊群体。劳务派遣工难以获得奖励和晋升机会。(3)劳务派遣工维权困难。《劳动合同法》第58条规定，劳务派遣单位应当履行用人单位对劳动者的义务。实践中，派遣单位与用工单位地点经常不一致，一些派遣单位在派出员工后，后续的跟踪管理几乎没有，派遣工与派遣单位之间很少联系。一旦损害劳动者权益的事件如工伤事故等发生，用工单位与派遣工之间由于没有直接的劳动关系，不愿意承担有关责任或者要求劳动者向派遣单位主张赔偿。派遣单位和用工单位之间往往相互推卸责任，劳动者投诉无门、维权困难。(4)劳务派遣行业经营混乱。劳务派遣呈现快速无序发展、经营状况混乱的现象。劳务派遣机构参差不齐，在资质、管理水平和责任承担能力等方面存在较大差距。既有规模较大、运作较为规范的企业，也有员工仅有两三个人的有限公司、个体组织，部分劳务派遣机构不具备从业资质，承担责任和风险的能力差。近年来，随着民营派遣公司的大量出现，劳务派遣行业鱼龙混杂的现象更为突出。由于国家和各地均未出台有关劳务派遣的市场指导价格标准，派遣公司之间为争夺客户而引发价格等方面的恶意竞争，导致其服务管理水平低下，甚至处于“真空”状态。

从以上反映的问题来看，劳务派遣的过度发展和不规范经营不仅损害了劳务派遣工的合法权益，也对常规的用工方式造成较大冲击,给社会稳定带来重大隐患。由于派遣工规模还有不断扩大的趋势,长此下去,必然影响社会稳定。党的十七大、十八大报告和国家"十二五"规划都将构建和谐劳动关系作为保障民生、促进经济社会全面发展的一项重要任务,进一步完善劳务派遣制度,规范劳务派遣用工方式,已成为当前一个不可回避的问题。

我国现行《劳动合同法》是2007年十届全国人大常委会第二十八次会议通过的。该法的实施,对于促进劳动力资源的市场配置、规范劳动关系、完善劳动合同制度、明确劳动合同双方当事人的权利义务、保护劳动者的合法权益发挥了重要作用。尤其是在2008年以来应对国际金融危机的过程中,劳动合同法对于维护企业职工队伍和社会稳定,引导企业与职工和衷共济、共克时艰起到了积极作用。劳务派遣是劳动合同法规范的一项重要内容,也是《劳动合同法》实施中遇到的一个重大问题。这些问题如不尽快解决,必然给和谐劳动关系和社会稳定带来负面影响。全国人大常委会在2008年和2011年对《劳动合同法》进行了执法检查,两次的执法检查中都明确要求,要严格规范劳务派遣用工,保障被派遣劳动者的合法权益。全国人大常委会领导同志对此也高度重视,多次作出重要指示,要求从维护工人阶级主体地位、巩固党的执政基础的高度来认识这个问题,加强调查研究,从法律上严格规范劳务派遣用工。

按照全国人大常委会的要求,由全国人大常委会法制工作委员会牵头,会同全国人大内务司法委员会、财政经济委员会开展了劳务派遣用工情况的调研。调研组先后赴广东、福建、北京、安徽、重庆等地深入企业事业单位了解情况，听取意见；召开中央有关部门、部分劳动用工单位和劳务派遣单位参加的座谈会，充分听取各方面对修改完善劳务派遣法律规定的意见建议；到使用被派遣劳动者较多的部分中央企业调研劳务派遣用工情况，和在京部分被派遣劳动者座谈，深入企业生产一线了解被派遣劳动者在工作生活中面临的实际情况。根据调研了解到的情况，全国人大常委会法制工作委员会、全国人大内务司法委员会和财政经济委员会在分别与中央有关部门反复沟通协调的基础上明确了这次修法的原则和重点：一是严格规范劳务派遣用工，不能把劳务派遣变成用工主渠道；二是维护工人阶级主体地位，保障被派遣劳动者实现同工同酬等权利；三是加强对劳务派遣单位的管理，强化劳动行政部门的监督职责；四是规范劳务派遣既要积极又要稳妥，妥善处理好修法前后法律实施的衔接问题，实现平稳过渡。《劳动合同法修正案草案》于 2012 年 6 月 26 日在十一届全国人大常委会第二十七次会议进行初次审议。会后，法制工作委员会将草案印发各省（区、市）和中央有关部门、部分中央企业、高等院校和研究机构征求意见。中国人大网站全文公布草案向社会征求意见，收到 55 万多条意见。法律委员会、法制工作委员会与全国人大内务司法委员会、财政经济委员会、国务院法制办公室、人力资源和社会保障部、国务院国有资产监督管理委员会、全国总工会等部门多次沟通协调，反复研究，对草案进行修改完善。第十一届全国人大常委会第三十次会议对修改决定草案进行再次审议，并于 12 月 28 日表决通过。

《劳动合同法》修改的主要内容包括：一是对经营劳务派遣业务提高注册资本要求，实行行政许可并规定了许可的条件；二是切实维护被派遣劳动者享有与用工单位的劳动者同工同酬的权利；三是严格限制劳务派遣工岗位范围，并要求用工单位将劳务派遣用工数量控制在一定比例内，实行总量控制；四是增加对相应违法行为的处罚。

本节主要规定了经营劳务派遣业务许可、劳务派遣单位的义务、用工单位的义务、被派遣劳动者的权利、劳务派遣岗位和用工比例的限制等内容。

第五十七条　经营劳务派遣业务应当具备下列条件：

（一）注册资本不得少于人民币二百万元；

（二）有与开展业务相适应的固定的经营场所和设施；

（三）有符合法律、行政法规规定的劳务派遣管理制度；

（四）法律、行政法规规定的其他条件。

经营劳务派遣业务，应当向劳动行政部门依法申请行政许可；经许可的，依法办理相应的公司登记。未经许可，任何单位和个人不得经营劳务派遣业务。

【释义】　本条是关于对经营劳务派遣业务应当具备的条件以及相应的行政许可和登记事项的规定。

一、增设经营劳务派遣行政许可的背景和主要考虑

劳务派遣的最大特点是劳动力雇用和使用相分离，处于

强势地位的派遣单位和用工单位,容易利用劳务派遣的特性,转移用工风险,规避法律义务。因此,如何既发挥劳务派遣作为补充用工形式的积极作用,又将其限制在可控范围内,是各国劳务派遣监督管理中面临的普遍性问题。

从世界范围来看,劳务派遣的发展经历了一个从非法到合法、从禁止到有条件允许的漫长过程。目前,多数国家通过立法对劳务派遣进行严格规范和限制,其中一个共性的做法,就是对营利性劳务派遣实行严格的市场准入制度,设置许可或者登记等批准程序。大部分实施许可制度的国家都规定了派遣企业在注册资金、经营场所、基础设施、对经理的品质要求等方面必须满足的最低标准。如《德国劳务派遣法》规定,从事劳务派遣活动须取得由联邦劳动局颁发的国家许可。《韩国劳动派遣法》规定,从事劳务派遣的企业必须获得许可证。获得许可的条件是通常要雇用 5 名以上员工、具有 1 亿韩元以上资本金,以及拥有专用面积 66 平方米以上的办公室。国际劳工组织于 1997 年 6 月第 85 届国际劳工大会上通过的《私营就业机构公约》(第 181 号公约),首次承认了劳务派遣机构的合法性,但主张政府应当对劳务派遣机构等私营就业机构进行适当监管。公约建议各成员国建立许可或者认证制度,来规定私营就业机构的运营条件。

我国《劳动合同法》出台前,对劳务派遣的法律规制欠缺。一些地方先行探索,以地方性法规、政府规章或效力更低的规范性文件制定一些规制措施,其中有 11 个省、直辖市(如北京、湖北、河南、湖南、甘肃等)对劳务派遣企业的设立设置了前置审批。如河南省2006年下发的《关于规范和发展劳务派遣工作的通知》规定，开展劳务派遣业务必须设立劳务派遣企业（组织）。设立劳务派遣企业（组织）或者现有企业（组织）开办劳务派遣业务，须经劳动保障行政部门批准，取得劳务派遣许可证，并到同级工商行政管理部门注册登记。也有地区对劳务派遣单位的设立采取事后备案的办法，如河北省《劳务派遣企业管理暂行办法》第7条规定，开办劳务派遣企业须向当地工商行政管理机关申请登记，领取营业执照，并向县级以上劳动保障行政部门登记备案。此外，部分地区对劳务派遣单位的设立还规定了其他限制措施，如保证金制度和人员资格限制等。

2007年在制定《劳动合同法》的过程中，有一些意见建议，对设立劳务派遣单位实行行政许可。但是，当时正值行政管理体制改革深入推进阶段，减少行政许可是行政管理体制改革的一项基本内容。也有很多意见认为，我国已经是市场经济国家，对劳务派遣应当推进市场准入化管理，实行较为宽松的市场准入。设立行政许可对劳务派遣治标不治本，同时会引发权力寻租等问题。最后，立法决策没有采纳设立行政许可的意见，仅规定劳务派遣单位应当依照《公司法》的有关规定设立，注册资本不得少于50万元。《劳动合同法》颁布施行后，地方和有关部门纷纷废止或者修改相关规定，取消了对劳务派遣的行政许可制度以及保证金、备用金等规定。

由于《劳动合同法》对经营场所、从业人员的资质等没有强制要求，取消了前置许可后，成立劳务派遣单位比较容易，加上许多用工单位为了降低用工成本，大量增加使用劳务派遣工，《劳动合同法》实施后，越来越多的资本纷纷涌入这个领域，劳务派遣单位数量迅速增加。如某大城市截至2012年4月，全市工商登记经营范围中含劳务派遣业务的企业有九千多户，其中《劳动合同法》实施前成立的有2000多户，《劳动合同法》实施后成立的有6000多户。某省在工商登记经营范围中含劳务派遣业务的企业有1784户，其中《劳动合同法》实施前成立的有350户，《劳动合同法》实施后成立的有1434户。某省辖的一个市在2007年年底前有劳务派遣公司仅22家，2008年全年新增劳务派遣公司51家，2010年年底已发展到617家。劳务派遣单位过多过滥，导致无序竞争，很多派遣单位不是比管理、比服务，而是比谁的报价低，以损害劳动者的合法权益来获得竞争优势。一些劳务派遣单位经营不规范，规章制度不健全，承担责任和风险的能力差，甚至出现"皮包"公司，被派遣劳动者的合法权益受到侵害后，难以获得有效赔偿。还有个别企业为了规避《就业促进法》关于职业中介机构行政许可的规定，通过设立派遣企业的方式，不经任何许可，主要从事职业中介业务，使《就业促进法》有关职业中介机构行政许可的规定被架空。

在此次修改《劳动合同法》的过程中，许多意见认为，应对劳务派遣采取更加严格的市场准入机制，提高对资金、经营场所和从业人员的要求，以确保派遣单位依法经营，提高派遣服务质量。国务院有关部门、全国总工会、很多地方、多数用工单位和经营较为规范的劳务派遣单位建议，对劳务派遣实行行政许可。经过慎重研究，此次修改增设了经营劳务派遣业务的行政许可，主要有以下几点考虑：一是劳务派遣业务作为经营劳动力的特殊业务，其经营活动对国家经济建设和社会经济生活有着十分重大的影响，其准入条件应比一般业务更为严格。对于劳务派遣机构的设立，各国大都采取“审批制”，2008 年《劳动合同法》实施前，我国一些地方也已积累了实施行政许可的成熟经验。借鉴市场经济国家的普遍做法，总结我国的实践经验，对经营劳务派遣业务实行许可，提高劳务派遣公司的准入门槛是十分必要的。二是我国《就业促进法》规定对职业中介实行行政许可。职业介绍和劳务派遣均属于中介服务业，和职业中介相比，劳务派遣是批量经营劳动力的经营活动，劳务派遣单位要与被派遣劳动者签订劳动合同，负责被派遣人员工资的发放、社会保险费的缴纳等，与劳动者的关系比职业中介更加密切，更应实行行政许可。三是目前劳动行政部门对派遣单位缺乏事前监管手段，无法全面了解社会力量开办劳务派遣单位的情况和劳务派遣用工情况，不利于从源头上对劳务派遣单位有效实施监督管理。为了加强事前监督管理、强化劳动行政部门责任，有必要增设行政许可。

对经营劳务派遣业务实行许可，实质是确定劳务派遣业务市场的准入资格，有利于具备条件者参与公平竞争，也有利于按程序择优确定经营者。特别是考虑到目前我国的劳务派遣多为从事低端工作的劳动者派遣，工资比较低，工资发放和社会保险费缴纳涉及这些员工的生存权，对经营劳务派遣业务实行行政许可，在当前和今后一段时期内是必要的。

二、许可的条件

按照修改后的《劳动合同法》第 57 条第 1 款规定，经营劳务派遣业务应当具备下列条件：

（一）注册资本不得少于人民币 200 万元

《劳动合同法》第 57 条原来规定的劳务派遣单位最低注册资本为 50 万元。调研中很多部门和单位都建议适当提高劳务派遣单位的注册资本，以增强其履行义务和抵抗风险的能力。修改后的《劳动合同法》将劳务派遣单位的最低注册资本提高至人民币 200 万元，远远高于《公司法》对公司注册资本最低限额的要求，这主要是为了确保劳务派遣单位有相当的资金支持其规范经营和对外承担民事责任。劳务派遣单位可以根据业务范围和经营规模，确定自己的注册资本额，但不得低于 200 万元的最低限额。根据《公司法》的有关规定，有限责任公司全体股东的首次出资额不得低于注册资本的 20%，也不得低于法定的注册资本最低限额。因此，如果劳务派遣单位采取有限责任公司的形式，其股东无论是否约定分期出资，其首期出资都不得低于 200 万元。股东可以用货币出资，也可以用实物、知识产权、土地使用权等可以用货币估价并可以依法转让的非货币财产作价出资。

（二）有与开展业务相适应的固定的经营场所和设施

劳务派遣单位作为一个经营性实体，其开展业务必须要投入相当的人、财、物等生产要素，需要具备与开展业务相适应的一定的场所，也要具备必要的办公设施，如计算机和网络设备、档案管理设施等，这些是劳务派遣单位开展劳务派遣业务必备的物质基础。这里强调经营场所是“固定”的，是指在比较固定的地点，提供相应的经营服务。劳务派遣单位应当能够提供办公用房的产权证、租赁协议等合法使用证明，经营场所还应当符合消防、通风等建筑技术标准规定，具有安全合理的使用效能。

（三）有符合法律、行政法规规定的劳务派遣管理制度

《劳动合同法》对劳务派遣设置专节，对经营劳务派遣业务的条件、派遣单位与劳动者订立的劳动合同的基本内容、派遣单位与用工单位订立的劳务派遣协议的必备内容、劳务派遣单位的义务、跨地区派遣劳动者的特别规定、用工单位的义务、被派遣劳动者同工同酬及参加和组织工会的权利、劳务派遣各方解除劳动合同的规定、劳务派遣适用岗位范围等作了规定。《劳动合同法实施条例》也针对劳务派遣通过专章作了特别规定，明确了劳务派遣单位不得以非全日制用工形式使用被派遣劳动者、被派遣劳动者依法解除和终止劳动合同的经济补偿等内容。劳务派遣单位在开展劳务派遣业务之前，就应当依照上述法律、行政法规的规定，制定健全的经营管理制度和劳务派遣用工管理制度，如财务管理、劳动合同管理、劳务派遣协议管理、劳务派遣用工范围、劳动报酬、社会保险福利待遇、工作时间、休息休假、劳动安全卫生、职工培训、劳动纪律、劳动定额管理等制度，明确劳务派遣单位、用工单位、被派遣劳动者三方在劳动用工中的权利、义务与责任。

（四）法律、行政法规规定的其他条件

除《劳动合同法》第57条规定的条件外，其他有关法律、行政法规可能对经营劳务派遣业务的条件作出补充或者细化规定，这些条件在申请许可时也应当具备。

依照《劳动合同法》的规定，经营劳务派遣业务，应当依法办理公司登记。因此，劳务派遣单位的设立必须符合公司法规定的公司设立条件。也就是说，劳务派遣单位必须为公司形式，不得以合伙、民办非企业单位等形式设立。我国目前的公司法人分为有限责任公司和股份有限公司。依照《公司法》规定，设立有限责任公司应当具备下列条件：（1）股东符合法定人数；（2）股东出资达到法定资本最低限额；（3）股东共同制定公司章程；（4）有公司名称，建立符合有限责任公司要求的组织机构；（5）有公司住所。设立股份有限公司，应当具备下列条件：（1）发起人符合法定人数；（2）发起人认购和募集的股本达到法定资本最低限额；（3）股份发行、筹办事项符合法律规定；（4）发起人制定公司章程，采用募集方式设立的经创立大会通过；（5）有公司名称，建立符合股份有限公司要求的组织机构；（6）有公司住所。

三、许可和登记的程序

本条未对经营劳务派遣业务的行政许可程序作出具体规定，实施时可依照《行政许可法》的有关规定和今后国务院制定的规范性文件进行。根据《行政许可法》的规定，行政许可的一般程序分为申请与受理、审查与决定、变更与延续等环节。行政许可申请可以由申请人本人或委托代理人向劳动行政部门提出，可以到行政机关办公场所提出，也可以通过信函、电报、电传、传真、电子数据交换和电子邮件等方式提出。申请人应当如实向劳动行政部门提交有关材料和反映真实情况，并对其申请材料的真实性负责。行政机关受理符合条件的申请后，即负有在法定期限内作出是否准予行政许可决定的义务。劳动行政部门应当对申请人提交的材料进行审查，实践中可以采取书面审查、实地核查、当面询问、听证、听取第三人意见、召开专家论证会等多种形式进行审查。经审查，劳动行政部门根据申请人是否符合法定条件，在法定期限内作出准予或者不准予的行政许可决定。准予许可的，颁发劳务派遣业务经营许可证。许可证应当载明证件名称、发证机关名称、持证人名称、行政许可事项名称、行政许可证件的有效期等，劳动行政部门应当在许可证上加盖本行政机关印章，标明发证日期。不予许可的，劳动行政部门应当向申请人说明理由，告知救济权和救济程序。

取得许可只是获得了经营劳务派遣业务的资格证明，劳务派遣单位还必须依法进行工商登记，取得营业执照后，才能开展劳务派遣经营活动。对于新设立的劳务派遣单位，应当根据《公司法》和《公司登记管理条例》的规定，持许可证明和有关材料向有管辖权的工商行政管理部门申请设立登记。对于已经成立并经营劳务派遣业务的企业，在修改后的《劳动合同法》实施后，应当依照修改决定的规定，在施行之日起 1 年内依法取得行政许可，并到工商行政管理部门办理经营范围变更登记。国家工商行政管理总局发布的《企业经营范围登记管理规定》规定，申请许可经营的项目，申请人应当依照法律、行政法规、国务院决定向审批机关提出申请，经批准后，凭批准文件、证件向企业登记机关申请登记；审批机关对许可经营项目有经营期限限制的，登记机关应当将该经营期限予以登记，企业应当在审批机关批准的经营期限内从事经营。企业如果未按有关规定申请办理许可手续并获得批准的，应当停止有关项目的经营并及时向工商行政管理部门申请办理经营范围变更登记或者注销登记。

需要注意的是，未经依法许可和登记的公司，不得从事劳务派遣业务。对于非法劳务派遣机构，依照本法第 92 条的规定，由劳动行政部门责令停止违法行为，没收违法所得，并处违法所得 1 倍以上 5 倍以下的罚款；没有违法所得的，可以处 5 万元以下的罚款。

第五十八条　劳务派遣单位是本法所称用人单位，应当履行用人单位对劳动者的义务。劳务派遣单位与被派遣劳动者订立的劳动合同，除应当载明本法第十七条规定的事项外，还应当载明被派遣劳动者的用工单位以及派遣期限、工作岗位等情况。

劳务派遣单位应当与被派遣劳动者订立二年以上的固定期限劳动合同，按月支付劳动报酬；被派遣劳动者在无工作期间，劳务派遣单位应当按照所在地人民政府规定的最低工资标准，向其按月支付报酬。

【释义】 本条是关于劳务派遣单位与被派遣劳动者订立劳动合同等义务的规定。

本条主要包括五个方面的内容：

第一，劳务派遣单位是本法所称的用人单位，应当履行用人单位对劳动者的义务。

劳务派遣中存在三个法律主体，分别为劳务派遣单位、被派遣劳动者和用工单位。实践中，由于三方的法律关系较为复杂，一旦出现争议，劳务派遣单位与用工单位往往相互推诿，逃避承担责任，造成被派遣劳动者的合法权益受到侵害。

劳务派遣单位向社会招用劳动者为其成员，并对应招合格的劳动者进行派遣，行使对劳动者的人事管理权，包括劳动者的录用、辞退、岗前培训、工资支付、社会保险费缴纳等方面的管理。为了明确劳务派遣三方的权利义务关系，厘清各自的法律责任，本条明确规定了劳务派遣单位是本法所称用人单位，应当履行用人单位对劳动者的义务，即明确了劳务派遣单位与被派遣劳动者形成本法规定的形式上的劳动关系。劳务派遣单位的法律地位为用人单位，其当然应当履行法律、法规所规定的一般劳动关系中用人单位对劳动者的全部义务。此外，本法其他条款还特别规定了劳务派遣单位应当对劳动者承担的其他义务。

第二，劳务派遣单位应当与被派遣劳动者订立书面劳动合同。

根据本条第1款的规定，劳务派遣单位与被派遣劳动者订立劳动合同，除应当载明该法第17条规定的事项外，还应当载明被派遣劳动者的用工单位以及派遣期限、工作岗位等情况。这一规定再次明确了劳务派遣单位与被派遣劳动者之间形成劳动合同关系，二者是劳动合同的双方主体。

劳务派遣中的劳动合同具有一般劳动合同的特征，一般劳动合同的法律规定都适用于劳务派遣单位与被派遣劳动者之间的派遣劳动合同，包括劳动合同的订立、履行、变更、解除、终止，经济补偿金的给付等。双方因履行劳动合同发生的纠纷属于劳动争议。

根据本条第1款的规定，劳务派遣单位与被派遣劳动者订立的劳动合同应当包括以下内容：(1)用人单位即劳务派遣单位的名称、住所和法定代表人或者主要负责人；(2)被派遣劳动者的姓名、住址和居民身份证或者其他有效身份证件号码；(3)劳动合同期限；(4)工作内容和工作地点；(5)工作时间和休息休假；(6)劳动报酬；(7)社会保险；(8)劳动保护、劳动条件和职业危害防护；(9)用工单位的基本情况，包括用工单位的名称、住所和法定代表人或者主要负责人；(10)被派遣劳动者的派遣期限，即被派遣劳动者依劳务派遣单位的安排到用工单位提供劳动，受用工单位指挥和管理的时间；(11)被派遣劳动者在用工单位的工作岗位，即被派遣劳动者在用工单位中被安排从事的工作内容、工种或职位等；(12)法律、法规规定应当纳入劳动合同的其他事项。

从以上合同内容可以看出，劳务派遣单位不仅要与被派遣劳动者约定本单位能够自主履行的事项，包括劳动合同期限、社会保险等，而且还必须与被派遣劳动者约定需要用工单位履行的事项，包括被派遣劳动者的工作内容和工作地点、工作时间和休息休假、劳动保护和劳动条件、派遣期限、工作岗位，并就用工单位履行这些事项的情况，对劳动者负责，而不是仅仅为劳动者找一个用工单位并将其派遣出去就履行了义务。

第三，劳务派遣单位应当与被派遣劳动者订立 2 年以上的固定期限劳动合同。

劳动合同的期限本应当是由劳动合同双方当事人协商确定，可以是固定期限，也可以是无固定期限，还可以是以完成一定工作任务为期限。固定期限的劳动合同也是由双方约定合同生效和终止的时间的。劳动合同的期限关系到社会就业的稳定性，意义重大。在实际工作中，有些劳务派遣单位为了逃避用人单位的责任，故意在劳动合同中不约定具体的合同期限，而是以接受劳务派遣的用工单位所需要的劳务派遣时间或者是以被派遣劳动者为用工单位提供劳动的时间为准。如用工单位需要派遣工为其工作 1 年，劳动合同的期限也为 1 年，如果被派遣劳动者在用工单位提供劳动提前结束的，劳动合同也同时结束。在《劳动合同法》的立法过程中，有些同志提出，被派遣劳动者是劳务派遣单位的正式员工，劳务派遣单位不是职业中介，应当承担起用人单位的相应责任，建议在劳动合同中明确约定期限，且该期限不得少于劳务派遣协议中约定的派遣服务期限。为了避免劳动关系短期化和就业不稳定给企业、劳动者个人以及社会造成的不利影响，本条就劳务派遣中的劳动合同的期限规定了法定期限，即不得少于 2

年，可以多于2年。本法作此规定，避免劳动关系短期化，维护了被派遣劳动者的就业权。

为有效保护劳动者就业的权利，劳动合同的期限应当长于或等于向用工单位派遣的期限。这里需要注意的是，劳动合同的期限不等同于劳动合同中所规定派遣期限。劳动合同规定的派遣期限所体现的是某一被派遣劳动者向用工单位提供劳务的期间，而劳动合同的期限是指用人单位与劳动者建立的劳动关系自何时开始至何时结束，是劳动关系当事人双方享有权利和履行义务的时间。劳动合同期限届满，则用人单位和劳动者之间劳动关系终止。劳动合同中的派遣期限届满，劳动合同的期限并不一定届满，此时被派遣劳动者由用工单位返回劳务派遣单位，劳动者与劳务派遣单位之间的劳动关系可能继续存在。

第四，劳务派遣单位应当按月支付劳动报酬。

依据本条的规定，劳务派遣单位应当按月为被派遣劳动者支付劳动报酬。劳务派遣单位是被派遣劳动者的用人单位，上述规定明确了劳动者工资的支付主体是劳务派遣单位，用工单位并不直接将劳动报酬付给被派遣的劳动者。实际工作中，往往是用工单位以劳务费的形式将劳动者的劳动报酬、社会保险费以及劳务派遣单位的管理费等支付给劳务派遣单位，再由劳务派遣单位向劳动者发放工资。

从调研中了解到，用工单位未及时将被派遣劳动者的劳动报酬支付给劳务派遣单位，后者以此为由而拒绝向被派遣劳动者支付其应得的劳动报酬的情况时有发生。根据本条的规定，劳务派遣单位是被派遣劳动者的用人单位，应当履行《劳动合同法》规定的用人单位对劳动者的义务，包括按月向被派遣劳动者支付劳动报酬。用工单位违反劳务派遣协议约定没有向劳务派遣单位支付被派遣劳动者的劳动报酬，不能构成劳务派遣单位拒绝向被派遣劳动者支付劳动报酬的正当理由，在这种情况下，劳务派遣单位应先向被派遣劳动者支付工资，其后可以向用工单位主张劳务派遣协议的违约责任，进行追偿。

第五，劳务派遣单位保障被派遣劳动者在无工作期间基本生活的义务。

依据本条第 2 款的规定，被派遣劳动者在无工作期间，劳务派遣单位应当按照所在地人民政府规定的最低工资标准，向其按月支付报酬。根据本条的规定，如果劳务派遣单位与劳动者签订的劳动合同期限长于派遣至用工单位工作的派遣期限，当派遣期届满后，或者是用工单位经济性裁员，被派遣劳动者回到了劳务派遣单位，在尚未有新的工作岗位再次进行派遣期间，由劳务派遣单位按照劳务派遣单位所在地的人民政府规定的最低工资标准发放报酬，作为被派遣劳动者的在此期间的基本生活保障。比如劳务派遣单位与劳动者签订 2 年固定期限合同，派遣劳动者工作 1 年，剩下的 1 年没有派遣任务，劳务派遣单位在没有派遣任务的 1 年中仍应当给该被派遣劳动者支付报酬。这样规定，主要是为了适当增加劳务派遣的成本，防止劳务派遣用工形式过度发展。

第五十九条 劳务派遣单位派遣劳动者应当与接受以劳务派遣形式用工的单位(以下称用工单位)订立劳务派遣协议。劳务派遣协议应当约定派遣岗位和人员数量、派遣期限、劳动报酬和社会保险费的数额与支付方式以及违反协议的责任。

用工单位应当根据工作岗位的实际需要与劳务派遣单位确定派遣期限,不得将连续用工期限分割订立数个短期劳务派遣协议。

【释义】 本条是关于劳务派遣单位与用工单位订立劳务派遣协议的规定。

本条主要规定了三个方面的内容:

第一,劳务派遣单位派遣劳动者应当与用工单位订立劳务派遣协议。

依据本条第1款的规定,劳务派遣单位派遣劳动者应当与接受以劳务派遣形式用工的用工单位订立劳务派遣协议。劳务派遣协议,是指劳务派遣单位和用工单位作为民法上的平等主体,通过一定程序、协商一致就劳务派遣服务事项所订立的民事合同(实践中也被称为劳务派遣合同或者劳务派遣服务协议)。劳务派遣单位根据用工单位的要求派遣劳动者,用工单位根据劳务派遣协议向劳务派遣单位支付劳动者的劳动报酬等费用。劳务派遣单位与用工单位之间订立、履行劳务派遣协议,主要应当遵循《合同法》等民事法律的规定。为了使劳务派遣三方的关系更为清晰,防止劳务派遣单位和用工单位在承担《劳动法》上规定的用人单位对劳动者应尽的义务时互相推诿,损害被派遣劳动者的权益,本法要求劳务派遣单位派遣劳动者应当与接受以劳务派遣形式用工的用工单位订立劳务派遣协议,以协议形式明确双方的权利和义务。

第二,劳务派遣协议主要包括五方面内容。

劳务派遣协议作为民事合同,其权利义务履行的结果涉及被派遣劳动者的权益。如劳务派遣协议中约定的派遣岗位和人员数量、派遣期限、劳动报酬和社会保险费的数额与支付方式以及违反协议的责任等内容都涉及被派遣劳动者的利益。因此,本法对劳务派遣协议的内容作出明确规定。依据本条第1款的规定,劳务派遣协议应当约定派遣岗位和人员数量、派遣期限、劳动报酬和社会保险费的数额与支付方式以及违反协议的责任。

1. 派遣岗位和人员数量

派遣岗位,是指被派遣劳动者在用工单位中将被安排从事的工作内容、工种或职位等。在实施劳务派遣的过程中,派遣岗位与被派遣劳动者数量可能随着用工单位的经营发展和用工需求发生变化,如果在劳务派遣协议正本中写入派遣岗位和人员数量的具体数字,日后难免要经常修订或变更劳务派遣协议的条款内容。实践中较为普遍的做法是将派遣岗位和所需要的被派遣人员数量的内容,采用劳务派遣协议附件的形式制定出来。假如派遣岗位和所需要的被派遣人员数量有所变化,可以选择更新协议附件的方式对劳务派遣协议内容予以变更,而不用修改派遣协议正本中的基本、通用条款,从而达到节省合同管理成本的效果。

2. 派遣期限

在设置派遣期限条款时,首先应当注意的是,劳务派遣协议的派遣期限与劳动合同中规定的派遣期限是两个不同的概念。劳动合同中规定的派遣期限所体现的是某一被派遣劳动者向用工单位提供劳务的期间。而劳务派遣协议中的派遣期限所反映的则是劳务派遣单位为用工单位提供劳务派遣服务的期限,即是两个单位合作的期限,这个期限通常较长,也可能没有明确的截止日期,即在这个期限内,劳务派遣单位可以依据用工单位的实际需要不断地向其派遣劳动者。劳动合同派遣期限届满,被派遣劳动者即要返回劳务派遣单位,劳务派遣单位与用工单位之间的合作关系可能依然存续。劳务派遣协议的派遣期限届满,劳务派遣单位与用工单位之间的合作关系随之结束。

3. 劳动报酬的数额与支付方式

根据本法的规定,向被派遣劳动者支付劳动报酬是劳务派遣单位的法定义务。对于劳动报酬的具体数额与计算方式,可由劳务派遣单位与用工单位依法约定。实践中,一些用工单位为了简化实施劳务派遣的程序,与劳务派遣单位在劳务派遣协议中约定,从劳务派遣服务协议生效至终止,劳务派遣单位委托用工单位发放被派遣劳动者的劳动报酬。究竟哪种方式更有利于劳务派遣制度健康发展,可以在实践中继续总结经验。

4. 社会保险费的数额与支付方式

劳务派遣单位是为被派遣劳动者依法参加各项社会保险并缴纳社会保险费用的法定主体。有关劳务派遣单位为劳动者缴纳的社会保险费的金额以及用工单位在何时、通过哪种方式向劳务派遣单位支付此项费用，双方应在劳务派遣协议中明确约定。

5. 违反劳务派遣协议的责任

违反劳务派遣协议的责任条款主要指劳务派遣单位或用工单位违反劳务派遣协议的约定时，违约一方应当如何承担责任的条款。如前所述，劳务派遣单位与被派遣劳动者之间是形式上的雇佣关系，而用工单位与被派遣劳动者之间是实质上的雇佣关系，因此双方应当在协议中最大限度地明确一方的违约情形及其产生的相关责任，避免双方因权责不明晰而出现扯皮现象。

在劳务派遣协议中明确劳动报酬和社会保险费的数额与支付方式以及违反协议的责任等内容，将有利于明确劳务派遣单位与用工单位的权利义务，从而避免发生争议时劳务派遣单位与用工单位互相推诿现象的出现，有利于劳动者合法权益的保护，也有利于和谐稳定劳动关系的构建和发展。

另外，除了《劳动合同法》要求劳务派遣协议所必须载明的条款以外，劳务派遣单位和用工单位还可以根据自身实际情况和具体需要，在协议中约定其他的内容：(1)劳务派遣服务的费用；(2)对劳务派遣安全性和保密性的要求；(3)被派遣劳动者的退回与召回；(4)发生工伤事故的处理办法；(5)劳动纠纷的解决方式；等等。需要注意的是，被派遣劳动者并非该劳务派遣协议的一方主体，无论劳务派遣单位与用工单位如何通过劳务派遣协议来分配相互的权利义务，该约定只对用工单位与劳务派遣单位有效，而对于被派遣劳动者并不必然产生效力，被派遣劳动者仍可基于其与用工单位、劳务派遣单位分别形成的法律关系而主张权利。假如实践中有劳务派遣单位与用工单位在派遣协议中约定“工伤事故用工单位概不负责”，该约定对被派遣劳动者无效，一旦发生工伤事故，劳动者依然可以依法主张用工单位承担相关的责任。

第三，劳务派遣期限不可分割。

根据本条第 2 款的规定，用工单位应当根据工作岗位的实际需要与劳务派遣单位确定派遣期限，不得将连续用工期限分割订立数个短期劳务派遣协议。这就要求，在订立劳务派遣协议时，用工单位与劳务派遣单位应当遵循实际需要的原则来确定劳务派遣协议的派遣期限。如果用工单位的工作岗位客观上需要在较长一段时间内连续实施劳务派遣用工的，则法律禁止将一个连续的用工期限分割为数个短期派遣期限而分别订立数个短期的劳务派遣协议。实践中，分割订立数个短期劳务派遣协议往往成为一些企业躲避长期用工、缴纳社会保险费、进行正常的工资调整等的手段，这对劳动者合法权益是一种侵害。为了保护劳动者的合法权益，防止劳动关系的短期化，本条对上述行为作了禁止性规定。

第六十条　劳务派遣单位应当将劳务派遣协议的内容告知被派遣劳动者。

劳务派遣单位不得克扣用工单位按照劳务派遣协议支付

给被派遣劳动者的劳动报酬。

劳务派遣单位和用工单位不得向被派遣劳动者收取费用。

【释义】 本条主要规定了劳务派遣单位的义务。

根据本条规定,劳务派遣单位的义务包括三个方面:一是告知劳务派遣协议的内容;二是不得克扣劳动报酬,而应当足额发放;三是不得收取费用。

根据本条第1款的规定,劳务派遣单位应当告知被派遣劳动者有关劳务派遣协议的内容。知情权是劳动者的一项重要的权利,《劳动合同法》第8条明确规定,用人单位在招用劳动者时,应当如实告知劳动者工作内容、工作条件、工作地点、职业危害、安全生产状况、劳动报酬以及劳动者要求了解的其他情况。根据该规定,劳动者有权知道和了解工作内容、工作条件、工作地点、职业危害、安全生产状况、劳动报酬等情况。工作内容主要是指干什么事情,如在什么岗位工作,干什么工种。工作条件主要包括工作环境、劳动工具、劳动强度、食宿等情况。工作地点包括工作场地的地理位置等情况。职业危害主要是指工作环境、工作条件等对劳动者的肌体生理的影响,包括是否高空作业、高温作业,是否存在放射性、粉尘、有毒有害气体、有腐蚀性等情形。安全生产状况,是指安全生产的各项保护措施。劳动报酬主要包括劳动报酬数额、计算薪酬方法、加班工资、工资增长机制等方面的情况。此外,劳动者还有权要求了解的其他情况,如用人单位相关的规章制度,包括用人单位的劳动纪律、考勤制度、休假、请假、奖惩制度以及福利待遇、社会保险等情况。这些是对一般劳动者的知情权的规定，而对被派遣劳动者的知情权，本法作了特别规定。

根据本法规定，劳务派遣协议涉及派遣岗位、人员数量、派遣期限、劳动报酬和社会保险费的数额与支付方式以及违反协议的责任等内容。其中，派遣岗位包括临时性工作岗位、辅助性工作岗位、替代性工作岗位。根据 2012 年修改后的《劳动合同法》的规定，临时性的工作岗位，有时间限定，要求存续时间不超过 6 个月；辅助性的工作岗位，是为主营业务岗位提供服务的非主营业务的岗位；替代性的工作岗位，是指用工单位的劳动者因脱产学习、休假等原因无法工作的一定期间内，可以由其他劳动者替代工作的岗位，也有时间要求。社会保险包括基本养老保险、基本医疗保险、失业保险、工伤保险、生育保险这五类保险，是我国法律规定的用人单位必须为劳动者提供的社会保险。上述这些劳务派遣协议的内容与被派遣劳动者切身利益直接相关。劳务派遣单位作为用人单位，与用工单位订立劳务派遣协议后，应当将劳务派遣协议的内容及时告知被派遣劳动者。这里所说的告知，是指劳务派遣单位将劳务派遣协议的内容如实向被派遣劳动者说明的义务。关于告知的方式，法律上并无特别的规定，一般应当以一种合理并且适当的方式进行告知，在实践中，一般采用书面方式进行，要求能够让对方及时知道和了解。

根据本条第 2 款的规定，劳务派遣单位不得克扣用工单位按照劳务派遣协议支付给被派遣劳动者的劳动报酬。也就是劳务派遣单位要按照协议约定，足额支付被派遣劳动者的劳动报酬。这里所说劳动报酬主要是指被派遣劳动者在用工单位的工作岗位付出劳动后所应得的工资。实践中，被派遣劳动者劳动报酬的支付方式主要有两种：一是由用工单位直接支付；二是由劳务派遣单位支付，即用工单位按照协议约定，将包括工资在内的所有费用支付给劳务派遣单位，再由劳务派遣单位将劳动报酬支付给被派遣劳动者。第二种方式往往容易出现劳务派遣单位克扣劳动报酬的情况。对此，有必要作为劳务派遣单位的义务作出明确规定。这里所说的克扣，主要是指劳务派遣单位将应当支付给被派遣劳动者的劳动报酬非法进行扣减的行为。本法明确规定，用人单位未按照劳动合同的约定或者国家规定及时足额支付劳动者劳动报酬的，由劳动行政部门责令限期支付劳动报酬，逾期不支付的，责令用人单位按应付金额50%以上100%以下的标准向劳动者加付赔偿金。根据这一规定，如果劳务派遣单位违反规定，克扣用工单位按照劳务派遣协议支付给被派遣劳动者的劳动报酬的，将承担相应的法律责任。

根据本条第3款的规定，劳务派遣单位和用工单位不得向被派遣劳动者收取费用。本法第9条中也明确规定，用人单位招用劳动者，不得向劳动者收取财物。本款作为特别规定，立法精神是一致的，都是严格禁止侵犯劳动者的合法权益。劳务派遣单位和用工单位与被派遣劳动者的关系，通过劳务派遣单位与被派遣劳动者签订书面劳动合同、劳务派遣单位与用工单位签订的劳务派遣协议得到了明确。但劳务派遣方式更多的是资本的选择而不是劳动者的选择，企业的目的是以此降低用工成本，因此，被派遣劳动者的权益极易受到侵犯。实践中，有些劳务派遣单位和用工单位为防止被派遣劳动者在工作中给本单位造成损失、不赔偿就不辞而别等情况，利用劳动力买方市场优势地位，在招工时向被派遣劳动者以押金、派遣费等名目收取费用，如有的劳动者反映，其经过一家人力开发公司派遣到一家客运公司从事驾驶工作，客运公司要向其收取 4 万元的押金等。这是一种不合法的行为。对此进行立法规范，作出禁止规定是非常必要的。

另外需要注意的是，本条是对劳务派遣单位义务的特别规定。劳务派遣单位作为用人单位，还应当履行用人单位对劳动者的义务。

根据本法规定，劳务派遣单位违反本法有关劳务派遣规定的，由劳动行政部门责令限期改正；逾期不改正的，以每人 5000 元以上 1 万元以下的标准处以罚款，对劳务派遣单位，吊销其劳务派遣业务经营许可证。

第六十一条　劳务派遣单位跨地区派遣劳动者的，被派遣劳动者享有的劳动报酬和劳动条件，按照用工单位所在地的标准执行。

【释义】　本条是关于跨地区派遣劳动者的规定。

一、跨地区劳务派遣

劳务派遣单位跨地区派遣劳动者，又称“异地派遣”，是指劳务派遣单位在当地招用被派遣劳动者，将其派往另一地区的用工单位工作。

从跨地区劳务派遣的发展来看，其出现首先与人才和劳动力资源跨地区流动密切相关。经济发展不平衡是我国经济的一项显著特征，一方面，东中西部经济发展不平衡，东部沿海地区经济发展水平高，吸纳人才就业的能力强，劳动者的工资待遇水平也相对较高；中西部地区经济发展水平低，吸引人才就业的能力弱，工资待遇水平也相对较低。另一方面，城乡之间经济发展不平衡，大量农民工进城务工，既有在本省范围流动的，也有跨省流动的。上述两方面的不平衡客观上促成了我国人才和劳动力资源的流动，跨地区就业成为我国就业情况的一项突出特点。跨地区派遣劳动者适应了人才和劳动力资源跨地区流动的需求，通过跨地区派遣，有利于经济社会发展水平相对落后的中西部地区的劳动者向经济发展水平相对较高的东部沿海地区流动，以及由农村落后地区和中小城镇向大中城市流动。

与用工单位直接跨地区招用劳动者比较，实施跨地区派遣有其自身的优势：一是有利于用工单位招聘工作更加顺利地进行，招到合适的人才和劳动力。与用工单位比较，劳务派遣单位立足本地，对本地方的劳动力资源和富余劳动力的情况较为了解，也更有利于取得当地劳动者的信任，将合适的人员输送到用工单位。二是跨地区派遣在一定程度上可以节省招工成本。对一般用工单位尤其是大量中小、私营企业而言，与劳动力资源密集地区的劳务派遣单位合作，不仅可以在短时间内便利地找到所需员工，还可以降低招工费用。三是有利于劳动争议的及时妥善解决，劳务派遣单位作为被派遣劳动者的用人单位，可以协助用工单位处理被派遣劳动者与用工单位之间的劳动争议，劳务派遣单位与本地来源的被派遣劳动者之间相对而言更容易达成共识，化解矛盾和冲突，及时、高效地解决劳动争议。

其次，跨地区劳务派遣的发展也与一些地方政府采取政策措施鼓励劳务输出有关。鼓励和促进就业是地方各级人民政府的一项重要工作。在深化用工制度改革和促进地区就业的过程中，一些地方提出以促进就业为导向开展劳务派遣工作，提出劳务派遣对拓宽就业渠道、降低城镇失业率、加快城乡劳动者就业由自发无序向依法有序转变，以及促进劳务输出的组织化等方面具有重要意义，并对当地劳务派遣单位开展跨地区劳务派遣输出提供相应的政策扶持措施。由此也推动了跨地区劳务派遣业务的发展以及派遣人员规模的扩大。

最后，实践中也有一些用工单位违反法律规定，或者出于规避法律规定的目的，选择跨地区派遣劳动者以降低用工成本。目前，各地方之间在劳动者的最低工资标准、劳动保护和劳动条件标准等方面还存在一定的差距，地区之间在养老、医疗、工伤等各项社会保险缴费标准、待遇享受等方面也不完全相同。一些用工单位为降低成本，选择在最低工资标准和社会保险缴费标准相对较低的地区招用劳动者，通过少付工资、少缴或者不按规定缴纳社会保险费等方式，从而达到降低用工成本的目的。上述情况中，有些属于因当前社会保险制度不完善而给用工单位规避法律规定留下了空间,需要通过进一步完善相关法律法规规定予以杜绝,更多的是要通过严格执法,严格规范劳务派遣,切实维护广大跨地区派遣劳动者的合法权益。尤其是劳务派遣单位所在地劳动行政部门与用工单位所在地劳动行政部门应当密切配合,加强沟通协调,共同维护派遣工的合法权益。

二、加强对跨地区派遣劳动者的保护

在跨地区劳务派遣中,由于劳务派遣单位与用工单位分属不同的地区,被派遣劳动者的户籍地与工作地点往往分离,且由于各地区的劳动报酬(如最低工资标准)和劳动条件标准不同,就出现究竟应当适用哪一地方的标准的现实问题。如何处理这一问题,理论上可以有不同的设计,一是可以规定适用用工单位所在地的标准,二是可以规定适用劳务派遣单位所在地的标准。从立法上如何加以规定,关键是要看何者对维护劳动者的合法权益更加有利。从我国当前跨地区劳务派遣的实际情况来看,多数跨地区派遣是由经济发展水平和工资水平较低、劳动条件标准不高的地区向经济发达、劳动条件标准较高的地区(也即用工单位所在地)派遣,因此,一般来说,适用用工单位所在地的劳动报酬和劳动条件标准对被派遣劳动者而言更加有利。例如,目前广东、浙江等沿海省份的最低工资标准高于四川、贵州等中西部省份,由中西部省份向沿海省份派遣劳动者,用工单位向其支付的劳动报酬就应当符合用工所在地的沿海省份的标准,而不得适用中西部省份的低标准。为此,本法第 61 条中明确规定,劳务派遣单位跨地区派遣劳动者的,被派遣劳动者享有的劳动报酬和劳动条件,按照用工单位所在地的标准执行。

此外,这一条中规定的“用工单位所在地的标准”具体是指哪一层级的行政区域的标准,需要根据实际情况确定。例如,用工单位所在省(自治区、直辖市)适用统一的最低工资标准的,用工单位所在地的标准即为用工单位所在的省(自治区、直辖市)的标准;用工单位所在的县、市,针对特定行业的劳动报酬和劳动条件标准有特殊规定的,同样应当适用该规定。应当说明的是,本条规定的目的是更好地保护跨地区派遣劳动者的合法权益,行政执法部门应当根据这一指导思想,通过确定合法、合理的适用标准,依法维护广大被派遣劳动者的合法权益。

《劳动合同法》修改过程中,一些地方和部门提出,劳务派遣单位跨地区派遣劳动者的,被派遣劳动者享有的社会保险,也应当按照用工单位所在地的标准执行。从实际情况来看,被派遣劳动者享有的社会保险涉及两方面:一是指被派遣劳动者的社会保险缴纳地点和缴费标准;二是被派遣劳动者享受社会保险待遇的标准。关于社会保险的缴纳地点和缴费标准,从法律关系上看,被派遣劳动者与劳务派遣单位之间订立劳动合同,劳务派遣单位是被派遣劳动者的用人单位,劳务派遣单位应当依照《社会保险法》的规定依法向其所在地的社保经办机构办理参保、缴费手续。用工单位尽管是实际使用被派遣劳动者的单位,名义上却非劳动合同法意义上的用人单位,直接由用工单位为劳动者在用工单位所在地办理参保缴费手续,具体操作上存在一定的困难。同时,由于各地的缴费标准包括缴费基数的上下限等还有一定的差别,各地社保经办机构都是按照本地方的缴费标准办理参保手续,因此,由劳务派遣单位在其所在地为被派遣劳动者办理参保手续,更符合法律的规定。但是认为按照用工单位所在地标准执行的观点认为,异地劳务派遣的大量情况是由经济发展水平相对较低的地区向水平较高的地区派遣,如果按照劳务派遣单位所在地的标准执行,就会造成在高标准所在地付出劳动,在低标准所在地参加和享受社会保险的情况,不尽合理。实践中有的劳务派遣单位也正是利用这一点,选择参保标准低的地区为被派遣劳动者办理参保手续,达到少缴社保费的目的。因此提出异地派遣的,应当按照用工单位所在地标准为被派遣劳动者办理参保手续。对于上述问题,目前各地做法不一,尚需进一步总结实践经验。因此,这次修改《劳动合同法》对这一问题未作规定。

当前,为解决被派遣劳动者在社会保险参保和享受待遇方面存在的问题,关键是要进一步严格贯彻落实《社会保险法》的各项规定:一是要求劳务派遣单位依法为被派遣劳动者办理各项社会保险;二是在确定缴费基数、缴费费率等方面应当严格遵守法律的相关规定;三是应当进一步提高社会保险的统筹层级,逐步完善社会保险转移接续办法,尤其是要依法维护流动农民工的各项社会保险权益。

第六十二条　用工单位应当履行下列义务：

（一）执行国家劳动标准，提供相应的劳动条件和劳动保护；

（二）告知被派遣劳动者的工作要求和劳动报酬；

（三）支付加班费、绩效奖金，提供与工作岗位相关的福利待遇；

（四）对在岗被派遣劳动者进行工作岗位所必需的培训；

（五）连续用工的，实行正常的工资调整机制。

用工单位不得将被派遣劳动者再派遣到其他用人单位。

【释义】　本条规定了用工单位的义务。

根据本条规定，为保护被派遣劳动者的合法权益，用工单位应当履行五项法定义务，并规定了一项禁止性条款。

一是用工单位应当执行国家劳动标准，提供相应的劳动条件和劳动保护。劳动标准一般是指对劳动领域内的重复性事物、概念和行为进行规范，作出统一规定，经有关方面批准、发布，作为共同遵守的准则和依据。劳动标准涉及工作时间、劳动报酬、劳动合同、集体合同、集体谈判、劳动安全卫生、劳动争议处理、劳动效率等许多方面，并随经济社会发展，其种类、项目日益增多，水平逐步提高。根据《标准化法》的规定，对需要在全国范围内统一的技术要求，应当制定国家标准。国家标准由国务院标准化行政主管部门制定。国家标准分为强制性标准和推荐性标准。保障人体健康，人身、财产安全的标准和法律、行政法规规定强制执行的标准是强制性标准，其他标准是推荐性标准。根据《劳动法》的规定，国家制定劳动标准。本条规定要求的是执行国家劳动标准,具有法律强制力,用工单位应当遵照执行。

劳动条件和劳动保护是国家劳动标准中两个重要的方面。劳动条件,是指劳动者完成劳动任务的必要条件,如必要的劳动工具、工作场所、劳动经费、技术资料等必不可少的物质技术条件和其他工作条件。劳动保护,是指用工单位为了保障劳动者在劳动过程中的身体健康与生命安全,预防伤亡事故和职业病的发生,而采取的有效措施。在生产劳动过程中,存在各种不安全、不卫生的因素,国家为了保障劳动者的身体健康和生命安全,通过制定相应的法律和行政法规,规定劳动保护规则,以保护劳动者的健康和安全。在劳动保护方面,凡是国家标准有规定的,用工单位必须按照国家标准执行,合同约定只能高于国家标准,不得使劳动者的生命安全受到威胁、身体健康受到侵害。

二是用工单位应当告知被派遣劳动者的工作要求和劳动报酬。工作要求主要是指对被派遣劳动者提出的与完成任务有关的一些基本要求,如工作时间、工作岗位、工作量、质量标准,以及有关规章制度、纪律等。劳动报酬主要是指被派遣劳动者在用工单位的工作岗位付出劳动后所应得的工资。被派遣劳动者的劳动报酬是由劳务派遣单位与用工单位之间协议约定的,而劳动报酬的支付,可以按照劳务派遣协议的约定,由劳务派遣单位支付或者由用工单位直接支付。无论哪种方式支付,被派遣劳动者在用工单位劳动,理应知道自己的劳动报酬。用工单位的告知义务涉及劳动者的知情权,知情权是劳动者一项重要的权利。被派遣劳动者对工作要求和劳动报酬享有知情权，尤其是劳动报酬的多少、支付方式等，因为这直接关系到被派遣劳动者合法权益的保护，是关乎职工切身利益的重大问题。明确用工单位的告知义务可以有效地保护被派遣劳动者的合法权益。关于告知的方式，法律上并无特别的规定，一般应当以一种合理并且适当的方式进行告知，在实践中，一般采用书面方式进行，要求能够让对方及时知道和了解。

三是用工单位应当支付加班费、绩效奖金，提供与工作岗位相关的福利待遇。加班费，是指劳动者按照用人单位生产和工作的需要在规定工作时间之外继续生产劳动或者工作所获得的劳动报酬。《劳动合同法》第31条规定，用人单位应当严格执行劳动定额标准，不得强迫或者变相强迫劳动者加班。用人单位安排加班的，应当按照国家有关规定向劳动者支付加班费。根据《劳动法》的规定，用人单位在下列节日期间应当依法安排劳动者休假：（1）元旦；（2）春节；（3）国际劳动节；（4）国庆节；（5）法律、法规规定的其他休假节日。目前，主要又增加了清明节、端午节、中秋节等法定假日。“有下列情形之一的，用人单位应当按照下列标准支付高于劳动者正常工作时间工资的工资报酬：（一）安排劳动者延长工作时间的，支付不低于工资的百分之一百五十的工资报酬；（二）休息日安排劳动者工作又不能安排补休的，支付不低于工资的百分之二百的工资报酬；（三）法定休假日安排劳动者工作的，支付不低于工资的百分之三百的工资报酬。”标准工作时间以外延长劳动者工作时间和休息日、法定休假日安排劳动者工作,都是占用了劳动者的休息时间,应当严格加以限制,高于正常工作时间支付工资报酬即是国家采取的一种限制措施。劳动者加班,延长了工作时间,增加了额外的劳动量,应当得到合理的报酬。对劳动者而言,加班费是一种补偿,因为其付出了过量的劳动;对于用人单位而言,支付加班费能够有效地抑制用人单位随意地延长工作时间,保护劳动者的合法权益。由于用工单位在生产经营过程中,可能会出现加班加点的情况,而加班费的具体数额不可能在劳务派遣协议中与劳务派遣单位事先约定。因此加班加点的加班费应当由用工单位向被派遣劳动者支付。

绩效奖金是一个时期或者一项任务的完成而按照劳动者劳动绩效计算、发放的奖金。现代企业的工资体系发生了很大的变革,企业的薪酬结构主要有工资、绩效奖金(年终奖金与特殊专项奖金)与福利(法定福利与企业补充福利)三大部分构成。用工单位实行绩效奖金,将劳动者个人的收入同其本人的工作绩效直接挂钩,有利于鼓励劳动者创造更多的效益,同时又不增加企业的固定成本;有利于使绩效好的劳动者得到奖励,同时也能选择、保留绩效好的劳动者。由于绩效奖金也不能事先在劳务派遣协议中约定,法律明确规定用工单位应当为被派遣劳动者支付绩效奖金。

关于福利待遇。职工福利待遇是企事业单位和机关团体在工资之外免费为全体职工提供的生活优待以及给予职工各项补贴的总称。传统上,福利待遇一般指《劳动法》所规定的劳动保障和社会保障。现在的福利待遇指企业为了保留和激励劳动者而采用的非现金形式的报酬。从实践情况来看，福利待遇范围较广，也没有统一的规定，主要由各单位根据自身条件决定，通常包括：综合补贴、年终奖金、销售奖金、补充保险、其他保险（包括人寿保险、人身意外保险、出差意外保险等多种项目）、休假制度（在法定假日之外，还有带薪年假、探亲假、婚假、丧假等），以及卫生、交通、住房、防暑、取暖、通讯、参加文体活动的各种补贴等。用工单位提供被派遣劳动者与工作岗位相关的福利待遇，属于职工福利待遇范畴，体现了被派遣劳动者与用工单位其他职工的同工同酬。

综上，用工单位为被派遣劳动者支付加班加点的加班费、绩效奖金、与工作岗位相关的福利待遇等，都是工资之外的部分，法律明确这些费用应当由用工单位向被派遣劳动者支付。

四是用工单位应当对在岗被派遣劳动者进行工作岗位所必需的培训。派遣单位应当按照用工单位的要求派遣符合后者要求的劳动者。但如果用工单位在接受被派遣劳动者后认为按照本单位的岗位需要须进一步对劳动者进行培训的，则由用工单位自己负责对在岗被派遣劳动者进行岗位所必需的培训，该费用由用工单位承担。

五是用工单位应当对连续用工的派遣劳动者，实行正常的工资调整机制。工资调整机制，是指用工单位一方与劳动者一方就涉及工资分配制度、工资分配形式、工资支付办法、工资标准等相关事项，依法进行沟通协商，并形成协商结果的一系列制度的总称。工资调整机制体现了社会公平、分配正义和企业效率相统一原则,体现了工资增长和社会经济发展相适应原则。在经济增长和社会发展的基础上,保持劳动者工资合理增长,逐步提高劳动者的收入水平,体现了市场机制调节和政府宏观调控相结合原则,体现了企业自主分配和劳动者民主参与相协调原则。把集体协调共商作为企业工资自主分配的基本形式,促进劳动与资本的分配关系实现互利共赢。本条这一规定,主要是要求用工单位,应当根据有关规定和被派遣劳动者工作时间的长短,实行正常的工资调整机制,使被派遣劳动者的工资得到相应提高。实践中,有的被派遣工在同一用工单位多次被派遣或者一次派遣时间很长的,工资一直没有调整,被派遣劳动者在用工单位处于低人一等的地位,合法权益得不到保障。因此,用工单位依法需要连续使用被派遣劳动者的,对被派遣劳动者的工资应当与本单位职工一样,进行定期的调整。

本条第 2 款是禁止性条款,禁止用工单位再派遣。修改后的《劳动合同法》对经营劳务派遣业务应当具备的条件作了严格规定。未经许可,任何单位和个人不得经营劳务派遣业务。用工单位与劳务派遣单位订立劳务派遣协议,双方应当按照该协议履行各自的义务。在用工单位方面,应当按照劳务派遣协议的约定使用被派遣劳动者,不得将这些劳动者再派遣到其他用工单位,也就是说用工单位接受被派遣劳动者必须是用于本单位的岗位,而不能转手又派往其他单位,自己变相成为劳务派遣单位。

《劳动合同法》明确规定用工单位的义务,在劳务派遣单位和用工单位之间做了明确划分,使在出现劳动争议时有法可依,避免产生相互推诿的现象,从而保护了被派遣劳动者的合法劳动权益。

用工单位违反本条规定的,应当依法承担相应的法律责任。如用工单位安排加班不支付加班费的,可以根据《劳动合同法》第85条的规定,由劳动行政部门责令限期支付加班费;逾期不支付的,责令用工单位按应付金额50%以上100%以下的标准向劳动者加付赔偿金。

根据《劳动合同法》的规定,用工单位违反本法有关劳务派遣规定的,由劳动行政部门责令限期改正;逾期不改正的,以每人5000元以上1万元以下的标准处以罚款。用工单位给被派遣劳动者造成损害的,劳务派遣单位与用工单位承担连带赔偿责任。如用工单位违反本法规定,在非“三性”岗位上使用被派遣劳动者,劳动行政部门应当责令其改正,用工单位应当将非“三性”岗位上的被派遣劳动者进行岗位调整,或者退回劳务派遣单位。逾期不改正的,劳动行政部门应当按非法使用派遣工的人数以每人5000元以上1万元以下的幅度对用工单位进行罚款。另外,用工单位给被派遣劳动者造成损害的,劳务派遣单位与用工单位承担连带赔偿责任。法律这样规定,主要是考虑到被派遣劳动者是在用工单位指挥、管理下进行工作,但与用工单位没有建立劳动合同关系,一旦用工单位造成劳动者损害,用工单位往往会以没有劳动合同关系为由,不承担责任或者进行推诿,而劳务派遣单位作为被派遣劳动者的用人单位,具有承担保护职工合法权益的责任。

因此本法作了这样规定。比如被派遣劳动者在用工单位受到工伤,劳动者既可以向用工单位主张赔偿的权利,也可以向劳务派遣单位主张赔偿权利,劳务派遣单位与用工单位承担连带赔偿责任,这样更有利于保护劳动者,同时也有利于劳务派遣单位加强对用工单位使用劳动者的日常监督活动。

第六十三条　被派遣劳动者享有与用工单位的劳动者同工同酬的权利。用工单位应当按照同工同酬原则,对被派遣劳动者与本单位同类岗位的劳动者实行相同的劳动报酬分配办法。用工单位无同类岗位劳动者的,参照用工单位所在地相同或者相近岗位劳动者的劳动报酬确定。

劳务派遣单位与被派遣劳动者订立的劳动合同和与用工单位订立的劳务派遣协议,载明或者约定的向被派遣劳动者支付的劳动报酬应当符合前款规定。

【释义】　本条是关于被派遣劳动者与用工单位的劳动者享有同工同酬权利的规定。

一、关于同工同酬

同工同酬作为一项重要的法律制度,在我国《宪法》和相关法律中均有明确规定。《宪法》第 48 条规定,中华人民共和国妇女在政治的、经济的、文化的、社会的和家庭的生活等各方面享有同男子平等的权利。国家保护妇女的权利和利益,实行男女同工同酬,培养和选拔妇女干部。《妇女权益保障法》第 24 条也对实行男女同工同酬做了规定。《宪法》和

《妇女权益保障法》是从男女平等的角度规定同工同酬的。1994年制定《劳动法》将同工同酬确立为一项劳动报酬确定原则，《劳动法》第46条规定，工资分配应当遵循按劳分配原则，实行同工同酬。《地方各级人民代表大会和地方各级人民政府组织法》第8条、第9条、第59条、第61条规定，县级以上地方各级人民代表大会和县级以上地方各级人民政府，乡、民族乡、镇的人民代表大会和乡、民族乡、镇的人民政府应当履行保障宪法和法律赋予妇女的同工同酬权利的职责。《教师法》第31条规定，各级人民政府应当采取措施，改善国家补助、集体支付工资的中小学教师的待遇，逐步做到在工资收入上与国家支付工资的教师同工同酬。同工同酬是宪法和法律中规定的公民享有平等权的必然要求。《宪法》和这些法律对同工同酬的规定，充分体现了社会主义国家对于劳动的尊重，对维护劳动者的尊严、体现法律面前人人平等具有重要的意义。

二、同工不同酬是劳务派遣实施中比较突出的问题

《劳动合同法》颁布实施以来，从实际情况来看，同工不同酬是劳务派遣实施过程中比较突出的问题之一，社会反映较为强烈。一些企业中被派遣劳动者与劳动合同制职工虽然从事相同的工作，但工资待遇的差别较大。有的企业中被派遣劳动者与劳动合同制职工绩效工资基本相同，但基本工资相差30%～40%。在一些企业中，从事相同工作的被派遣劳动者与劳动合同制职工的工资相差一半多。在缴纳社会保险

方面，一些被派遣劳动者与劳动合同制职工也有差别，劳动合同制职工的社会保险按照企业上年度平均工资的标准缴纳，而被派遣劳动者的社会保险按照当地最低工资标准缴纳。有的用工单位虽然对被派遣劳动者支出了与合同制职工相同的劳动报酬，但是将被派遣劳动者的工资待遇和劳务派遣管理费一并交给了劳务派遣单位，再由劳务派遣单位根据自己的薪酬制度确定被派遣劳动者的工资待遇，在此情况下，劳务派遣单位支付给被派遣劳动者的劳动报酬可能低于用工单位本来的支出，因此，此种情况下对于用工单位而言，无法做到被派遣劳动者与劳动合同制职工的同工同酬。同工不同酬的基本表现是，被派遣劳动者不能完全享受用工单位给予相同岗位的合同制职工的劳动报酬，如基本标准工资低，没有带薪休假、探亲假等，不能享受疗养、休养，不能申请困难补助等。实际中，有一些用工单位通过使用被派遣劳动者并且给予被派遣劳动者较低的劳动报酬，以达到降低企业生产经营成本的目的。这种做法基于职工身份的不同给予区别对待，人为划分职工等级，既不利于维护工人阶级的主体地位，从长远来看，也不利于企业的健康发展。因此，法律明确规定了被派遣劳动者享有与用工单位的劳动者同工同酬的权利，就是要禁止上述现象。实现同工同酬，既是用工单位的义务，也是劳务派遣单位的义务。

三、关于实行相同的劳动报酬分配办法

2007 年制定的《劳动合同法》第 63 条对被派遣劳动者与

用工单位的劳动者享有同工同酬的权利作了明确规定，但是实践中各方面对同工同酬的具体含义有不同认识。从实际情况来看，同工不同酬的问题仍然比较突出。被派遣劳动者在主张权利时可提供的硬性依据不足。在《劳动合同法》修改过程中，有的常委委员建议对被派遣劳动者与用工单位的劳动者实现同工同酬予以进一步细化。修改后的《劳动合同法》增加规定了“用工单位应当按照同工同酬原则，对被派遣劳动者与本单位同类岗位的劳动者实行相同的劳动报酬分配办法”。依据这一规定，被派遣劳动者的报酬分配方式应当纳入用工单位的薪酬分配体系，为实现同工同酬提供制度上的保障。一般而言，用工单位对于本单位的薪酬管理和支付标准有一套管理制度，修改后的《劳动合同法》规定，在用工单位工作的被派遣劳动者应当纳入这套管理体系，使被派遣劳动者的报酬标准与用工单位的合同制职工有对应的参照体系。

需要指出的是，同工同酬并不是要求用工单位不分情况地对同一岗位的劳动者支付完全相同的劳动报酬。在同一个岗位工作的劳动者，无论是合同制职工还是被派遣劳动者，他们的工资由基本工资、绩效工资、工龄工资等组成，有的岗位还是计件岗位，需要根据劳动者的工作效率和工作质量来确定工资，在这些因素的影响下，劳动者的工资一般不会完全相同，有时甚至有很大差别，这符合按劳分配的原则，也可以避免出现“大锅饭”现象，影响劳动者的生产积极性。当然，这种差别不是基于劳动者身份的差别，而是充分尊重了个人的劳动能力和工作贡献，符合劳动力价值的一般规律。修改后的《劳动合同法》尊重这一规律，规定用工单位应当对被派遣劳动者与本单位同类岗位的劳动者实行相同的劳动报酬分配办法，也就是要强调，被派遣劳动者和用工单位的合同制职工只要在同一岗位上工作，做出了相应的业绩和贡献，就应当没有区别地获得相应的劳动报酬。比如说，用工单位规定，职工生产一件合格产品就能获得 100 元报酬，该制度既要适用于合同制职工，也要适用于被派遣劳动者，在该岗位上工作的劳动者都能按照这个报酬办法获得相应的报酬，不能因为是被派遣劳动者而付给较低的报酬。再比如，用工单位规定，在本单位工作满 1 年的劳动者可获得每月 200 元的工龄工资，这样的规定主要是考虑了劳动者对单位发展做出的贡献，劳动合同制职工工作满 1 年，就可按规定取得 200 元工龄工资，同样，被派遣劳动者只要符合这个条件，也应当取得这部分工龄工资。

四、关于无同类岗位合同制职工时被派遣劳动者的报酬确定

劳动者被派遣到用工单位后，在临时性、辅助性、替代性工作岗位上工作，这些岗位可能同时有用工单位的劳动合同制职工，也可能没有合同制职工。比如有的用工单位日常并没有电工，在电路升级改造期间使用了被派遣劳动者来从事电工工作；或者有的单位的辅助性工作岗位如保洁、餐饮等，全部使用了被派遣劳动者。在这类岗位没有合同制职工，用工单位又没有同类岗位劳动者的情况下，被派遣劳动者的劳

动报酬不能随意确定，而是要依据一定的标准。在此情况下，被派遣劳动者的劳动报酬参照用工单位所在地相同或者相近岗位劳动者的劳动报酬确定。比如对于上述派遣到用工单位从事电路升级改造的电工，应当按照用工单位当地的电工工资标准确定其劳动报酬。对从事保洁、餐饮的被派遣劳动者也要依据当地保洁、餐饮行业的工资标准确定劳动报酬。

五、同工同酬在劳动合同和劳务派遣协议中的体现

如何进一步保障劳动者可以通过有效的途径来维护自身合法权益，是修改《劳动合同法》的一个重点。法律中规定同工同酬各方的义务，但最终的权利主张者在于被派遣劳动者，劳动者在主张权利的时候，除了依据法律的规定外，还需要充分的证据支持。为此，修改后的《劳动合同法》规定，劳务派遣单位与被派遣劳动者订立的劳动合同和与用工单位订立的劳务派遣协议，载明或者约定的向被派遣劳动者支付的劳动报酬应当符合同工同酬规定以及被派遣劳动者与用工单位的劳动者实行相同的劳动报酬分配办法的规定。劳动合同、劳务派遣协议作为被派遣劳动者与用工单位、劳务派遣单位权利义务的有效证明，要求其中关于劳动报酬的规定符合上述规定，一方面，有利于各方更为明确地执行同工同酬；另一方面，一旦发生有关劳动报酬的纠纷，被派遣劳动者可以依据劳动合同和劳务派遣协议主张权利，维护自身合法权益。

第六十四条　被派遣劳动者有权在劳务派遣单位或者用

工单位依法参加或者组织工会,维护自身的合法权益。

【释义】 本条是关于被派遣劳动者参加或者组织工会,实现民主权利的规定。

一、关于劳动者参加或组织工会的权利

在社会主义市场经济条件下,通过参加或者组织工会,利用工会集体的力量争取、维护自身合法权益是劳动者最基本的权利之一,被派遣劳动者由于其在劳务派遣三方关系中与劳务派遣单位和用工单位形成的特殊地位,其参加和组织工会的权利更应该得到强调和保护。《工会法》第3条规定:"在中国境内的企业、事业单位、机关中以工资收入为主要生活来源的体力劳动者和脑力劳动者,不分民族、种族、性别、职业、宗教信仰、教育程度,都有依法参加和组织工会的权利。任何组织和个人不得阻挠和限制。"《劳动法》第7条规定:"劳动者有权依法参加和组织工会。工会代表和维护劳动者的合法权益,依法独立自主地开展活动。"根据上述规定,劳动者的此项权利又可以分为两个方面:一是依法参加已有工会的权利,二是依法组织工会的权利。

二、被派遣劳动者参加或组织工会的情况

根据有关方面的调查显示,在实际中,有一定数量的被派遣劳动者没有参加工会。与劳动合同制职工相比,被派遣劳动者参加工会的情况比较特殊,劳务派遣单位将被派遣劳动者派遣到不同的用工单位,被派遣劳动者比较分散、流动性大，因此，劳务派遣单位很难形成稳定的工会组织。有的劳务派遣单位即使组建了工会，工会的工作也很难开展，主要原因在于，被派遣劳动者的劳动条件与劳动保护、劳动报酬以及是否有工可做，很大程度上是由用工单位决定的，劳务派遣单位的工会依据劳务派遣协议的一般规定很难对用工单位的内部事务进行干预。而且，被派遣劳动者与劳务派遣单位缺乏紧密的联系，两者的关系由于被派遣劳动者提供劳务的对象和地点等原因变得比较疏远。劳务派遣单位雇用的劳动者被派往不同的用工单位，被派遣劳动者缺乏共同的利益诉求，很难形成团体力量与劳务派遣单位进行集体协商。工会的重要作用之一是改善劳动者的工作条件和工作环境。由于劳务派遣单位自身的局限性，被派遣劳动者的工作条件和环境都是用工单位提供的，因此，很多情况下，被派遣劳动者不愿意参加劳务派遣单位的工会，他们更愿意参加用工单位的工会。另外，尽管被派遣劳动者在用工单位工作，但由于他们不是用工单位的正式职工，且还涉及工会会费和会员福利等问题，用工单位的工会一般也不愿意吸收被派遣劳动者作为本单位工会的会员，被派遣劳动者在参加用工单位工会方面存在一定的障碍和困难。

三、被派遣劳动者参加或组织工会的权利

2007 年在制定《劳动合同法》时，考虑到劳务派遣工所处的特殊地位，为方便被派遣劳动者参加工会组织，法律没有硬性规定被派遣劳动者一定要参加某一方面的工会，而是规定，

被派遣劳动者既可以在劳务派遣单位参加工会,也可以在用工单位参加工会,这是从保护被派遣劳动者权利的角度规定的。由此可知,劳务派遣单位和用工单位均有保障被派遣劳动者实现这一权利的义务,也就是说,劳务派遣单位和用工单位一方没有工会时,另一方应当允许被派遣劳动者加入本单位工会;如果双方都有工会,可以由劳动者在两者之间作出选择,被选择的单位不得拒绝被派遣劳动者加入本单位工会的请求。有关工会组织应当对此作出妥善安排。当然,考虑到部分劳务派遣在临时性和替代性工作岗位上实施的特点,被派遣劳动者在选择参加工会时,应当作出恰当选择,避免选择参加用工单位的工会后,因变换用工单位带来的工会关系不稳定,在这种情况下,选择参加劳务派遣单位的工会有利于避免不必要的会员手续变更和档案转移。被派遣劳动者参加工会后,可以享受工会会员的权利,并通过工会维护自身合法权益。

四、被派遣劳动者通过工会维护自身合法权益的途径

被派遣劳动者加入工会后,依据《中国工会章程》的规定,享有以下权利:选举权、被选举权和表决权;批评工会的任何组织和任何工作人员,要求撤换或罢免工会工作人员,对工会工作进行监督;对国家和社会生活问题提出批评与建议,要求工会组织向有关方面如实反映;享受工会举办的文化、教育、体育、旅游、疗休养等的优惠待遇;享受工会给予的各种奖励;在工会会议和工会报刊上,参加关于工会工作和职工关心

问题的讨论;在合法权益受到侵犯时,要求工会给予保护。

代表和维护包括被派遣劳动者在内广大劳动者的合法权益,既是工会的职责,也是工会的权利和义务。被派遣劳动者组织起来形成团体力量,通过与劳务派遣单位或用工单位进行集体谈判,是被派遣劳动者改变地位不对等,保护自身合法权益的重要手段。由于用工关系与雇佣关系分离,为防止被派遣劳动者在加入工会问题上遭遇劳务派遣单位与用工单位的互相扯皮,赋予被派遣劳动者加入工会的选择权具有现实意义。当被派遣劳动者的合法权益受到侵害时,不论是用工单位工会还是劳务派遣单位工会,均有权也有义务出面维护被派遣劳动者的合法权益。根据《工会法》的有关规定,工会应当主要从以下几个方面代表和维护被派遣劳动者的合法权益:

1. 协助企业做好涉及被派遣劳动者切身利益的工作。根据《工会法》的规定,工会应当协助劳务派遣单位和用工单位办好职工集体福利事业,做好劳动报酬和社会保险等工作。工会协助办好职工集体福利事业,是工会性质的必然要求,关心职工生活,帮助职工群众解决生活问题,是工会密切联系群众的有效手段。职工集体福利包括职工食堂、浴室、托儿所、医务室以及生活供应等。保证被派遣劳动者享受这些集体福利,有利于被派遣劳动者身心健康,进一步调动被派遣劳动者的生产积极性,更好地投入工作。此外,工会还应当监督国家有关劳动报酬法律法规的执行情况,维护被派遣劳动者同工同酬的权利,积极参与、推动社会保险制度在被派遣劳动者群体的落实。

2. 保障被派遣劳动者行使民主管理的权利。《工会法》第19条规定，企业、事业单位违反职工代表大会制度和其他民主管理制度，工会有权要求纠正，保障职工依法行使民主管理的权利。依据这一规定，被派遣劳动者作为职工和工会会员，工会应当保障其依法享有的民主权利。比如某用工单位制定了一项章程，其中规定了对被派遣劳动者歧视的条款，不允许被派遣劳动者依法参与企业的民主管理，工会有权要求企业予以纠正，对违反民主管理制度的责任人员可以向该单位的上级主管部门提出意见，要求予以处理。

3. 帮助、指导被派遣劳动者签订劳动合同。劳动合同的签订涉及许多法律、法规问题，工会通常比被派遣劳动者个人更熟悉这些法律、法规，因此，在被派遣劳动者与用人单位签订劳动合同的过程中，需要工会对其提供帮助、指导。这些帮助和指导主要是对被派遣劳动者做一些宣传解释工作，帮助其认识到签订劳动合同的重要性，如何签订劳动合同，什么是合法的，什么是违法的，在劳动合同条款中应有什么权利，应履行什么义务，怎样正确履行劳动合同，违反劳动合同要承担什么法律责任，发生合同纠纷后怎么办等问题，使被派遣劳动者依法正确签订劳动合同，避免盲目签订、事后反悔等现象发生，便于劳动合同的正确履行，维护被派遣劳动者的合法权益。

4. 监督用人单位的有关人事管理权。根据《工会法》的有关规定，劳务派遣单位或用工单位处分被派遣劳动者，工会认为不适当的，有权提出意见。劳务派遣单位单方面解除劳动合同时，或者用工单位单方面退回被派遣劳动者，应当事先将理由通知工会，工会认为企业违反法律、法规和有关合同和协议的，要求重新研究处理时，劳务派遣单位和用工单位应当研究工会的意见，并将处理结果书面通知工会。通过工会介入监督，有助于保障劳务派遣单位和用工单位处分被派遣劳动者必须依法进行，劳务派遣单位和用工单位应当对工会提出的意见认真考虑，采纳合理的建议。

5. 对用工单位侵犯被派遣劳动者权益的情形进行交涉。在实际中，有个别用工单位无视被派遣劳动者的劳动条件与安全，随意延长劳动时间、不支付被派遣劳动者的加班费、不提供劳动安全保护，侵犯被派遣劳动者的合法权益。根据《工会法》的有关规定，用工单位如果实施了上述行为，工会应当代表被派遣劳动者与之交涉，要求改正，用工单位应当研究处理并向工会作出答复；拒不改正的，工会可以请求当地人民政府依法作出处理。在被派遣劳动者认为劳务派遣单位或用工单位侵犯其合法权益而申请劳动争议仲裁或者向人民法院提起诉讼的过程中，工会也应当给予支持和帮助。

第六十五条　被派遣劳动者可以依照本法第三十六条、第三十八条的规定与劳务派遣单位解除劳动合同。

被派遣劳动者有本法第三十九条和第四十条第一项、第二项规定情形的，用工单位可以将劳动者退回劳务派遣单位，劳务派遣单位依照本法有关规定，可以与劳动者解除劳动

合同。

【释义】 本条是关于劳务派遣中劳动合同解除和用工单位退回被派遣劳动者的规定。

本条对劳务派遣中劳动合同的解除和用工单位退回劳动者加以规范的基本思路与本法关于解除劳动合同的规定思路基本一致，但因劳务派遣行为涉及劳务派遣单位、被派遣劳动者和用工单位三方主体，其劳动合同的解除也涉及三方的利益，与一般劳动合同的解除相比，劳务派遣中劳动合同的解除又有其特殊性，因此本条对这一问题作了特别规定。本法对劳务派遣关系中三方关系的解除情形加以特别规范，有利于解除情形的规范化，有利于劳动争议的处理，有利于构建、发展和谐、稳定的劳动关系，保护劳务派遣单位、被派遣劳动者和用工单位三方的合法权益。劳务派遣中劳动合同既可以由单方依法解除，也可以双方协商解除。解除劳动合同是劳动合同从订立到履行过程中可以预见的中间环节，依法解除劳动合同是维护劳动合同双方当事人正当权益的重要保证。

一、被派遣劳动者解除劳动合同

本条第 1 款规定了被派遣劳动者的劳动合同解除权。被派遣劳动者与劳务派遣单位之间建立的是劳动关系，因此，《劳动合同法》规定的劳动者可解除劳动合同的情形同样的适用于被派遣劳动者与劳务派遣单位。依据本款的规定，被派遣劳动者可以依照本法第 36 条、第 38 条的规定与劳务派遣单位协商解除劳动合同，或者由于劳务派遣单位与用工单位有违法行为的，可以随时通知解除劳动合同。被派遣劳动者在以下情形下可以与劳务派遣单位解除劳动合同：

（1）与劳务派遣单位协商一致，可以解除劳动合同；

（2）用工单位未按照约定提供劳动保护或者劳动条件的；

（3）劳务派遣单位未及时足额支付劳动报酬的；

（4）劳务派遣单位未依法为被派遣劳动者缴纳社会保险费的；

（5）劳务派遣单位或者用工单位的规章制度违反法律、法规的规定，损害被派遣劳动者权益的；

（6）劳务派遣单位以欺诈、胁迫的手段或者乘人之危，使被派遣劳动者在违背真实意思的情况下订立或者变更劳动合同，致使劳动合同无效的；

（7）劳务派遣单位免除自己的法定责任、排除被派遣劳动者权利，致使劳动合同无效的；

（8）劳动合同因违反法律、行政法规强制性规定而导致无效的；

（9）用人单位或者用工单位以暴力、威胁或者非法限制人身自由的手段强迫劳动者劳动的；

（10）用人单位或者用工单位违章指挥、强令冒险作业危及劳动者人身安全的；

（11）法律、行政法规规定被派遣劳动者可以解除劳动合同的其他情形。

二、用工单位退回被派遣劳动者和劳务派遣单位解除劳动合同

本条第 2 款规定了用工单位可以退回被派遣劳动者及派遣单位解除劳动合同的情形，即被派遣劳动者有本法第 39 条和第 40 条第 1 项、第 2 项规定情形的，用工单位可以将劳动者退回劳务派遣单位，劳务派遣单位依照本法有关规定，可以与劳动者解除劳动合同。

根据本法的有关规定，被派遣劳动者有下列情形之一的，用工单位可以将被派遣劳动者退回劳务派遣单位：

(1) 在试用期间被证明不符合录用条件的；

(2) 严重违反用工单位的规章制度的；

(3) 严重失职，营私舞弊，给用工单位造成重大损害的；

(4) 被派遣劳动者同时与其他用人单位建立劳动关系，对完成本用工单位的工作任务造成严重影响，或者经用工单位或劳务派遣单位提出，拒不改正的；

(5) 因本法第 26 条第 1 款第 1 项规定的情形致使劳动合同无效的，这里主要是指被派遣劳动者以欺诈、胁迫的手段或者乘人之危，使劳务派遣单位在违背真实意思的情况下订立或者变更劳动合同，致使劳动合同无效的，或者是被派遣劳动者以欺诈、胁迫的手段或者乘人之危，使用工单位在违背真实意思的情况下与其建立用工关系的；

(6) 被依法追究刑事责任的；

(7) 被派遣劳动者患病或者非因工负伤，在规定的医疗

期满后不能从事原工作，也不能从事由用工单位另行安排的工作的；

(8)被派遣劳动者不能胜任工作，经过培训或者调整工作岗位，仍不能胜任工作的。

可见，用工单位退回被派遣劳动者只能是被派遣劳动者不符合录用条件或严重违纪违法，以及不胜任工作等情形。这样，劳务派遣单位依据劳动合同法的有关规定，可以与被派遣劳动者解除劳动合同。这里需要注意的是，用工单位不是被派遣劳动者的用人单位，其与被派遣劳动者之间不存在劳动合同关系，所以一般情况下，不可依据本法第40条第3项规定的情形，即“劳动合同订立时所依据的客观情况发生重大变化，致使劳动合同无法履行，经用人单位与劳动者协商，未能就变更劳动合同内容达成协议的”，将被派遣劳动者退回劳务派遣单位。但如果用工单位因为《劳动合同法》第41条规定的经济性裁员的需要，将被派遣劳动者退回劳务派遣单位的，其与劳务派遣单位之间的劳务派遣协议的履行适用合同法中的情势变更原则。被派遣劳动者与劳务派遣单位之间的劳动关系并未发生改变。这样被退回的被派遣劳动者，既不属于出现《劳动合同法》第39条规定的过错被退回，也不属于第40条第1项和第2项规定的劳动者无力承担或不能正常履行相应岗位工作被退回的情况。因此，劳务派遣单位不能以劳务派遣员工被退回为由，解除与其订立的劳动合同。这种情况属于被派遣劳动者“无工作期间”，劳务派遣单位应当依照《劳动合同法》第58条的规定，按照其所在地人民政府规定的最低工资标准，向被派遣劳动者按月支付报酬，并可将劳动者再派往其他用工单位。

另外，劳务派遣单位与劳动者解除劳动合同，应当依照本法的有关规定进行，如根据本法第42条的规定，被派遣劳动者有下列情形之一的，劳务派遣单位不得依照本法第40条、第41条的规定解除劳动合同：(1)从事接触职业病危害作业的劳动者未进行离岗前职业健康检查，或者疑似职业病病人在诊断或者医学观察期间的；(2)在本单位患职业病或者因工负伤并被确认丧失或者部分丧失劳动能力的；(3)患病或者非因工负伤，在规定的医疗期内的；(4)女职工在孕期、产期、哺乳期的；(5)在本单位连续工作满15年，且距法定退休年龄不足5年的；(6)法律、行政法规规定的其他情形。

需要指出的是，在劳务派遣中，劳动者在用工单位工作，要服从用工单位的指挥和命令，遵守用工单位的规章制度，并付出劳动。用工单位作为接受劳动的主体，负责在劳动过程中对被派遣劳动者进行指挥和管理，并提供相应的劳动条件和劳动保护，诸如劳动者的工作岗位安排、工作任务分配、工作纪律实施、工作安全防范和工作卫生监督等。因此，双方形成用工关系，原则上应当适用《劳动法》和《劳动合同法》有关劳动者和用人单位的权利义务的规定。

第六十六条　劳动合同用工是我国的企业基本用工形式。劳务派遣用工是补充形式，只能在临时性、辅助性或者替代性的工作岗位上实施。

前款规定的临时性工作岗位是指存续时间不超过六个月的岗位；辅助性工作岗位是指为主营业务岗位提供服务的非主营业务岗位；替代性工作岗位是指用工单位的劳动者因脱产学习、休假等原因无法工作的一定期间内，可以由其他劳动者替代工作的岗位。

用工单位应当严格控制劳务派遣用工数量，不得超过其用工总量的一定比例，具体比例由国务院劳动行政部门规定。

【释义】 本条是关于劳务派遣用工的法律地位及其用工岗位、数量限制的规定。

在《劳动合同法》的制定、修改过程中，劳务派遣用工的法律地位一直是各方面关注的焦点。明确劳务派遣用工的法律地位，是构建劳务派遣法律制度的基石；缺乏科学、合理的定位，劳务派遣法律制度的整体设计无从谈起。法律定位不清晰，对劳务派遣用工这一新的用工方式，是应当鼓励，还是限制，或者在允许其存在的基础上对其适用岗位、数量加以严格限制，也难以有明确的答案。

从法律层面对劳务派遣用工这一新的用工方式进行科学、合理的定位，是一项重大的立法抉择。为科学、合理地界定劳务派遣用工的法律地位，有必要将其放在我国劳动用工制度改革与发展的历史进程中加以考察，研究劳务派遣是在什么样的历史背景下产生与发展起来的，它与劳动合同用工等其他用工方式相比有何特点；要分析它存在的价值，它对促进就业，对劳动力市场的发展以及劳动者合法权益的维护有哪些方面的影响，既包括积极的一面，也包括消极的一面。在此基础上，权衡两方面的利弊，发挥立法对经济社会发展和主体行为的规范、引领功能，通过科学、合理、符合客观实际需要的法律制度的设计，充分发挥劳务派遣用工的积极功能，努力消除其不利影响。

一、劳动用工制度改革与劳务派遣用工发展

通常人们认为，我国的劳务派遣始于20世纪70年代末80年代初，当时主要是一些外国企业驻华代表机构通过我国外企服务机构向其派遣劳动者，解决其在华用工问题。但是劳务派遣用工的真正发展，则与20世纪90年代以来国有企业用工制度改革进程密切相关。劳务派遣问题，最初是国企用工制度改革派生出来的问题。

国有企业改革是我国社会主义经济体制改革的重要内容。20世纪90年代，国有企业经营机制、用工机制僵化的问题比较突出，企业内部人浮于事、效益不佳，部分行业全面亏损，扭亏为盈是摆在国有企业面前的一项艰巨任务。为扭亏为盈，国有企业必须大力改革用工制度，在全面推进全员劳动合同制改革的同时，充分利用国家政策，通过多种渠道实施减员增效。一是采取协议解除（包括买断工龄等）的方式实现人员分流；二是积极探索实施主辅分离，分离企业办社会职能，实现"减员不失业、分流不下岗"，同时严把入口关。

随着国有企业用工制度改革的逐步推进，下岗分流职工日益增多，如何安置这些人员成为一个突出问题。国家为了鼓励国有企业安置富余人员，先后出台了一系列政策措施，鼓励企业开办劳动就业服务企业，承担安置本企业富余职工的任务。例如，1993 年国务院出台的《国有企业富余职工安置规定》要求企业主管部门、劳动行政部门和工会组织指导、帮助和支持企业做好富余职工安置工作。在这种情况下，一些企业通过设立劳务服务公司的方式，开展多种形式，鼓励下岗职工再就业。可以说，我国最早一批真正意义上的劳务派遣单位就是在国有企业开办的劳动就业服务企业的基础上形成的。

20 世纪 90 年代中后期以来，国有企业用工制度改革出现了新的变化，全员劳动合同制改革已经全面铺开，但是“铁饭碗”的观念仍然没有破除，国有企业员工能进不能出、收入能高不能低的问题仍然没有彻底得到解决。国企员工仍然普遍认为国有企业有提供终身雇用的义务。实行全员劳动合同制后，这种“心理契约”虽然不具有法律约束力，却普遍存在，对国有企业及其员工仍然有根深蒂固的影响。为了减少阻力，一些企业在改革过程中采取了“老人老办法、新人新办法”的做法，对待老人，尽管按照推行全员劳动合同制的要求与其订立劳动合同，但其身份上仍然是固定工（订立无固定期限合同），对新人，企业与其订立固定期限合同。此外，还有大量的临时工。2000 年前后，不少国有企业为加强对临时工的管理，逐步将大量临时工转为劳务派遣工。此后，随着国民经济的快速发展和国有企业经济效益的好转，大量农村富余劳动力转移到城市，国有企业经营业务的扩张也吸引了大量的农民工就业，这部分人员逐步成为劳务派遣工的主体，劳务派遣用工的总体规模迅猛增长。

2008年《劳动合同法》实施以来,我国的劳务派遣进一步快速发展,劳务派遣用工规模不断扩大。由于缺乏准确、权威的数据统计,全国劳务派遣工的总数无法确认,但是从一些行业、一些用工企业的实际调研情况来看,劳务派遣工数量猛增是一个不争的事实。一些企业根据劳动者的学历、素质等方面的不同实行用工双轨制,正规大学毕业生毕业进入企业,订立劳动合同,招收的大量农村进城务工人员,则一概采取劳务派遣的方式。有的企业甚至在劳动合同法实施后,将大量的合同工专为派遣工。此外,随着所有制形式的多样化和外资、私营企业的发展,使用劳务派遣的企业不再局限于国有企业。大量外资、私营企业也开始使用劳务派遣工,尤其是在一些领域,劳务派遣规模不断扩大,一些企业突破劳动合同法规定的"三性"岗位范围,在主营业务岗位上长期、大量使用被派遣劳动者。一些外资企业甚至实施全员劳务派遣,除了个别领导为外资企业正式雇员外,其余全部职工为劳务派遣工。个别国有大型企业劳务派遣工数量已达数十万人之众,劳务派遣用工有逐步取代劳动合同用工成为用工主渠道的趋势。

从这一时期劳务派遣用工的发展原因来分析:一是劳务派遣降低了用工成本。尽管《劳动合同法》规定被派遣劳动者享有与用工单位的劳动者同工同酬的权利,但是实践中对此没有明确的量化标准。降低用工成本不仅体现在降低劳动报酬标准上,也体现在劳务派遣工不享受用工单位相应的福利待遇,合同工与派遣工的工资待遇差别很大,有的企业劳务派遣的工资待遇水平不到合同工的60%。二是劳务派遣增强了用工灵活性。尽管《劳动合同法》对维护劳务派遣工的就业稳定性作了相应的规定,但是在实践中,与合同制职工相比,用工单位仍然视派遣工为一种相对灵活的用工方式。还有一些企业为规避劳动合同法中规定的订立无固定期限劳动合同要求,不与劳动者直接订立劳动合同而选择劳务派遣方式。三是劳务派遣用工有利于减少劳动争议。劳务派遣单位作为被派遣劳动者的用人单位,可以协助用工单位承担大量劳动争议处理工作。此外,还有一些相关制度的制约也促使一些企业使用劳务派遣工。对国有企业而言,国有资产监督管理部门对其实施严格的工资总额控制,工资总额的增加受制于企业效益增长。由于在企业核算上,劳务派遣工的工资一般不纳入企业工资总额核算而以劳务费的形式支出,不受企业工资总额的控制,企业大量使用劳务派遣工既可以满足企业生产经营活动扩张对人才和劳动力的需求,又可以规避企业工资总额的控制,维护企业正式职工的利益。这也是相当一部分国有企业选择劳务派遣用工的重要考虑因素之一。对部分上市公司而言,全员劳动生产率是考核上市公司业绩的重要指标,也是投资者看重的内容。劳务派遣工为公司创造效益,但又不属于上市公司的正式员工,大量使用劳务派遣工可以大大提高上市公司的全员劳动生产率指标。

二、对劳务派遣用工法律地位认识的不断深化

(一)劳动合同法出台之前的认识

在《劳动合同法》出台之前,有关劳务派遣的规范散见于

一些地方性规定。例如，北京市劳动和社会保障局等部门于1999年6月28日联合发布《北京市劳务派遣组织管理暂行办法》，对劳务派遣的名称、注册资本要求、开办程序以及鼓励扶持措施等作了规定。2004年福建省人民政府印发《关于开展劳务派遣工作若干意见（试行）的通知》，对劳务派遣企业的成立，被派遣人员的技能培训、社会保障，被派遣人员合法权益的维护等方面作了相应规定。2005年甘肃省人民政府办公厅批转省劳动保障厅等部门《关于开展劳务派遣工作意见的通知》，对劳务派遣组织、劳动合同和劳务派遣协议的订立、被派遣劳动者的权益保护等方面作了相应的规定。从这些地方的规定来看，有以下几方面的特点：

一是各地方普遍将劳务派遣用工定位为解决下岗职工安置、促进就业的一种用工形式，承认其合法地位，对其促进就业的积极功能充分予以肯定。例如甘肃省提出，劳务派遣工对拓宽就业渠道，降低城镇失业率，加快城乡劳动者灵活就业组织化程度具有重要作用。

二是强调被派遣劳动者合法权益的维护。如甘肃、福建对劳务派遣人员的就业培训、社会保险等作了具体的规定。

三是有的地方对劳务派遣单位的经营资质、审核审批等作了一定的规范。例如，北京市1999年规定劳务派遣单位应当依法取得资质证书，2005年进一步提高了劳务派遣单位准入门槛，明确对从事劳务派遣活动的职业介绍机构实施行政许可制度。

四是有的地方对通过劳务派遣促进就业给予一些鼓励扶

持措施。例如北京市规定，鼓励下岗职工较多的企业开办劳务派遣组织，促进本企业的下岗职工实现再就业。劳务派遣组织派遣下岗职工达到一定规模的，可以向劳动行政部门申请一次性专项经费。

从各地的规定可以看出，在《劳动合同法》出台以前，各地对劳务派遣用工的性质、地位的认识还不太充分，各地的实践做法也不同。总体上看，多数地方将劳务派遣用工视为解决下岗再就业、拓宽就业渠道的一种灵活用工方式、对劳务派遣用工的规范也相对较为原则。从历史发展的角度来看，尽管目前劳务派遣被滥用所带来的一系列问题应当引起高度重视，但是不能因此而抹杀劳务派遣用工制度在其发展初期对促进国企下岗分流的积极意义。从当时一些地方对开展劳务派遣所采取的鼓励扶持措施也可以看出这一点。这些鼓励、扶持措施的出发点，正是因为其能够解决企业下岗职工的安置问题、促进就业。

（二）劳动合同法确立了劳务派遣用工的合法地位

2007 年制定的《劳动合同法》对劳务派遣专设一节作了全面规定，在国务院提交的《劳动合同法草案》规定的基础上，内容更加充实，对被派遣劳动者的保护更加全面。根据本法第 66 条规定，劳务派遣一般在临时性、辅助性或者替代性的工作岗位上实施。尽管《劳动合同法》的这一规定对劳务派遣用工的性质和地位没有明确的交代，对允许实施劳务派遣的岗位范围也没有作严格限定，但是从立法初衷和立法精神上看，是要对劳务派遣的实施范围加以一定的限制。劳务派遣不是在所有的岗位范围上都可以实施的一种用工方式，且从一般的含义上理解，“三性”岗位的范围也是相对较小的，用工单位的主要业务岗位、长期存在的岗位显然不属于“三性”岗位的范围。劳务派遣不应成为用工主渠道。

《劳动合同法》在规定劳务派遣一般在“三性”岗位上实施的同时，对劳务派遣单位的设立、劳务派遣单位与用工单位的义务、被派遣劳动者的权利保护等方面作了较为全面的规定。从这些规定来看，一方面，法律允许劳务派遣在一定范围内实施；另一方面，要求用工单位、劳务派遣单位履行法定义务，维护被派遣劳动者的合法权益。

（三）修改后的劳动合同法对企业用工形式的准确定位

2012 年 12 月 28 日通过的《劳动合同法》修改决定首次从立法上明确了劳务派遣用工的法律定位。根据修改后的《劳动合同法》第 66 条的规定，劳动合同用工是我国企业用工的基本形式，劳务派遣用工是补充形式。从立法上明确我国企业用工的基本形式和补充形式，具有重大的理论价值和现实意义。

首先，通过明确劳动合同用工是我国企业用工的基本形式，充分肯定了新中国成立以来，尤其是改革开放以来我国劳动用工制度改革的积极成果。从 20 世纪 90 年代以来推进的劳动合同制度改革是我国企业用工制度改革的核心内容。实行全员劳动合同制，建立能进能出、符合现代企业制度需要的用人制度是国企用工制度改革的目标。从新中国成立以来固定工制度一统天下，到基本实现全员劳动合同制，国有企业用工制度改革尽管面临方方面面的阻力，但是取得了很大的成绩，对于裁减冗余人员、减轻企业负担，促进企业发展乃至整个经济社会发展起到了十分积极的作用。实现劳动合同制度改革不能以牺牲劳动者的合法权益为代价，而是要通过合理的机制，充分调动国有企业和职工双方的积极性，最终实现二者的合作共赢。经过二十余年的改革，国有企业用工制度较之原有的固定工制度更加灵活，但是改革的目标迄今尚未完成实现。劳务派遣用工的规模化发展，一方面变相增加了企业用工的灵活性，另一方面又不触及现有企业利益分配格局。通过大量使用劳务派遣工，既能适应企业生产经营扩张对人才和劳动力的需求，又可以保证企业劳动合同制职工的薪酬、福利。随着劳务派遣用工的不断发展，国有企业用工形式从原来的基本实现全员劳动合同制，又逐渐蜕变为合同工（固定工）与劳务派遣工并存的双轨制用工格局。原有的固定工越来越少，现有的合同工在某种意义上慢慢又成为新的“固定工”。劳动合同用工形式又有可能重新蜕变为固定工模式。长此以往，可能进一步僵化国有企业的用工制度、阻碍用工制度改革目标的真正实现，国有企业推行二十多年来的全员劳动合同制改革成果也将大打折扣。这对国有企业的长远发展将是不利的。因此，在当前的形势下，重申劳动合同用工是我国企业用工的基本形式，有利于厘清观念、统一认识，更好地推动企业进一步深化用工制度改革，真正建立符合现代企业制度需要的、能进能出的劳动合同用工制度。科学、合理的用工制度是企业发展的生命力，国有企业要真正走向市场、走向世界，需要进一步深化用工制度改革。

其次，明确劳务派遣是我国企业用工的补充用工形式，为严格规范劳务派遣，包括对其实施岗位和数量限制提供了依据。既然劳务派遣是一种补充用工形式，那么就不能任由其自由发展。劳务派遣用工应当成为劳动合同用工的有益补充，而非取代劳动合同用工成为用工主渠道。

三、劳务派遣用工是一种补充用工形式

将劳务派遣用工定位为一种补充用工形式，是由其性质、功能以及维护劳动者的合法权益的客观需要等方面共同决定的。

（一）劳务派遣用工定位为补充用工形式是由其本身性质、功能决定的

劳务派遣用工作为一种新的用工方式，是在市场竞争日趋激烈、用工方式不断多元化的背景下产生和发展起来的。从国外情况来看，劳务派遣是一种非主流的用工方式，是对传统劳动合同用工的一种有益补充。在一些国家，法律对劳务派遣的限制比较严格，无论是其适用范围，还是用工期限限制，都有严格的规范；也有部分国家对劳务派遣的限制比较少，或者对劳务派遣的规范经历了由严格限制到逐步放宽的过程。但是，总体上看，即使是在对劳务派遣用工限制比较少或者监管逐步放宽的国家，劳务派遣用工规模在其整体用工规模中的比重仍然不高（一般不超过5%），与劳动合同用工比较，其仍然是一种非主流的、对劳动合同用工起补充作用的

用工方式。

从功能上看，劳务派遣有其促进灵活就业的积极一面。劳务派遣用工有利于整合劳动力市场信息，促进劳动力市场分工及专业化，尤其是有利于更及时、便捷地满足一些用工单位的临时性用工需求。对一些用人单位而言，季节性或者临时性用工需求增加，通过直接用工的方式招聘劳动者，所需时间较长，单位成本也比较高；通过发挥劳务派遣单位的专业性及其对劳动力市场信息掌握的敏感性和及时性，由劳务派遣单位为其提供合适的劳动者，既能提高用工效率，也有利于节省招聘费用。从这一角度来看，应当充分肯定劳务派遣在满足临时性用工需求方面的积极功能。但是，也应当看到劳务派遣用工中存在的一些弊端。劳务派遣将传统上劳动者与用工单位之间的双方关系，分割为劳动者、劳务派遣单位、用工单位之间的三方关系，从而导致“有劳动的没关系、有关系的没劳动”的局面。实践中，用工单位和劳务派遣单位都有可能侵害劳动者的合法权益，劳动者在其合法权益被侵害时，同时面临劳务派遣单位和用工单位两个主体，如何厘清责任，劳务派遣单位和用工单位如何切实保障法律赋予劳动者的权利，情况变得更为复杂；被派遣劳动者的权利一旦受到侵害，维权难度也会加大。为此，应当高度重视劳务派遣用工的发展给传统劳动合同用工方式和劳动者合法权益的维护所带来的负面影响。

目前，劳务派遣在一些领域、一些企业中被滥用，这与劳务派遣作为一种补充用工形式的性质和地位显然是不相符的。滥用劳务派遣用工的局面任其发展,必然影响劳动合同用工的主体地位。另外,实践中劳务派遣单位良莠不齐,部分劳务派遣单位经营不规范,被派遣劳动者享有与用工单位的劳动者同工同酬的权利以及参与企业民主管理等权利难以得到切实有效的保障等问题也较为突出,部分劳务派遣工在其合法权益受到侵害后,劳务派遣单位与用工单位之间相互推诿责任,被派遣劳动者的合法权益得不到很好的维护,心理上缺乏归属感,长此以往,不仅对被派遣劳动者,而且对用工单位的长远发展也是不利的。

(二)劳务派遣用工定位为补充用工形式是贯彻执行劳动法、劳动合同法的客观要求

劳动合同制度是我国《劳动法》《劳动合同法》中规定的一项基本劳动法律制度,也是法律规范的重点内容之一。根据《劳动合同法》的有关规定,用人单位自用工之日起即与劳动者建立劳动关系;建立劳动关系,应当订立书面劳动合同。劳动合同法之所以强调这一点,是因为劳动合同关系是一种相对稳定的用工关系,用人单位与劳动者之间通过合同约定,明确各自的权利义务关系。一方当事人违反合同约定的,另一方当事人可以依法主张权利,可以向劳动仲裁机构申请劳动仲裁,对仲裁裁决不服的,还可以向人民法院提起诉讼。

与劳动合同用工不同的是,在劳务派遣用工中,被派遣劳动者与劳务派遣单位订立劳动合同,其尽管在用工单位实际从事劳动,但二者之间却没有劳动合同,双方之间的权利义务,在被派遣劳动者与劳务派遣单位订立的劳动合同,以及劳

务派遣单位与用工单位订立的劳务派遣协议中体现。因此，一般而言，劳务派遣用工的稳定性不如直接用工，法律对劳动合同用工的保障水平高于劳务派遣工。一旦劳务派遣用工成为企业用工主体，而劳动合同用工成为一种补充形式，那么《劳动法》《劳动合同法》中有关劳动合同的一系列规定将被搁置，劳动者的就业稳定性及其合法权利维护必然受到影响，两法试图通过劳动合同制度维护劳动者合法权益的努力将付诸东流。从这个角度而言，也不应当允许劳务派遣用工成为用工的基本形式、成为用工主渠道。因此，将劳务派遣定位为一种补充用工形式，既考虑到了发挥劳务派遣用工的积极功能，也能够将其消极影响限制在一定的范围内，从而最大限度地保护劳动者的合法权益。

总之，既要肯定劳务派遣用工作为一种补充用工方式给劳动者就业和劳动力市场健康发展带来的积极意义，也要充分认识到滥用劳务派遣用工给劳动者合法权益的维护，以及构建和谐稳定的劳动关系带来的负面影响。劳务派遣不应成为用工主渠道，而应当是在坚持劳动合同用工主体地位的基础上，对企业用工方式的一种有益补充。为此，修正后的《劳动合同法》对此作了明确要求。

四、劳务派遣用工岗位与数量限制

（一）劳务派遣只能在"三性"岗位上实施

原《劳动合同法》第 66 条规定，劳务派遣一般在临时性、辅助性或者替代性的工作岗位上实施。这一规定的立法初衷是要将劳务派遣的实施限制在一定的范围内，而不是任由其发展。规定劳务派遣在“三性”岗位上实施，这与劳务派遣作为一种临时性、补充性的用工方式的性质和特点也是相符合的。但是实践中，由于缺乏相应的配套法规对“三性”岗位的具体含义作出进一步解释，给法律的有效实施带来了一定的不利影响。一是哪些属于一般情况，哪些属于特殊情况，没有明确的界定。二是对“临时性、辅助性、替代性”工作岗位的具体含义，实践中各方面有不同的认识和理解。

为解决上述突出问题，进一步严格规范劳务派遣，修改后的《劳动合同法》对此作了有针对性的规定，一是明确规定劳务派遣“只能”在“三性”岗位上实施，不允许超出“三性”岗位范围使用被派遣劳动者。二是对“三性”岗位的具体含义从立法上作了界定，即根据本条第二款的规定，临时性工作岗位的存续时间不超过 6 个月。需要说明的是，“6 个月”是指岗位本身存续的时间，而不是被派遣劳动者在某一工作岗位上的工作时间。辅助性岗位，是指为主营业务岗位提供服务的非主营业务岗位，如一些生产经营单位中的保安、保洁、炊事等后勤服务岗位等。替代性工作岗位，是指用工单位的劳动者因脱产学习、休息休假等原因无法工作的一定期间内，可以由其他劳动者替代工作的岗位。主要是指因用工单位的劳动者由于各种原因缺勤而由被派遣劳动者顶替的岗位。需要说明的是，从立法上对“三性”岗位作出解释后，国务院有关行政主管部门可以根据法律规定，结合实际情况，对有关问题进一步作出具体规定。

（二）用工单位使用被派遣劳动者的数量不得超过用工总量的一定比例

为避免劳务派遣成为用工主渠道，修正后的《劳动合同法》在明确允许实施劳务派遣的“三性”岗位范围的同时，对用工单位使用被派遣劳动者的数量比例做了进一步要求。

根据本条第3款的规定，用工单位应当严格控制劳务派遣用工数量，用工单位使用被派遣劳动者的数量不得超过其用工总量的一定比例。严格控制劳务派遣用工数量，目的在于避免劳务派遣成为用工主渠道，也就是说，要在坚持劳动合同用工这一企业基本用工形式的前提下，发挥劳务派遣作为一种补充用工形式，在促进就业、满足临时性用工需求方面的积极功能。同时，考虑到实践中各类企业的情况比较复杂，在立法上对用工单位使用被派遣劳动者的比例限制作出统一规定较为困难。为此，本条规定授权国务院劳动行政部门根据实际情况对劳务派遣用工比例限制进一步作出具体规定。

第六十七条　用人单位不得设立劳务派遣单位向本单位或者所属单位派遣劳动者。

【释义】　本条是关于用人单位不得设立劳务派遣单位自我派遣劳动者的规定。

本条规定具有明显的现实针对性。在社会经济生活中，劳务派遣被许多企业广泛用于各种可能的岗位。有的企业为了降低用工成本，将一些原来的正式职工以改制名义，分流到本企业设立的劳务派遣公司，然后又以劳务派遣公司的名义派遣到原岗位，工作没有变，身份变了。有的企业将内设的劳动管理机构挂一个劳务派遣公司的牌子，将员工以劳务派遣公司的名义派遣到所属企业。此类情况，更容易造成暗箱操作，不利于劳动者合法权益的保护，不利于和谐稳定劳动关系的构建和发展，给劳务派遣的发展造成了不利影响，必须通过立法予以禁止。

本条明确规定，用人单位不得设立劳务派遣单位向本单位或者所属单位派遣劳动者，就是力图解决上述问题。根据本条规定，禁止任何用人单位设立以自我派遣为目的的劳务派遣单位。用人单位虽然符合要求，经行政许可，可以经营劳务派遣业务，但严禁向本单位或者所属单位派遣劳动者。这里所说的"所属单位"主要包括母公司所属子公司，集团公司的下属公司等。

为了进一步明确本条关于禁止自设劳务派遣单位向本单位或者所属单位派遣劳动者，国务院《劳动合同法实施条例》作了进一步具体规定：用人单位或者其所属单位出资的或者合伙设立的劳务派遣单位，向本单位或者所属单位派遣劳动者的，属于《劳动合同法》本条规定的不得设立的劳务派遣单位。

第三节 非全日制用工

第六十八条 非全日制用工，是指以小时计酬为主，劳动

者在同一用人单位一般平均每日工作时间不超过四小时，每周工作时间累计不超过二十四小时的用工形式。

【释义】 本条是关于非全日制用工的概念的规定。

1994 年《劳动法》主要是以全日制劳动关系为模式进行设计和规范的，对非全日制劳动关系没有涉及。本条第一次以法律的形式对非全日制用工作出了规定。把非全日制用工纳入《劳动合同法》的调整范围，有利于完善我国的劳动合同制度，有利于维护这部分劳动者的合法权益。

非全日制劳动是灵活就业的一种重要形式。近年来，我国非全日制劳动用工形式呈现迅速发展的趋势，特别是在餐饮、超市、社区服务等领域，用人单位使用的非全日制用工形式越来越多。在我国促进非全日制劳动的重要意义，主要表现在以下几个方面：

首先，它适应企业降低人工成本、推进灵活用工的客观需要。在市场经济条件下，企业用工需求取决于生产经营的客观需要，同时，企业为追求利润的最大化，也要尽可能地降低人工成本。实际上，非全日制用工的人工成本明显低于全日制用工。因此，越来越多的企业根据生产经营的需要，采用包括非全日制用工在内的一些灵活用工形式。其次，促进下岗职工和失业人员再就业。在劳动力市场供过于求的矛盾十分尖锐、下岗职工和失业人员的就业竞争压力较大的情况下，非全日制劳动在促进下岗职工和失业人员再就业方面发挥着越来越重要的作用。最后，有利于缓解劳动力市场供求失衡的矛盾，减少失业现象。在劳动力大量过剩、劳动力供求关系严重失衡、就业机会短缺的背景下，企业实行非全日制用工制度，可以使企业在对人力资源的客观需求总量不变的条件下，招用非全日制职工，可以给广大劳动者提供更多的就业机会。

非全日制用工属于劳动关系。根据本法第2条规定的本法的适用范围，本条规定的非全日制用工只限于用人单位用工，而不包括个人用工形式。个人用工属于民事雇佣关系，应受民事法律关系调整，但劳动者通过依法成立的劳务派遣组织派遣为用人单位、家庭或者个人提供非全日制劳动的应受《劳动合同法》的调整。

劳动和社会保障部《关于非全日制用工若干问题的意见》规定："劳动者通过依法成立的劳务派遣组织为其他单位、家庭或个人提供非全日制劳动的，由劳务派遣组织与非全日制劳动者签订劳动合同。"用人单位与非全日制劳动者之间的关系，则符合劳动关系的所有特征，双方之间建立的是劳动关系，应受《劳动法》和《劳动合同法》的调整。

非全日制用工的计酬方式灵活多样，以小时计酬为主，但不局限于以小时计酬。除了以小时计酬的形式以外，常见的计酬方式还有以日、周为单位来计酬或按件计酬。因为劳动者可以在一个以上的用人单位从事非全日制劳动，所以本条所规定的一般平均每日工作时间和每周工作累计时间，都是针对劳动者在同一个用人单位劳动所作出的，而并不是指劳动者实际上平均每日的全部劳动时间和每周累计的全部劳动时间。

2003年5月30日，劳动和社会保障部颁发的《关于非全日制用工若干问题的意见》也对非全日制用工进行规范。该意见规定，“非全日制用工是指以小时计酬、劳动者在同一用人单位平均每日工作时间不超过5小时累计每周工作时间不超过30小时的用工形式”。与该意见相比，《劳动合同法》扩大了非全日制用工的计酬方式，缩短了关于非全日制用工的劳动者在同一家用人单位的平均每日工作时间和累计每周工作时间的规定，更好地保护了非全日制用工的劳动者的合法权益。《劳动合同法》比《关于非全日制用工若干问题的意见》的法律效力高，因此在劳动合同法实施后，关于非全日制用工的界定应当以劳动合同法的规定为准。

第六十九条　非全日制用工双方当事人可以订立口头协议。

从事非全日制用工的劳动者可以与一个或者一个以上用人单位订立劳动合同；但是，后订立的劳动合同不得影响先订立的劳动合同的履行。

【释义】　本条是关于非全日制用工的劳动合同订立的规定。

本条规定，非全日制用工双方当事人可以订立口头合同，也就是说，非全日制用工双方当事人既可以订立书面协议，也可以订立口头协议。

关于劳动合同的形式，学界一直存在不同的意见，各国立法所采取的模式也不尽相同。在《劳动合同法》颁布之前，我国地方立法和部门规章对非全日制劳动合同形式的规定，大致可以分为三种模式:第一,要求采用书面形式。这种模式将非全日制劳动合同限制在书面形式,是最为严格的。如《北京市非全日制就业管理若干问题的通知》中规定,非全日制从业人员可以同时与两个或多个用人单位订立劳动关系,用人单位与非全日制从业人员应当自用工之日起以书面形式订立非全日制劳动合同,劳动合同一式两份,双方当事人各执一份。第二,一般要求采用书面形式,但合同期限在 1 个月以下的,可以采用口头形式。这种模式根据合同期限决定合同形式,留有一定的灵活余地,如《江苏省劳动合同条例》中规定,订立非全日制劳动合同一般采用书面形式。劳动合同期限在 1 个月以下的,经当事人协商同意,可以订立口头劳动合同。但劳动者提出订立书面劳动合同的,应当订立书面合同。第三,允许采用书面形式和口头形式。这是最为宽松的模式,但是就算是采用这种模式的地方,也往往将书面形式放在优先的位置。例如,《成都市劳动用工和社会保险管理暂行规定》中规定,从事非全日制工作的劳动者,用人单位或雇主应与劳动者以书面形式或其他形式签订非全日制劳动合同;当事人一方提出采用书面形式的,应当采用书面形式。

考虑到实践中存在大量非书面合同的劳动关系和国际上通行的做法,为了更好地保持非全日制用工形式的灵活性以促进就业,《劳动合同法》采用了最为宽松的模式。

本条规定,从事非全日制用工的劳动者可以与一个或者一个以上的用人单位订立劳动合同,即允许从事非全日制用工的劳动者建立双重或多重劳动关系,这就突破了原《劳动法》禁止建立多重劳动关系的限制。劳动者以非全日制的形式就业,不仅在一个单位的工作时间比标准工时少,而且其收入也往往低于全日制职工。因此,非全日制就业的人员不仅有可能产生从事两种或两种以上职业的愿望,而且也拥有可调剂安排的劳动时间,他们与不同的用人单位建立双重或多重劳动关系的现象也就自然会出现。从事非全日制用工的劳动者可以与一个用人单位订立劳动合同,从而形成劳动关系;也可以与一个以上用人单位分别订立劳动合同,建立双重或多重劳动关系。

一些地方立法已经突破了在全日制用工形式下禁止建立双重或多重劳动关系的限制,如上海市颁布的《上海市劳动合同条例》中规定,非全日制劳动者可以与用人单位建立双重或多重劳动关系。允许劳动者建立双重或多重劳动关系有多方面的好处:第一,劳动者可以增加收入;第二,用人单位可以降低用人成本;第三,有助于充分利用稀缺人才的特殊才能,加快经济和社会发展;第四,有助于使劳动者得到多方面的锻炼,成为复合型的高素质人才。但是,订立一个以上劳动合同的,后订立的劳动合同不得影响先订立劳动合同的履行,不得侵害到先订立的劳动合同。

第七十条 非全日制用工双方当事人不得约定试用期。

【释义】 本条是关于非全日制用工双方当事人不得约定试用期的规定。

《劳动合同法》第 17 条规定用人单位与劳动者可以协商

约定试用期,将试用期作为劳动合同的约定条款,而不是必备条款。本条针对非全日制用工的特殊性,对《劳动合同法》第17条作出了限制性的规定,明确禁止非全日制用工双方当事人约定试用期,更好地维护了非全日制劳动者的权益。

劳动合同的试用期,是指包括在劳动合同期限内的,劳动关系还处于非正式状态,用人单位对劳动者是否适合自己要求进行了解的期限。一般而言,劳动者在试用期内的劳动报酬往往低于劳动合同中约定对同一岗位的工资,以致很多单位把试用人员当成廉价劳动力,甚至利用试用期解除劳动合同相对容易的特点,走马灯式地更换试用人员,加重了劳动关系的不确定性,也增加了劳动者的经济负担。非全日制用工本来就属于灵活用工形式,劳动关系的不确定性比全日制用工要强,而且非全日制劳动者的收入也往往低于全日制职工,所以更应该严格控制试用期来加强对非全日制劳动者的保护。

2003年5月30日,劳动和社会保障部颁发的《关于非全日制用工若干问题的意见》明确规定非全日制劳动合同不得约定试用期。我国很多地方也都作出了相应的规定,例如,《江苏省劳动合同条例》中规定非全日制劳动合同的内容由当事人协商确定,应当包括工作时间和期限、工作内容、劳动报酬、劳动保护、劳动条件等必备条款,但不得约定试用期。本条规定是以法律的形式首次明确提出非全日制劳动不得约定试用期,在非全日制用工的试用期问题上最大限度地维护了劳动者的权益。对于用人单位,不得约定试用期就不能以劳动者在试用期间被证明不符合录用条件为由而与劳动者解除劳动合同。显然,在非全日制用工形式下,用人单位在试用期的权利比在全日制用工形式下要受限制。但是,本法第 71 条也对用人单位此项受限制权利进行了救济,即非全日制用工双方当事人任何一方均可随时通知对方终止用工。终止用工不支付经济补偿,这就维护了用人单位的合法权益。

用人单位违反本法规定与非全日制用工的劳动者约定了试用期的,应当承担相应的法律责任。按照《劳动合同法》第 83 条的规定,用人单位违反本法规定与劳动者约定试用期的,由劳动行政部门责令改正;违法约定的试用期已经履行的,由用人单位以劳动者试用期满月工资为标准,按已经履行的超过法定试用期的期间向劳动者支付赔偿金。

第七十一条　非全日制用工双方当事人任何一方都可以随时通知对方终止用工。终止用工,用人单位不向劳动者支付经济补偿。

【释义】　本条是关于非全日制用工终止用工的规定。

非全日制用工的劳动者和用人单位任何一方都可以随时提出终止用工,终止用工应该通知另一方。通知可以采用书面形式,也可以采用口头通知的形式。终止用工,用人单位不向劳动者支付经济补偿。

本条针对非全日制劳动,对《劳动合同法》第 4 章作出了突破性的规定。因为非全日制用工的突出特点就是它的灵活性,规定过多会限制这一用工形式的发展。为了更好地利用非全日制用工的灵活性,从而促进就业,促进劳动力资源的优化配置,《劳动合同法》对非全日制用工的终止作出了比全日制用工更为宽松的规定。另外,需要注意的是,本条所指的“终止用工”既包括因劳动合同期届满而导致的终止,也包括劳动合同期没有届满而解除劳动合同的情形。

对于本条的规定,有观点认为非全日制劳动者在终止用工方面没有得到与全日制劳动者同样的保护。给予用人单位可以随时终止用工而不用支付经济补偿的权利更容易造成用人单位为逃避劳动责任,减少用工风险和成本而大量使用非全日制劳动者,从而加剧劳动关系的不稳定,影响经济的发展。事实上,如何在保护劳动者权益和保持非全日制用工灵活性以促进就业之间达到一定的平衡,是各国关于非全日制用工立法中均面临的问题。在目前我国全日制用工仍然占绝对主流的情况下,适当考虑非全日制用工的特点及其促进就业的积极意义,作出一些有利于这一用工形式发展的规定也是必要的。因此,尽管有可能带来一些风险,本条仍然在劳动和社会保障部《关于非全日制用工若干问题的意见》的基础上,作出了更为宽松的规定。劳动和社会保障部《关于非全日制用工若干问题的意见》规定:“非全日制劳动合同的终止条件,按照双方的约定办理。劳动合同中,当事人未约定终止劳动合同提前通知期的,任何一方均可以随时通知对方终止劳动合同;双方约定了违约责任的,按照约定承担赔偿责任。”由于劳动和社会保障部《关于非全日制用工若干问题的意见》属于部门规章,而《劳动合同法》属于法律,按照《立法法》第79条规定,劳动合同法的效力更高,所以在《劳动合同法》实施后,关于非全日制用工终止用工方面的规定应当以《劳动合同法》为准。

本条规定也是对非全日制用工不得约定试用期的一种救济性规定。对用人单位来说,不得约定试用期就不能以劳动者在试用期间被证明不符合录用条件为由而与劳动者解除劳动合同。有了可以随时通知劳动者终止用工的权利,用人单位就算没有试用期也可以同样解除与不符合录用条件的劳动者的劳动合同。同样,对劳动者而言,在试用期情况下可以随时通知用人单位解除劳动合同的权利也通过这一条规定得到了救济。另外,在建立劳动关系后,劳动者也不再需要按照本法第37条的规定提前30日以书面形式通知用人单位,而可以随时以书面或口头的形式提出终止用工。

第七十二条　非全日制用工小时计酬标准不得低于用人单位所在地人民政府规定的最低小时工资标准。

非全日制用工劳动报酬结算支付周期最长不得超过十五日。

【释义】　本条是关于非全日制用工劳动报酬的规定。

目前,我国一些地方针对非全日制用工形式灵活,劳动关系多元化,主要按小时计酬等特点,制定并实施了与之相适应的小时最低工资标准来保障非全日制劳动者的收入。2001年以来,北京、天津、江苏等地陆续颁发了最低小时工资标准。非全日制用工的用人单位应当按时足额支付非全日制劳动者的工资，用人单位支付非全日制劳动者的小时工资不得低于用人单位所在地人民政府规定的小时最低工资标准。

本条规定非全日制用工劳动报酬结算周期最长不得超过15日。而2003年5月30日劳动和社会保障部颁发的《关于非全日制用工若干问题的意见》则规定非全日制用工的工资支付可以按小时、日、周或月为单位结算。《劳动合同法》缩短了非全日制劳动结算的最长周期，不再允许以月为结算单位。

按照劳动和社会保障部《关于非全日制用工若干问题的意见》的规定，非全日制用工的小时最低工资标准由省、自治区、直辖市规定，并报劳动保障部备案。确定和调整小时最低工资标准应当综合参考以下因素：当地政府颁布的月最低工资标准；单位应缴纳的基本养老保险费和基本医疗保险费（当地政府颁布的月最低工资标准未包含个人缴纳社会保险费因素的，还应考虑个人应缴纳的社会保险费）；非全日制劳动者在工作稳定性、劳动条件和劳动强度、福利等方面与全日制就业人员之间的差异。小时最低工资标准的测算方法为：小时最低工资标准＝[（月最低工资标准÷20.92÷8）×（1＋单位应当缴纳的基本养老保险费和基本医疗保险费比例之和）]×（1＋浮动系数）。

目前，在制定小时最低工资标准中最突出的问题就是如何处理小时最低工资标准中是否直接包含应缴纳的社会保险费的因素。在已经出台小时最低工资标准的地区，对这一问题的处理办法至少分为以下三种:一是将应缴纳的社会保险费直接纳入小时最低工资标准(或小时最低劳动报酬)之中。大连市于2001年10月规定,小时工的小时最低工资标准为5元。在制定这一标准时,已经将小时工由个人承担缴纳社会保险费的因素考虑在内,即小时最低工资中包含应缴纳的社会保险费。二是将最低工资标准和个人应缴纳的社会保险最低缴费额之和统称为"最低工资",而不直接将社会保险费纳入最低工资标准之中。江苏省规定最低工资是指省人民政府公布的企业最低工资标准和依法应由个人缴纳的社会保险(含养老、医疗、失业)最低缴费额,要求各类企业在执行最低工资时,应包括上述两部分。三是不将社会保险缴费因素直接纳入最低工资标准之中,但又在制定最低工资标准时,间接地将个人承担的社会保险缴费与最低工资标准挂钩,规定最低工资标准是个人缴纳社会保险费之后的实得工资收入。上海市于2001年8月6日颁布小时工小时最低工资标准为4元,其中不包括个人缴纳的社会保险费。但上海市规定小时工的劳动报酬包括工资和社会保险。如果用人单位按小时最低工资标准向小时工支付工资,那么小时工个人应缴纳的社会保险费由用人单位支付,以确保小时工实际获得的工资收入不低于最低工资标准。

第六章 监督检查

第七十三条 国务院劳动行政部门负责全国劳动合同制度实施的监督管理。

县级以上地方人民政府劳动行政部门负责本行政区域内劳动合同制度实施的监督管理。

县级以上各级人民政府劳动行政部门在劳动合同制度实施的监督管理工作中,应当听取工会、企业方面代表以及有关行业主管部门的意见。

【释义】 本条是关于劳动行政部门监督管理权的规定。

劳动行政部门监督管理,是指国务院劳动行政部门和县级以上人民政府的劳动行政部门,以自己的名义,代表国家对劳动合同制度的实施进行监督管理的行政执法活动。劳动行政部门监督管理是一种专业性的行政执法,有着与其他部门和群众监督不同的作用,因此它是劳动合同法监督检查体系中最主要的一种。劳动行政部门监督管理具有以下三个特点:

第一,监督管理的主体是代表国家行使监督管理职权的劳动行政部门。

第二,劳动行政部门监督管理是一种执法行为。这种执法行为具有六个主要特征：(1)国家意志性。行政执法是由具体的行政主体实施，行政执法的实质是国家行政权的运行，是国家意志的体现，可以说，行政执法是行政主体以其名义实施的国家意志行为。无论是行政主体还是行政管理相对人都必须服从国家意志。(2)执行性。劳动行政部门的监督管理能够将有关法律、法规和规章的规定落到实处。(3)具体性。劳动行政部门监督管理的相对人只能是特定的用人单位和劳动者。劳动行政部门监督管理机关作出的处理决定，也只能对相对人发生法律效力，不具备普遍约束力。(4)强制性。劳动行政部门监督管理活动是以国家强制力作为后盾的，相对人只能接受并配合劳动行政监督机关的监督管理活动，相对人拒绝履行设定的义务，劳动行政部门有依法强制执行或申请法院强制执行等权力。(5)优益性。劳动行政机关的行政执法行为依法享有优惠条件，行政管理相对人有协助的义务。(6)单向性。劳动行政执法行为是行政机关单方发生的行为，其效力的发生不以行政管理相对人的意志为转移。

第三，劳动行政部门监督管理是一种行政法律行为。这种监督管理的结果会导致一定的法律后果的产生，如对违法现象和不当行为采取制裁措施等。监督管理主体要对这种后果负法律责任。监督管理对象对监督管理处理不服，可以提起行政复议或行政诉讼。

一、劳动行政部门监督管理的分类

劳动行政部门监督管理按照主体的不同可以分为两类：

(1)国务院劳动行政部门;(2)县级以上地方人民政府劳动行政部门。

国务院劳动行政部门监督管理是普遍管辖,县级以上地方人民政府劳动行政部门监督管理是地域管辖;地方人民政府劳动行政部门监督管理不包括乡镇一级。根据《劳动保障监察条例》(国务院令第423号)的规定,县级、设区的市级人民政府劳动保障行政部门可以委托符合监察执法条件的组织实施劳动保障监察。

二、劳动行政部门监督管理的内容

劳动行政部门负责劳动合同制度实施的监督管理。具体来说是对用人单位与劳动者建立劳动关系,订立、履行、变更、解除和终止劳动合同进行监督。

三、劳动行政部门的意见听取机制

劳动行政部门对劳动合同制度的实施情况进行监督管理的过程中涉及三个方面的关系。一是与监督对象用人单位的关系;二是与保护对象劳动者的关系;三是与有关行业主管部门的工作关系。厘清三个方面的关系有助于监督管理工作的顺利开展,因此有必要听取代表劳动者的工会、企业方面代表以及有关行业主管部门的意见。

第七十四条　县级以上地方人民政府劳动行政部门依法对下列实施劳动合同制度的情况进行监督检查:

（一）用人单位制定直接涉及劳动者切身利益的规章制度及其执行的情况；

（二）用人单位与劳动者订立和解除劳动合同的情况；

（三）劳务派遣单位和用工单位遵守劳务派遣有关规定的情况；

（四）用人单位遵守国家关于劳动者工作时间和休息休假规定的情况；

（五）用人单位支付劳动合同约定的劳动报酬和执行最低工资标准的情况；

（六）用人单位参加各项社会保险和缴纳社会保险费的情况；

（七）法律、法规规定的其他劳动监察事项。

【释义】 本条是关于县级以上地方人民政府劳动行政部门监督检查事项的规定。

劳动行政部门开展监督检查的方式主要有三种：(1)经常性地进行监督检查。对用人单位执行劳动合同制度的情况进行检查，要坚持制度化、经常化、规范化，及时发现问题及时处理。(2)集中力量，进行突击性的监督检查。当某一时期，企业等用人单位遵守和执行劳动合同制度普遍存在严重问题，迫切需要解决这种问题的时候，可以组织力量进行突击性检查。这种做法声势浩大，威慑力强，便于及时解决问题。(3)有针对性地对某些用人单位进行监督检查。用人单位发生了伤亡事故，或者有关组织、劳动者检举控告用人单位有违反劳动合同制度的行为，劳动行政部门应派人对该企业进行调查,明辨是非,及时恰当地作出处理。

本法为了加强对劳动合同制度实施情况的监督检查,特别列举了如下劳动监察事项:

一、用人单位制定规章制度及其执行的情况

《劳动法》第4条规定,用人单位应当依法建立和完善规章制度,保障劳动者享有劳动权利和履行劳动义务。相应地,《劳动合同法》第4条对此予以详细规定,其中包括:"用人单位在制定、修改或者决定直接涉及劳动者切身利益的劳动报酬、工作时间、休息休假、劳动安全卫生、保险福利、职工培训、劳动纪律以及劳动定额管理等规章制度或者重大事项时,应当经职工代表大会或者全体职工讨论,提出方案和意见,与工会或者职工代表平等协商确定。""在规章制度实施过程中,工会或者职工认为用人单位的规章制度不适当的,有权向用人单位提出,通过协商做出修改完善。""用人单位应当将直接涉及劳动者切身利益的规章制度和重大事项决定公示,或者告知劳动者。"依据该条规定,劳动行政部门在监督检查时候,要注意检查规章制度的内容、形式是否合法,以及制定规章制度的过程是否符合程序要求,是否保障了职工的知情权和参与权等。监督检查的后续性结果就是相应法律责任的追究,依据《劳动合同法》第80条的规定,用人单位制定的直接涉及劳动者切身利益的规章制度违反法律、法规规定的,由劳动行政部门责令改正,给予警告;给劳动者造成损害的,用人单位应当承担赔偿责任。

二、用人单位与劳动者订立和解除劳动合同的情况

这一事项对应着本法第2章、第3章的规定，劳动行政部门应当依法对用人单位订立和解除劳动合同的情况进行监督检查。例如，目前存在很多不订立书面劳动合同的情况，劳动行政部门应当依据《劳动合同法》第10条的规定，要求已建立劳动关系、未同时订立书面劳动合同的用工单位，自用工之日起1个月内订立书面合同。另外，根据《劳动合同法》第14条的规定，用人单位自用工之日起满1年不与劳动者订立书面劳动合同的，视为用人单位与劳动者已订立无固定期限劳动合同。除此之外，还有法律责任方面的规定，依据《劳动合同法》第82条的规定，用人单位自用工之日起超过1个月但不满1年未与劳动者订立书面劳动合同的，劳动行政部门应当责令用人单位向劳动者每月支付2倍的月工资。

三、用人单位遵守劳务派遣有关规定的情况

这一事项对应着《劳动合同法》第5章第2节关于劳务派遣合同的规定。劳动行政部门应当监督检查以下内容：劳务派遣单位的资格；劳务派遣单位与被派遣劳动者签订劳动合同的情况；劳务派遣协议是否合法；用工单位是否履行其法定义务；被派遣劳动者是否享有与用工单位的劳动者同工同酬的权利；实施劳务派遣的岗位要求是否符合法律要求等多项内容。而且，依据本法第92条规定的法律责任，劳动行政部门发现劳务派遣单位违反本法规定的，有权责令其限期改正；

逾期不改正的,按每一名劳动者5000元以上1万元以下的标准处以罚款,并由工商行政部门吊销经营许可证。

四、用人单位遵守工作时间和休息休假规定的情况

《劳动法》在第36条至第45条对休息休假作出了专章规定,可见保护劳动者休息休假权利的重要性。作为劳动合同制度的一项必备条款、重要内容,用人单位与劳动者约定休息休假等内容不能违反《劳动法》的规定。同时,劳动行政部门应当监督检查用人单位遵守工作时间和休息休假有关规定的情况,保障劳动者的休息休假权不受侵犯。

五、监督检查用人单位执行最低工资标准的情况

这一事项涉及《劳动合同法》第55条的规定。依据该条规定,用人单位与劳动者订立的劳动合同中劳动条件和劳动报酬等标准不得低于集体合同规定的标准;集体合同中劳动条件和劳动报酬等标准不得低于当地人民政府规定的最低标准。随着各地人民政府逐步提高最低工资标准,劳动行政部门应当监督检查集体合同和劳动合同,促使其中的劳动报酬最低标准相应提高。如果发现用人单位低于当地最低工资标准支付劳动者工资的,应当依据本法第85条的规定,责令用人单位支付其差额部分;逾期不支付的,责令用人单位按应付金额50%以上100%以下的标准向劳动者加付赔偿金。

六、用人单位参加各项社会保险和缴纳社会保险费的情况

《劳动法》在第70条至第76条对“社会保险和福利”作

出了专章规定，依据本法第 17 条的规定，社会保险条款也是劳动合同的必备内容，《劳动合同法》中相应内容应当遵循《劳动法》的规定。劳动行政部门应当监督检查用人单位参加各项社会保险和缴纳社会保险费的情况，对于贯彻和执行劳动合同制度，构建和谐稳定的劳动关系具有重要意义。

七、法律、法规规定的其他劳动监察事项

劳动行政部门监督检查的范围是十分广泛的，除了以上列明的事项以外，还有本法规定的像劳动安全卫生、试用期约定、女职工和未成年工特殊权益保护等也都属于这里所说的劳动监察事项。还有《劳动法》《劳动保障监察条例》等其他法律、法规规定的事项，与劳动合同制度的实施有关的，都可以列入劳动监察事项。

第七十五条　县级以上地方人民政府劳动行政部门实施监督检查时，有权查阅与劳动合同、集体合同有关的材料，有权对劳动场所进行实地检查，用人单位和劳动者都应当如实提供有关情况和材料。

劳动行政部门的工作人员进行监督检查，应当出示证件，依法行使职权，文明执法。

【释义】　本条是关于监督检查措施和文明执法的规定。

一、监督检查措施

本条规定了两种监督检查措施：一是书面检查，即有权查阅与劳动合同、集体合同有关的材料。二是劳动场所实地检查。目前,我国在劳动执法领域实行劳动监察员制度。劳动监察员是县级以上各级人民政府劳动行政部门执行劳动监督检查公务的人员。根据《劳动保障监察条例》(国务院令第423号)的规定,劳动保障监察员依法履行劳动保障监察职责。劳动保障监察以日常巡视检查、审查用人单位按照要求报送的书面材料以及接受举报投诉等形式进行。

二、关于依法执法与文明执法

劳动行政部门的人员进行监督检查,应当出示证件,依法执法,文明执法。

(一)依法执法

依法执法是依法行政的要求,劳动行政部门的执法人员在进行监督检查时,应当严格依照法律、法规、规章规定的程序,出示执法身份证件。根据《关于实施〈劳动保障监察条例〉若干规定》(劳动和社会保障部令第25号)的规定,劳动保障监察员进行调查、检查不得少于2人。劳动保障监察机构应指定其中1名为主办劳动保障监察员。劳动保障监察员对用人单位遵守劳动保障法律情况进行监察时,应当遵循以下规定:(1)进入用人单位时,应佩戴劳动保障监察执法标志,出示劳动保障监察证件,并说明身份;(2)就调查事项制作笔录,应由劳动保障监察员和被调查人(或其委托代理人)签名或盖章。被调查人拒不签名、盖章的,应注明拒签情况;劳动保障监察员进行调查、检查时,承担下列义务:(1)依法履行职责,秉公执法;(2)保守在履行职责过程中获知的商业秘密;(3)为举报人保密。劳动保障监察员在实施劳动保障监察时,有下列情形之一的,应当回避:(1)本人是用人单位法定代表人或主要负责人的近亲属的;(2)本人或其近亲属与承办查处的案件事项有直接利害关系的;(3)因其他原因可能影响案件公正处理的。劳动保障行政部门调查、检查时,有下列情形之一的可以采取证据登记保存措施:(1)当事人可能对证据采取伪造、变造、毁灭行为的;(2)当事人采取措施不当可能导致证据灭失的;(3)不采取证据登记保存措施以后难以取得的;(4)其他可能导致证据灭失的情形的。

(二)文明执法

文明执法,是指执法人员执法时应遵守职业行为规范和社会行为规范。其中应以遵守职业行为规范为主,兼顾作为社会人应遵守的社会行为规范。

文明执法包括的范围非常广泛,包括政治素养、仪表风纪、语言举止等各方面。

文明执法必须以依法执法为前提,文明执法能够在依法执法的基础上构建和谐的执法氛围。

第七十六条 县级以上人民政府建设、卫生、安全生产监督管理等有关主管部门在各自职责范围内,对用人单位执行劳动合同制度的情况进行监督管理。

【释义】 本条是关于县级以上人民政府建设、卫生、安全生产监督管理等有关主管部门的监督管理的规定。

行政部门监督管理的主体不仅包括劳动行政部门，还包括建设、卫生、安全生产监督管理等有关主管部门。

建筑行业比较突出的问题是拖欠农民工工资问题。建筑业已成为吸纳农村富余劳动力的主要行业之一，广大农民工进入建筑业，促进了农村劳动力就业结构调整，增加了农民收入。但是，由于建筑领域存在劳动力供大于求、拖欠工程款以及劳务用工行为不规范等问题，侵害了农民工的合法权益。县级以上人民政府建设部门主要采取了以下措施：(1)开展清查工作，严厉打击拖欠和克扣农民工工资行为。县级以上人民政府建设部门定期对建筑业企业工资支付情况进行监督检查。对查出拖欠和克扣工资的建筑业企业，责令其及时补发工资；不能立即补发的，制订清欠计划，限期补发。对恶意拖欠、克扣工资的企业，严格按国家有关规定进行处罚，并向社会公布有关企业名单。(2)加强对农民工劳动合同的管理，指导企业依法与农民工签订劳动合同。加强对建筑业企业招用农民工的管理，对签订劳动合同收取抵押金、风险金等违法行为，一经发现，要按有关规定严肃处理。对不依法与农民工签订劳动合同或采取欺诈和威胁等手段订立劳动合同以及不按规定进行用工备案的企业，根据国家有关法律法规和政策严肃处理。(3)完善工作机制，疏通处理渠道。建设部门要建立健全解决拖欠农民工工资的工作机制，切实做到专人负责、申诉有门、处理及时、客观公正。要按照各自职责，认真负责地对侵犯农民工权益的违法行为进行处理，不得相互推诿。建立健全拖欠农民工工资举报制度，设立举报箱、开通举报电话,并设专人负责接待来访举报。信访机构要认真接待农民工因被拖欠工资等问题的上访,耐心细致地做好政策宣传解释工作。使用农民工较多的地区,县级以上人民政府建设部门与有关部门协商,成立法律援助工作站,开展法律咨询服务活动。(4)积极指导用人单位依法建立健全内部劳动合同管理制度。各级劳动保障部门要会同建设等行业行政主管部门,要指定专职或兼职人员负责劳动合同管理工作,建立劳动合同管理台账,实行动态管理。对履行劳动合同情况,特别是工资支付、保险福利、加班加点等有关情况要有书面记录。对终止解除劳动合同的农民工,用人单位应当结清工资,并出具终止解除劳动合同证明。

本法规定,用人单位招用劳动者时,应当如实告知劳动者工作条件、职业危害等情况;劳动合同应当具备职业危害防护条款。县级以上人民政府卫生主管部门对用人单位是否履行了告知义务,是否按照本法的规定订立劳动合同,以及全面履行职业危害防护义务等事项进行监督管理。

本法规定,用人单位招用劳动者时,应当如实告知劳动者工作条件、安全生产状况等情况;劳动合同应当具备劳动保护、劳动条件条款。县级以上人民政府安全生产监督管理主管部门对用人单位是否履行了告知义务,是否按照本法的规定订立劳动合同,以及全面履行安全生产义务等事项进行监督管理。

县级以上人民政府劳动行政部门和县级以上人民政府建设、卫生、安全生产监督管理等有关主管部门应当互相配合,共同做好劳动合同制度的监督管理工作。

第七十七条　劳动者合法权益受到侵害的,有权要求有关部门依法处理,或者依法申请仲裁、提起诉讼。

【释义】 本条是关于劳动者权利救济途径的规定。

目前,劳动合同制度实施过程中主要存在五大问题:首先,一些用人单位为规避对劳动者的义务,不订立书面劳动合同,甚至不承认与劳动者已经存在的事实劳动关系。其次,劳动合同短期化趋势明显,影响了劳动关系的和谐稳定。再次,有的用人单位滥用试用期,严重侵害劳动者的合法权益。又次,有的用人单位随意设立违约金,限制了劳动者的择业自由和劳动力的合理流动。最后,有的用人单位为规避法定义务,滥用“劳务派遣”用工形式。以上这些问题突出反映了劳动者在劳动就业市场上的弱势地位,其合法权益遭受侵害的情形比较严重。

本条规定突出体现了对劳动者权益受侵害情形予以法律救济的思想,在理解上应当注意包括以下三层含义:

首先,劳动者的合法权益受到侵害,包括各种各样的情形。与本法第74条相呼应,劳动行政部门对实施劳动合同制度进行监督检查的事项,往往就是劳动者的合法权益容易受侵害的地方。例如,用人单位制定规章制度的内容或者程序不合法损害到劳动者的切身利益;用人单位不与劳动者订立书面劳动合同或者随意解除劳动合同;劳务派遣单位和用工单位规避有关劳务派遣的规定,向被派遣劳动者收取费用等;

用人单位不遵守工作时间和休息休假的法律规定;用人单位违法向劳动者支付低于当地最低工资标准的劳动报酬;用人单位不为劳动者缴纳或者未及时足额缴纳社会保险的情况,等等。只要是本法或者其他劳动法律、法规规定的劳动者的合法权益,都必须受到法律的保护。

其次,对于本条规定中的“有关部门”的范围应作广义的理解。本法第75条第1款规定:“县级以上地方人民政府劳动行政部门实施监督检查时,有权查阅与劳动合同、集体合同有关的材料,有权对劳动场所进行实地检查,用人单位和劳动者都应当如实提供有关情况和材料。”第76条规定:“县级以上人民政府建设、卫生、安全生产监督管理等有关主管部门在各自职责范围内,对用人单位执行劳动合同制度的情况进行监督管理。”依据这两条规定,劳动、建设、卫生、安全生产监督管理等部门多多少少都承担着保护劳动者合法权益的责任,对于劳动者的维权要求应当依法处理,不能互相推诿,更不能将维权要求拒之门外。

最后,本条除了要求行政部门依法处理的规定之外,还规定了“依法申请仲裁”或者“提起诉讼”两种救济途径。这里所说的仲裁机构,是指依法设立的,经国家授权依法独立仲裁处理劳动争议案件的专门机构,一般是指劳动争议仲裁委员会。劳动争议仲裁委员会由劳动行政部门、同级工会和用人单位团体或代表用人单位方面的特定部门各自选派的代表组成。各级仲裁委员会相互间不存在行政隶属关系,各自独立仲裁本行政区域内发生的劳动争议案件。劳动者还可以直接向法院提起诉讼，由受理该劳动争议案件的人民法院的民事审判庭，依照《民事诉讼法》的有关规定进行处理。需要注意的是，依法申请仲裁不再是提起诉讼的必经程序，与本法第56条的立法指导思想是一致的，这对于《劳动法》的规定（第79条）是一个很大的突破。

第七十八条　工会依法维护劳动者的合法权益，对用人单位履行劳动合同、集体合同的情况进行监督。用人单位违反劳动法律、法规和劳动合同、集体合同的，工会有权提出意见或者要求纠正；劳动者申请仲裁、提起诉讼的，工会依法给予支持和帮助。

【释义】　本条是关于工会依法维护劳动者的合法权益，对用人单位履行劳动合同、集体合同的情况进行监督的规定。

中国工会是中国共产党领导的职工自愿结合的工人阶级群众组织。《中国工会章程》明确提出，中国工会维护工人阶级领导的、以工农联盟为基础的人民民主专政的社会主义国家政权，协助人民政府开展工作，在政府行使国家行政权力过程中，发挥民主参与和社会监督作用。依照法律规定，工会基层委员会代表和组织职工，通过职工代表大会和其他形式，参加本单位民主管理和民主监督。企业、事业单位工会委员会是职工代表大会工作机构，负责职工代表大会的日常工作，检查、督促职工代表大会决议的执行。参与协调劳动关系和调解劳动争议，与企业、事业单位行政方面建立协商制度，协商解决涉及职工切身利益问题。帮助和指导职工与企业、事业单位行政方面签订劳动合同,代表职工与企业、事业单位行政方面签订集体合同或其他协议,并监督执行。监督有关法律、法规的贯彻执行。协助和督促行政方面做好劳动保险、劳动保护工作,办好职工集体福利事业,改善职工生活。

中华全国总工会《关于进一步推进劳动合同制度实施的通知》(总工发〔2005〕23 号)中指出,要加强对劳动合同执行情况的监督检查。工会要将劳动合同执行情况作为工会劳动监督的重点,建立和完善监督检查机构和组织,积极开展监督检查工作,监督劳动合同双方认真履行劳动合同。要加强劳动关系协调机制各项制度间的有机衔接,劳动合同的标准不得低于集体合同的规定。注意发挥劳动合同在劳动争议调解、仲裁和诉讼中的作用,做到有法可依,依法办事。企业工会要加强与行政方的沟通和协调,督促认真履行劳动合同。对于企业未兑现劳动合同的行为,工会要依法要求行政进行整改,或支持职工通过仲裁或诉讼方式解决。地方工会要加强与劳动保障部门的协调,推动开展劳动合同专项监察,在劳动法、工会法执法检查和企业劳动年检中,要将劳动合同作为重要内容,监督企业认真签订和履行劳动合同。对不签订和不履行劳动合同的企业,工会要督促劳动保障部门责令改正,依法予以行政处罚。要积极推动各级人大开展劳动法的执法检查,促进劳动合同工作取得实效。

《企业工会工作条例(试行)》(总工发〔2006〕41 号)和各地的工会工作条例中规定了两种制度保证工会监督权的实现:(1)建立劳动法律监督委员会,地方总工会及产业、乡镇

(街道)工会应当设立工会劳动保障法律监督委员会。职工人数较少的企业应设立工会劳动法律监督员,基层工会根据实际需要可以设立工会劳动保障法律监督委员会,对企业执行有关劳动报酬、劳动安全卫生、工作时间、休息休假、女职工和未成年工保护、保险福利等劳动法律法规情况进行群众监督。工会劳动保障法律监督委员会的成员为本级工会劳动保障法律监督员。镇、街道以上工会的工会劳动法律监督组织可以委派工会劳动法律监督员进入本辖区内的用人单位,履行监督、调查职责。工会劳动法律监督员应当具备以下条件:一是熟悉劳动法律、法规,具备一定的政策水平和工作能力;二是热心维护职工群众的合法权益;三是奉公守法,清正廉洁。工会劳动保障法律监督员由工会发给监督员证。(2)建立劳动保护监督检查委员会,生产班组中设立工会小组劳动保护检查员。建立完善工会监督检查、重大事故隐患和职业危害建档跟踪、群众举报等制度,建立工会劳动保护工作责任制。依法参加职工因工伤亡事故和其他严重危害职工健康问题的调查处理。协助与督促企业落实法律赋予工会与职工安全生产方面的知情权、参与权、监督权和紧急避险权。开展群众性安全生产活动。

对于用人单位违反劳动法律、法规和劳动合同、集体合同的,工会有两种处理方式:(1)有权提出意见或者要求纠正。(2)劳动者申请仲裁、提起诉讼的,工会依法给予支持和帮助。

第七十九条　任何组织或者个人对违反本法的行为都有

权举报，县级以上人民政府劳动行政部门应当及时核实、处理，并对举报有功人员给予奖励。

【释义】 本条是关于组织或者个人对于违反本法的行为有权举报的规定。

举报，是指任何组织和个人向有关单位申诉、控告或者检举违法行为的行为。举报是我国《宪法》和法律赋予公民的一项民主权利。我国《宪法》第41条规定：中华人民共和国公民对于任何国家机关和国家工作人员，有提出批评和建议的权利；对于任何国家机关和国家工作人员的违法失职行为，有向有关国家机关提出申诉、控告或者检举的权利，但是不得捏造或者歪曲事实进行诬告陷害。对于公民的申诉、控告或者检举，有关国家机关必须查清事实，负责处理。任何人不得压制和打击报复。由于国家机关和国家工作人员侵犯公民权利而受到损失的人，有依照法律规定取得赔偿的权利。

举报为专门机关监督提供了有效的渠道和有用的线索。举报既方便了组织和个人行使监督权利，又方便了专门机关履行职能，实行专门监督，实现群众监督和专门机关监督的有效结合。组织或者个人行使监督权利的方式很多，如提出建议，当面批评，或者进行工作检查等，举报只是其中的一种。

举报可以通过电话举报、信函举报、传真举报、网上举报，也可以当面举报、预约举报或者认为方便的其他形式进行举报。

举报权利实际上是一种监督权利。举报权利的内容是多方面的，主要包括：(1)自愿举报。举报人可以举报，也可以不举报。是否行使举报权利由举报人自己决定，其他任何单位和个人都无权干涉,不能强制举报,也不能妨碍举报。(2)选择举报受理机关。举报人进行举报的时候,可以凭主观判断选择举报受理机构,不必受到举报机构级别和管辖分工的限制。(3)选择举报时间和举报方式。(4)有权决定是否实名举报。(5)获得保护。对于侵犯举报人合法权益的侵害人有权投诉,要求予以处理。(6)获得损害赔偿的权利。(7)获得必要奖励的权利。

举报作为监督的有效形式,其作用主要包括下列几个方面:(1)方便群众对违纪、违法、犯罪等行为的监督,任何单位和个人都可以通过举报进行检举和控告,要求予以处理。(2)方便公民行使民主权利,有效监督国家机关和国家工作人员的活动。公民可以通过举报对党和国家机关、国家工作人员的行为提出批评和建议,反映一些社会热点问题和群众关心的问题。(3)专门机关通过举报可以获得大量的举报线索,有利于专门机关履行职责,尤其是监督职责。(4)将群众监督纳入法制轨道,有利于社会的稳定。

县级以上人民政府劳动行政部门应当及时核实、处理,并对举报有功人员给予奖励。奖励的对象必须是有功人员。各地已相继出台了一些奖励举报有功人员的办法,如湖北荆门市《关于奖励举报有功人员的暂行办法》规定了奖励举报有功人员的具体标准:(1)对举报贪污、贿赂、侵占、挪用公款等经济方面的违纪违法行为及对突破重大案件起了重要作用的,按收缴赃款和赃物变价款的总额,在1%的比例内给予奖励,一般不超过5000元。(2)对举报违反财经纪律、失职渎职造成重大经济损失等违纪违法行为且为国家、集体挽回或者减少重大经济损失的，可酌情给予500元至1000元的奖励。(3)对举报其他方面的错误行为，使违纪违法者受到党政纪撤职以上处分或刑事处理的，可酌情给予奖励。

第七章 法律责任

第八十条 用人单位直接涉及劳动者切身利益的规章制度违反法律、法规规定的，由劳动行政部门责令改正，给予警告；给劳动者造成损害的，应当承担赔偿责任。

【释义】 本条是关于用人单位直接涉及劳动者切身利益的规章制度违反法律、法规规定的所应承担的法律责任的规定。

一、用人单位制定的直接涉及劳动者切身利益的规章制度违反法律、法规规定的

“没有规矩，不成方圆。”每个用人单位都有自己的规章制度，用于明确本单位的各项管理制度，这既是用人单位的一项权利，也是一项义务。《劳动合同法》第4条规定：“用人单位应当依法建立和完善劳动规章制度，保障劳动者享有劳动权利、履行劳动义务。”“用人单位在制定、修改或者决定有关劳动报酬、工作时间、休息休假、劳动安全卫生、保险福利、职工培训、劳动纪律以及劳动定额管理等直接涉及劳动者切身利益的规章制度或者重大事项时，应当经职工代表大会或者全体职工讨论，提出方案和意见，与工会或者职工代表平等协

商确定。”“在规章制度和重大事项决定实施过程中，工会或者职工认为不适当的，有权向用人单位提出，通过协商予以修改完善。”“用人单位应当将直接涉及劳动者切身利益的规章制度和重大事项决定公示，或者告知劳动者。”上述这些规定，明确了用人单位制定规章制度必须要遵守有关法律、法规的规定，否则就是违法的，这体现在实体和程序两个方面：

一是在实体方面，用人单位制定的规章制度的内容必须要符合法律、法规的规定，包括劳动安全卫生、劳动纪律、职工培训、休息休假以及劳动定额管理等方面的规章制度的内容，必须遵守《劳动法》《职业病防治法》《劳动合同法》和其他相关的行政法规、地方性法规的规定，不得与之相抵触。如《劳动法》规定，劳动者每天工作的时间不得超过 8 小时，如果某一企业制定的规章制度规定职工每天必须工作 10 小时，则这一规定就是违法的；再如，《劳动法》规定职工在国家法定节假日工作的，企业要付给职工不低于工资的 300% 的工资报酬，如果某一企业规定职工在节假日加班，企业不付给加班工资，或者付的加班工资低于该法的规定，也是违法的。

二是在程序方面，用人单位制定的直接涉及劳动者切身利益的规章制度，如劳动报酬、工作时间、休息休假、劳动安全卫生、保险福利、职工培训、劳动纪律以及劳动定额管理等规章制度必须遵守法律规定的程序。根据《劳动合同法》第 4 条第 2 款、第 3 款、第 4 款的规定，用人单位的规章制度直接涉及劳动者切身利益的，应当遵守以下三个程序：(1)应当经职工代表大会或者全体职工讨论，提出方案和意见，与工会或者职工代表平等协商确定;(2)在规章制度和重大事项决定实施过程中,用人单位应当尊重工会和劳动者提出的意见,通过协商予以修改完善;(3)直接涉及劳动者切身利益的规章制度和重大事项,用人单位应当公示或者告知劳动者。上述程序确定了用人单位制定的涉及劳动者切身利益的规章制度的法定程序,体现了职工参与企业民主管理的原则。如果用人单位制定的规章制度违反了这三个法定程序,如拒绝让职工代表大会讨论,拒绝与工会或者职工代表平等协商,不进行公示或者不告知劳动者等,则所制定的规章制度是违法的。这里需要说明两点:(1)程序守法是现代法制的一项重要原则,如果用人单位制定的规章制度实体内容是正确的、合法的,但如果没有经过法定的程序作出,则也是违法的。(2)本条规定的规章制度制定程序,只限于直接涉及劳动者切身利益的事项,有关其他事项的规章制度的制定,完全属于用人单位的经营自主权的范围,可以不必遵守《劳动合同法》第4条的规定。

二、用人单位制定违法的规章制度的法律责任

用人单位制定的直接涉及劳动者切身利益的规章制度违反法律、法规规定的,其法律后果是:这样的规章制度不对劳动者产生拘束力,劳动者可以不予遵守;同时,劳动者一经发现用人单位制定的规章制度违反法律、法规规定的,要向当地的劳动行政部门进行投诉,由劳动行政部门对用人单位予以责令改正,并给予警告的行政处罚。此外,如果违法的规章制

度对劳动者造成损害的,用人单位应当承担赔偿责任。

(一)关于责令改正

劳动行政部门对用人单位予以责令改正,这里"责令改正"并不是一种行政处罚,因为1996年10月1日起施行的《行政处罚法》在关于行政处罚的种类的规定中,只规定了警告,罚款,没收违法所得、没收非法财物,责令停产停业,暂扣或者吊销许可证、暂扣或者吊销执照,行政拘留这六种行政处罚的种类,并没有将"责令改正"也列入行政处罚的种类当中。在制定《行政处罚法》的过程当中,关于"责令改正"是有如下考虑的:我国现行的法律、法规中,在行政处罚的手段上都有这样的规定,责令改正违法行为,或者规定责令限期消除违法行为的后果等。考虑到对任何一种违法行为,均应当予以改正,责令改正不应当是一种处罚,而是实施每一种行政处罚的一个前置条件,一个必经过程,即实施每一种行政处罚之前,都应当首先责令当事人改正违法行为,消除违法行为后果,然后才是实施行政处罚,因为实施行政处罚的目的绝不是为罚而罚,而是为了维护公共利益和社会秩序,保护公民、法人或者其他组织的合法权益,纠正违法行为,教育公民、法人自觉守法。为此,《行政处罚法》第23条明确规定:"行政机关实施行政处罚,应当责令当事人改正或者限期改正违法行为。"

用人单位制定的规章制度违反法律、法规规定的,劳动行政部门首先要责令该用人单位改正违法行为,即对违法的规章制度进行纠正,使之符合法律、法规的规定,成为有效的规章制度。例如,用人单位规定的劳动者试用期的期限超过了法律规定的最高时限,则必须予以改正,缩短到法律规定的幅度内,使之成为有效的规章制度。

(二)关于警告的行政处罚

警告在学理上称为申诫罚,有告诫的意思,就是当公民、法人或者其他组织有违反行政管理秩序的行为时,行政机关可以责令其立即改正违法行为,告诫其应当遵守法律、法规的有关规定,不能违法。警告是六种处罚中相对比较轻的一种处罚,所以行政处罚法对其设定权的规定比较宽松:法律、法规、规章都可以设定警告的处罚,并且行政机关适用简易程序即可当场作出处罚决定,不必经过调查、收集证据等一般程序。

对于用人单位制定的直接涉及劳动者切身利益的规章制度违反法律、法规规定的,劳动行政部门除了责令用人单位改正违法行为外,还要给予用人单位警告的行政处罚,使用人单位能够对自己的违法行为有所警醒,记住这次违法的教训,避免下次再出现违法行为。

(三)关于民事赔偿责任

如果用人单位制定的规章制度给劳动者造成损失,用人单位还要承担民事赔偿责任。例如,用人单位制定的劳动安全卫生方面的规章制度不符合《劳动法》和《职业病防治法》的规定,如按照《职业病防治法》第 19 条规定,用人单位应当建立、健全职业卫生管理制度和操作规程,但用人单位在其规章制度中没有规定这样的内容,因此给劳动者造成损失的,包括人身伤害和财产损失的，要给予劳动者赔偿。这里要提到的是，劳动者除了要求用人单位给予物质赔偿以外，还可以要求获得精神损害赔偿。

所谓精神损害赔偿，是指公民因其人身权利受到不法侵害而遭受精神痛苦或精神利益受到损害，要求侵权人进行金钱赔偿的一种法律制度。精神损害赔偿的条件，根据最高人民法院2001年3月8日发布的《关于确定民事侵权精神损害赔偿责任若干问题的解释》的规定，在下列几种情况下可以请求精神损害赔偿：第一，自然人因人格权利（包括生命权、健康权、身体权；姓名权、肖像权、名誉权、荣誉权；人格尊严、人身自由权）遭受非法侵害时，有权向法院起诉请求赔偿精神损害。第二，违反社会公共利益、社会公德、侵害他人隐私或者其他人格利益，受害人有权以侵权为由向法院起诉请求赔偿精神损害。第三，非法使被监护人脱离监护，导致亲子关系或近亲属间的亲属关系遭受严重损害的，监护人有权起诉请求精神损害赔偿。第四，自然人死亡后，其近亲属因为一些侵权行为遭受精神痛苦的，有权向法院起诉请求赔偿精神损害。

实践中，有的用人单位通过制定非法的规章制度，限制劳动者的人身自由，以暴力手段强迫工人劳动；有的用人单位为了防止职工偷拿本单位财物，而规定单位保安人员可以在每天下班时，对职工进行搜身检查；还有的用人单位通过规章制度规定职工每天上厕所的次数，及每次上厕所的时间等，都是侵犯了劳动者的人格权利，包括身体权、健康权、人格尊严等，对这样的侵权行为，劳动者可以依法要求用人单位给予精神损害赔偿。

当事人承担精神损害赔偿责任的方式有：致人精神损害，未造成严重后果的，可判令侵权人停止侵害、恢复名誉、消除影响、赔礼道歉；造成严重后果的，应根据受害人一方的请求同时判令侵权人赔偿相应的精神损害抚慰金。精神损害赔偿应起到三个作用：一是对受害人的抚慰；二是对加害人的制裁；三是对社会的一般的警示。只有符合这三点要求，这样的赔偿数额就是合适的，而不在于究竟是多是少。

第八十一条　用人单位提供的劳动合同文本未载明本法规定的劳动合同必备条款或者用人单位未将劳动合同文本交付劳动者的，由劳动行政部门责令改正；给劳动者造成损害的，应当承担赔偿责任。

【释义】　本条是关于用人单位提供的劳动合同文本未载明劳动合同法规定的劳动合同必备条款或者用人单位未将劳动合同文本交付劳动者的法律责任的规定。

一、用人单位提供的劳动合同文本未载明劳动合同法规定的劳动合同必备条款的

《劳动合同法》第17条第1款规定："劳动合同应当具备以下条款：（一）用人单位的名称、住所和法定代表人或者主要负责人；（二）劳动者的姓名、住址和居民身份证或者其他有效身份证件号码；（三）劳动合同期限；（四）工作内容和工

作地点；（五）工作时间和休息休假；（六）劳动报酬；（七）社会保险；（八）劳动保护、劳动条件和职业危害防护；（九）法律、法规规定应当纳入劳动合同的其他事项。”《劳动合同法》之所以作上述规定，主要是考虑到劳动合同与一般的民事合同不同，民事合同是由平等的民事主体经过平等协商而签订的，其合同内容可以由双方根据意思自治的原则，在遵守国家法律的前提下达成；而劳动合同的签订双方——用人单位和劳动者显然地位上不平等，用人单位通常处于强势，而劳动者一方通常处于弱势，因此需要法律来对劳动合同的必备条款加以具体规定，以保护劳动者的合法权益不受侵犯。

这里应当指出的是：一是对于用人单位提供的劳动合同文本未载明本法规定的劳动合同必备条款的行为，既包括未载明《劳动合同法》规定的劳动合同必备条款一项的，也包括几项的；二是对于必备条款中的有关职业病防治的内容，其适用的对象是那些有职业病危害的企业，对于那些没有职业病危险的企业，则不需要在其劳动合同中规定职业病防治的内容。职业病危害防治的法律是《职业病防治法》。

二、用人单位未将劳动合同文本交付劳动者的

《劳动合同法》第 16 条第 2 款规定：“劳动合同文本由用人单位和劳动者各执一份。”劳动合同由用人单位与劳动者在劳动合同文本上签字或者盖章生效，并由双方各执一份。实践中，一些用人单位存在不将劳动合同文本交付劳动者的情况，以此限制劳动者的权利，这一行为属于违法的，应当承

担相应的法律责任。

三、有关法律责任

如果用人单位提供的劳动合同文本没有规定《劳动合同法》第17条第1款规定的一项或者几项必备内容，或者用人单位未将劳动合同文本交付劳动者的，要依法承担相应的法律责任，包括由劳动行政部门责令改正；对劳动者造成损害的，用人单位应当承担赔偿责任。

这里要着重介绍一下民事赔偿责任。

民事责任是根据民法的规定，公民或法人在违反自己的民事义务或侵犯他人的民事权利时所应承担的法律后果。构成民事责任的条件包括：(1)损害事实；(2)违法行为；(3)因果关系；(4)主观过错。承担民事责任的形式，在财产关系方面，表现为恢复被违法行为所破坏的财产权利；在人身方面，除恢复人身权利外，还必须赔偿因此而受到的财产损失。我国《民法通则》所规定承担民事责任的方式有：(1)停止侵害；(2)排除妨害；(3)消除危害；(4)返还财产；(5)恢复原状；(6)修理、重作、更换；(7)赔偿损失；(8)支付违约金；(9)消除影响、恢复名誉；(10)赔礼道歉。

侵权的民事责任是一种重要的民事责任，其是指行为人由于过错侵害他人的财产、人身，依法应承担的民事赔偿责任。侵权民事责任主要是一种财产责任，它以财产赔偿的方式制裁制害人，从而补偿受害人所受到的损失。侵权民事责任的构成要件有：

第一，侵权损害事实。所谓损害，是指由一定的行为或事件给人身或财产造成的不良后果和不良状态，包括一切受法律保护的权利和利益所遭受的不良后果（如财产减损、利润丧失、健康恶化、名誉玷污）和不良状态（如财物被侵占、经营受妨碍、环境被污染、行动受限制）。侵权民事责任以损害事实的存在为要件，没有损害事实的，不承担民事责任。

第二，必须有民事违法行为的存在。加害行为必须是违法的，合法行为不负赔偿责任。违法的加害行为有两种：一种是违法的作为，如殴打他人、污辱诽谤他人等，这种积极的违法行为造成他人损害要负赔偿责任是没有疑义的。另一种是违法的不作为，凡不作为的赔偿责任，必须是法律明文规定当事人有作为的义务，他不尽这种义务，即不作为，因而造成他人损害的，才负赔偿责任。应当指出的是，合法的行为有时也会造成他人损害，但可以不承担赔偿责任，如紧急避险、正当防卫行为等，但这些行为不能超过必要的限度，否则也要承担一定的赔偿责任。

第三，侵权行为与损害结果之间有因果关系。正是由于行为人的侵权行为造成受害人的损害，如该损害事实并非该违法行为所造成，则该行为人不能负赔偿责任。

第四，行为人主观上有过错。过错是构成违法行为承担民事责任的基本条件。也就是说，违法行为人对自己的行为在主观上有过错时才承担责任，否则，即使有了损害事实和违法行为，行为人也不承担赔偿责任。所谓主观过错，就是故意和过失。行为人能预见自己行为的后果，但希望这样的结果发生或放任这种结果的发生，称为故意；行为人对行为的结果应当预见而没有预见到，或者虽然预见到，但又轻信能够避免，称为过失。故意是行为人的恶意，对社会的危害性也大；而过失违法行为相对的社会危害性要小一些。

对于用人单位提供的劳动合同文本未载明本法规定的劳动合同必备条款或者用人单位未将劳动合同文本交付劳动者，对劳动者造成损害的，用人单位应当承担赔偿责任。劳动部于1995年5月制定了《违反〈劳动法〉有关劳动合同规定的赔偿办法》，该办法规定由于用人单位的原因订立无效的劳动合同，或订立部分无效劳动合同，对劳动者造成损害的，应按下列规定赔偿劳动者损失：(1)造成劳动者工资收入损失的，按劳动者本人应得工资收入支付给劳动者，并加付应得工资收入25%的赔偿费用；(2)造成劳动者劳动保护待遇损失的，应按国家规定补足劳动者的保护津贴和用品；(3)造成劳动者工伤、医疗保险待遇损失的，除按国家规定为劳动者提供工伤、医疗待遇外，还应支付劳动者相当于医疗费用25%的赔偿费用；(4)造成女职工和未成年工身体健康损害的，除按国家规定提供治疗期间的医疗待遇外，还应支付相当于其医疗费用25%的赔偿费用；(5)劳动合同约定的其他赔偿费用。

对于上述规定中有关劳动者工资收入损失的赔偿，鉴于《劳动合同法》第85条对用人单位未依照劳动合同的约定或者未依照本法规定支付劳动者劳动报酬，或者低于当地最低工资标准支付劳动者工资的，或者安排加班不支付加班费，以及解除、终止劳动合同，未依照本法规定向劳动者支付经济补偿的，明确规定由劳动行政部门责令限期支付劳动报酬、加班费或者解除、终止劳动合同的经济补偿；劳动报酬低于当地最低工资标准的，应当支付其差额部分；逾期不支付的，责令用人单位按应付金额50%以上100%以下的标准向劳动者加付赔偿金。因此，在《劳动合同法》开始施行后，有关劳动者工资收入损失的赔偿应按本法的规定予以执行。

第八十二条　用人单位自用工之日起超过一个月不满一年未与劳动者订立书面劳动合同的，应当向劳动者每月支付二倍的工资。

用人单位违反本法规定不与劳动者订立无固定期限劳动合同的，自应当订立无固定期限劳动合同之日起向劳动者每月支付二倍的工资。

【释义】　本条是关于用人单位自用工之日起超过1个月不满1年不与劳动者订立书面劳动合同，以及用人单位违反本法规定不与劳动者订立无固定期限劳动合同的法律责任的规定。

一、用人单位自用工之日起超过1个月不满1年不与劳动者订立书面劳动合同的

1994年，我国制定出台了《劳动法》，明确规定了用人单位和劳动者之间建立劳动关系，应当订立劳动合同，劳动合同应当以书面形式订立。实践中，多数用人单位能够遵守劳动法的规定，与劳动者签订书面的劳动合同，但也有一些用人单位无视法律的规定，不与劳动者签订劳动合同，或者不签订书面的劳动合同，因此，一旦发生劳动争议，劳动者往往因为拿

不出劳动合同，而无法维护自己的合法权益。为了切实贯彻劳动合同制，维护劳动者的合法权益，《劳动合同法》第 10 条规定："建立劳动关系，应当订立书面劳动合同。""已建立劳动关系，未同时订立书面劳动合同的，应当自用工之日起一个月内订立书面劳动合同。""用人单位与劳动者在用工前订立劳动合同的，劳动关系自用工之日起建立。"同时，《劳动合同法》第 14 条第 3 款规定："用人单位自用工之日起满一年不与劳动者订立书面劳动合同的，视为用人单位与劳动者已订立无固定期限劳动合同。"根据上述规定，如果用人单位自用工之日起超过 1 个月但不满 1 年不与劳动者订立书面合同，就要承担相应的法律责任。这里包括三层含义：一是用人单位自用工之日起 1 个月内必须与劳动者订立劳动合同；二是劳动合同必须以书面形式订立，如果在 1 个月的时间内订立的是口头的劳动合同，则也是违法的，要依法承担法律责任；三是如果用人单位自用工之日起超过 1 年不与劳动者订立书面劳动合同的，视为用人单位与劳动者已订立无固定期限劳动合同，直接适用无固定期限劳动合同的有关规定。

二、用人单位违反本法规定不与劳动者订立无固定期限劳动合同的

本法规定："劳动合同分为固定期限劳动合同、无固定期限劳动合同和以完成一定工作任务为期限的劳动合同。""无固定期限劳动合同，是指用人单位与劳动者约定无确定终止时间的劳动合同。"当前，我国劳务就业市场上出现了劳动合

同短期化现象，对劳动关系的稳定和谐、收入分配制度及职工相关权益落实都产生了消极影响，从长远的观点来看，对企业、劳动者，对政府而言都是不利的，最终将影响到国民经济的持续、协调、稳定、健康的发展。因此，为维护劳动者的合法权益，促进劳动关系的和谐稳定，在劳动合同法中采取措施遏制劳动合同短期化是非常必要的。本法第 14 条对订立无固定期限劳动合同作出了明确规定。本条中“违反本法规定不签订无固定期限劳动合同的”主要就是指用人单位违反本法第 14 条第 2 款的规定，不与劳动者订立无固定期限劳动合同的行为，主要包括以下三种情形：(1)续延劳动合同时，劳动者已在该用人单位连续工作满 10 年以上，劳动者提出或者同意续订劳动合同，用人单位拒绝签订无固定期限劳动合同；(2)用人单位初次实行劳动合同制度或者国有企业改制重新订立劳动合同时，劳动者在该用人单位连续工作满 10 年且距法定退休年龄 10 年以内的，劳动者提出或者同意续订劳动合同，用人单位拒绝签订无固定期限劳动合同；(3)连续签订两次固定期限劳动合同后续签的，且劳动者没有本法第 39 条和第 40 条第 1 项、第 2 项规定的情形，劳动者提出或者同意续订劳动合同，而用人单位拒绝签订无固定期限劳动合同。

三、用人单位自用工之日起超过 1 个月不满 1 年不与劳动者订立书面劳动合同，以及用人单位违反本法规定不与劳动者订立无固定期限劳动合同的法律责任

对于用人单位自用工之日起超过 1 个月不满 1 年不与劳

动者订立书面劳动合同，以及用人单位违反本法规定不与劳动者订立无固定期限劳动合同的违法行为，本条规定了一种惩罚性的民事赔偿责任，即应当向劳动者支付2倍的月工资。

惩罚性赔偿，又叫做惩戒性赔偿，它指的是对受害方的实际损失予以补偿性赔偿之外的赔偿，通常是因为侵权方的一些特殊的不当行为所致。惩罚性赔偿是一项很古老的制度，它在世界上一些主要的普通法系国家，如英国、澳大利亚、新西兰、美国和加拿大等都得到了广泛的适用。实施惩罚性赔偿，是为了惩罚和阻止一些特定的行为，特别是故意或恶意所致的行为。此外，惩罚性赔偿还可以疏导受害人的愤慨情绪，防止受害一方因为侵权方的恶意侵权而采取一些以牙还牙的报复行为，全面补偿受害人所遭受的物质和精神损失。

惩罚性赔偿虽然在普通法系国家得到了广泛的运用，但在大多数大陆法系国家却没有得到承认。大多数的大陆法系国家对民事案件的损失赔偿额限定在一定范围内，使受害人一方恢复到没有受损时的状态。

我国一直以来采用大陆法系的立场，坚持赔偿采用实际损失原则，即只赔偿受害者因为侵权行为而实际受到的损失。但在1993年制定《消费者权益保护法》时，借鉴了英美法系的惩罚性赔偿制度，该法第49条规定："经营者提供商品或者服务有欺诈行为的，应当按照消费者的要求增加赔偿其受到的损失，增加赔偿的金额为消费者购买商品的价款或者接受服务的费用的一倍。"这一规定第一次采用了惩罚性赔偿制度，以制裁消费领域中的欺诈行为，维护消费者的合法权益。此次，《劳动合同法》为了更好地保护劳动者的合法权益，对用人单位故意不签订书面劳动合同或者拖延签订劳动合同，以及故意不与劳动者订立无固定期限劳动合同的违法行为，规定了“应当向劳动者每月支付二倍的工资”这样一个惩罚性的赔偿制度，用于惩罚用人单位的违法行为，同时也是督促用人单位尽快依法与劳动者签订劳动合同，从而保护作为弱者一方的劳动者的合法权益，维护劳动关系的和谐稳定。例如：某一劳动者于某年 10 月 8 日起到某一企业工作，约定工资为每月 700 元，如果到了当年的 12 月 8 日，企业还没有与该劳动者签订书面的劳动合同，则该用人单位违反了劳动合同法的规定，依据本条的规定应从劳动者工作的第二个月起，支付劳动者 2 倍的月工资。在上面的例子中，虽然该劳动者只干了 2 个月的工作，但由于用人单位超过 1 个月未与劳动者订立劳动合同，则在劳动者工作的第二个月，用人单位需要向其支付 2 倍的月工资，再加上第一个月的工资，到 12 月 8 日劳动者工作满 2 个月，此时用人单位一共要支付该劳动者 3 个月的工资 2100 元。

对于用人单位违反本法规定不与劳动者订立无固定期限劳动合同的，本条规定：自应当订立无固定期限劳动合同之日起向劳动者每月支付 2 倍的工资。这里的“应当订立无固定期限劳动合同之日”应当理解为《劳动合同法》第 14 条第 2 款规定的三种情形到来之日：包括：(1) 劳动者在同一用人单位连续工作满 10 年后的次日。如某一劳动者 1998 年 6 月 1 日进入某一企业工作，到 2008 年 6 月 1 日已在该企业连续工作 10 年，如果该劳动者在 2008 年 6 月 1 日原固定期限劳动合同期满前或者期满当日提出续订劳动合同的，则2008年6月2日为“应当订立无固定期限劳动合同之日”。(2)在劳动者在同一用人单位连续工作满10年且距法定退休年龄不足10年的情况下，用人单位初次实行劳动合同制度或者国有企业改制重新订立劳动合同的日子。如某一职工已在某一企业连续工作10年，此时他53岁，距60岁的退休年龄不足10年，在此情况下，如果其所在的用人单位进行改制，确定于2008年3月1日重新与职工订立劳动合同，则这一天即为“应当订立无固定期限劳动合同之日”。(3)劳动者与企业连续订立二次固定期限劳动合同，且该劳动者没有《劳动合同法》第39条和第40条第1项、第2项规定的情形，在此情况下，双方续订劳动合同的日子。

第八十三条　用人单位违反本法规定与劳动者约定试用期的，由劳动行政部门责令改正；违法约定的试用期已经履行的，由用人单位以劳动者试用期满月工资为标准，按已经履行的超过法定试用期的期间向劳动者支付赔偿金。

【释义】　本条是关于用人单位违反劳动合同法规定与劳动者约定试用期的法律责任的规定。

一、用人单位违反劳动合同法规定与劳动者约定试用期的

《劳动合同法》第19条规定：“劳动合同期限三个月以上不满一年的，试用期不得超过一个月；劳动合同期限一年以上不满三年的，试用期不得超过二个月；三年以上固定期限和无

固定期限的劳动合同,试用期不得超过六个月。”“同一用人单位与同一劳动者只能约定一次试用期。”“以完成一定工作任务为期限的劳动合同或者劳动合同期限不满三个月的,不得约定试用期。”“试用期包含在劳动合同期限内。劳动合同仅约定试用期的,试用期不成立,该期限为劳动合同期限。”根据上述规定,用人单位在与劳动者约定试用期的时候,应当遵守劳动合同法有关试用期的最长时限、约定次数及其他有关规定,否则该试用期的约定就是违法的。

用人单位违反劳动合同法规定与劳动者约定试用期的情形包括:

(一)约定的试用期超过法律规定的最高时限的

《劳动合同法》第 19 条对不同期限、不同种类的劳动合同,规定了长短不同的试用期,如果用人单位与劳动者约定的试用期超过了法律规定的最长时限就是违法的。举一个例子,某企业与劳动者签订了为期 1 年的劳动合同,并同时约定试用期为 3 个月,这样一个关于试用期的约定,根据《劳动合同法》第 19 条的规定就是违法的,因为它违反了“劳动合同期限一年以上不满三年的,试用期不得超过二个月”的规定。这里要指出的是,法律只对试用期的最长时限有要求,用人单位与劳动者约定的试用期只要等于或者短于法律规定的最高时限,都是合法有效的。

(二)同一用人单位与同一劳动者约定了超过一次的试用期的

《劳动合同法》第 19 条第 2 款明确规定:“同一用人单位

与同一劳动者只能约定一次试用期。”假定某一劳动者与用人单位已经约定过了一次试用期，如果该劳动者在同一用人单位内调换了新的工作岗位，在此情况下，如果用人单位因此而又与他约定了一次试用期，则这一次的约定就是违法的，因为违反了同一用人单位与同一劳动者只能约定一次试用期的法律规定。

（三）以完成一定工作任务为期限的劳动合同或者劳动合同期限不满3个月的，约定了试用期的

《劳动合同法》第19条第3款规定：“以完成一定工作任务为期限的劳动合同或者劳动合同期限不满三个月的，不得约定试用期。”按照这一规定，如果某一企业只与劳动者签订了2个月的劳动合同，却同时约定试用期为30天，则这一试用期的约定就违反了法律的强制性规定，是违法的。

（四）劳动合同仅约定试用期或者劳动合同期限与试用期相同的

《劳动合同法》第19条第4款规定：“试用期包含在劳动合同期限内。劳动合同仅约定试用期的，试用期不成立，该期限为劳动合同期限。”如果用人单位与劳动仅约定了试用期，而没有约定劳动合同的期限，则这一试用期的约定是违法的。法律作这样的规定，是为了防止一些用人单位滥用试用期，利用劳动者在试用期的工资相对较低，同时解雇处于试用期的劳动者也相对容易的特点，侵害劳动者的合法权益。

二、用人单位违反劳动合同法规定与劳动者约定试用期的法律责任

根据本条的规定，用人单位违反劳动合同法规定与劳动者约定试用期的，由劳动行政部门责令改正，违法约定的试用期已经履行的，由用人单位以劳动者月工资为标准，按已经履行的超过法定试用期的期间向劳动者支付赔偿金。根据这一规定，用人单位违反本法规定，与劳动者所约定的试用期，如果还没有实际履行的，由劳动行政部门责令用人单位予以改正，使之符合本法的规定；如果无效的试用期约定已经实际履行，则由用人单位以劳动者月工资为标准，按已经履行的超过法定试用期的期间向劳动者支付赔偿金。如法定试用期为1个月，用人单位违法与劳动者约定了6个月的试用期。当这个试用期已经履行了，支付赔偿金的期间就是从试用期的第二个月至第六个月的时间。

赔偿金是承担违约责任的一个重要方式，其是指合同当事人一方违反合同约定，而给对方造成损失的，应给予一定数量货币进行赔偿。给付赔偿金的前提必须是一方违反合同约定，给另一方造成了实际损失。假定劳动者与用人单位签订的劳动合同期限为3年，按照《劳动合同法》的规定，试用期不得超过6个月；但该用人单位与劳动者约定了1年的试用期，并约定试用期满后的月工资为每个月1500元。在此情况下，用人单位约定的试用期是违法的，因为超过了6个月的最高时限，如果劳动者已经实际履行了8个月的试用期，则用人单位应当向该劳动者支付赔偿金，支付赔偿金的期间为已经

履行的超过法定试用期的期间，即 8 个月减去法定的最高时限 6 个月的期间，是 2 个月。在此例子中，用人单位应当向劳动者支付 1500 元 ×2 = 3000 元赔偿金。

这里应当指出的是：第一，对于违法约定的试用期，只要劳动者已经实际履行，用人单位要按照已经履行的超过法定试用期的期间向劳动者支付赔偿金，对于劳动者尚未履行的期间，则用人单位不需要支付赔偿金。第二，支付赔偿金不能代替正常的劳动报酬。如果劳动者实际履行的试用期超过了法定的最高时限，则用人单位除了向劳动者支付赔偿金外，还要向劳动者支付劳动合同约定的试用期满后的月工资，实际上等同于在劳动者已经实际履行的超过法定最高时限的期间内，用人单位需要向劳动者支付双倍的月工资，以惩罚用人单位违法约定试用期的行为。第三，用人单位应当向劳动者支付赔偿金的期间为超过法定试用期的期间。在上面的例子中，如果劳动者实际只履行了 5 个月的试用期，此时因为实际履行的期限没有超过 6 个月的法定最高时限，则用人单位不需要向劳动者支付赔偿金，但要改正违法行为，将试用期的约定限定在法定的最高时限内。

第八十四条　用人单位违反本法规定，扣押劳动者居民身份证等证件的，由劳动行政部门责令限期退还劳动者本人，并依照有关法律规定给予处罚。

用人单位违反本法规定，以担保或者其他名义向劳动者收取财物的，由劳动行政部门责令限期退还劳动者本人，并以

每人五百元以上二千元以下的标准处以罚款；给劳动者造成损害的，应当承担赔偿责任。

劳动者依法解除或者终止劳动合同，用人单位扣押劳动者档案或者其他物品的，依照前款规定处罚。

【释义】　本条是关于用人单位扣押劳动者居民身份证等证件，以担保或者其他名义向劳动者收取财物，以及扣押劳动者档案或者其他物品的法律责任的规定。

一、用人单位违反劳动合同法规定，扣押劳动者居民身份证等证件的法律责任

居民身份证是每一个公民的重要身份证件，颁发身份证是为了证明居住在中华人民共和国境内的公民的身份，保障公民的合法权益，便利公民进行社会活动。针对一些用人单位在招用人员时，违法扣押劳动者的身份证等行为，《劳动合同法》第9条明确规定："用人单位招用劳动者，不得扣押劳动者的居民身份证和其他证件，不得要求劳动者提供担保或者以其他名义向劳动者收取财物。"对用人单位违反这一规定，扣押劳动者身份证等证件的，要由劳动行政部门责令限期退还劳动者本人；同时，对此违法行为，要依照有关法律规定给予处罚。这里的"有关法律"主要是指的《居民身份证法》。

《居民身份证法》颁布于2003年6月，该法对居民身份证的申领、发放、使用和查验等作出了规定。该法第15条第3款明确规定："任何组织或者个人不得扣押居民身份证。但是，公安机关依照《中华人民共和国刑事诉讼法》执行监视居

住强制措施的情形除外。”根据这一规定，除了公安机关依据刑事诉讼法，对可能判处管制、拘役或者独立适用附加刑的，以及可能判处有期徒刑以上刑罚，采取取保候审、监视居住不致发生社会危险性的犯罪嫌疑人、被告人执行监视居住的情形之外，任何组织或者个人均不得扣押他人的居民身份证。

对非法扣押他人居民身份证的违法行为，《居民身份证法》第 16 条明确规定了法律责任：“有下列行为之一的，由公安机关给予警告，并处二百元以下罚款，有违法所得的，没收违法所得：（一）使用虚假证明材料骗领居民身份证的；（二）出租、出借、转让居民身份证的；（三）非法扣押他人居民身份证的。”根据这一规定，用人单位违法扣押劳动者身份证的，除由劳动行政部门责令限期退还劳动者本人外，还要由公安机关对该用人单位给予警告、200 元以下的罚款和没收违法所得的行政处罚。

这里主要介绍一下“没收违法所得”和“罚款”两个种类的行政处罚。

“没收违法所得”和“罚款”在学理上称作财产罚，所谓财产罚是指使被处罚的当事人的财产权利和利益受到损害的行政处罚，主要是对当事人的财产权予以剥夺，并不影响违法者的人身自由和进行其他活动的权利。财产罚的形式主要表现为没收其不合法占有的财物和金钱，或使其缴纳一定数额的金钱，即没收违法所得、没收非法财物和罚款。财产罚主要适用于以下三种情况：（1）有经济收入的公民或有固定资产的法人或者组织所实施的违法行为；（2）在从事以营利为目的的的经营活动中所实施的违法行为;(3)行为人实施违法行为所造成的危害后果,可以通过剥夺其财产予以补偿,对这种违法行为可适用财产罚。财产罚必须以制裁违法行为为目的,依法适用,不能滥用和乱用,否则必然会产生种种弊端。

没收违法所得,是指由行政机关实施的将违法当事人的违法收入收归国有的处罚方式,实施这一处罚的前提是当事人因为违法行为而获得了非法收入,即有了违法所得才给予没收;如果当事人没有违法所得,这一处罚种类也无从实施。所以法律通常规定"有违法所得的,没收违法所得",就是这个道理。相比警告和罚款等处罚种类而言,没收违法所得属于相对比较重的行政处罚,因此《行政处罚法》对其在设定和实施方面都作了严格的限定。根据《行政处罚法》的规定,只有法律、行政法规和地方性法规可以设定没收违法所得的行政处罚,国务院的部门规章和地方政府的规章均不得设定没收违法所得的行政处罚。行政机关在决定给予当事人没收违法所得的行政处罚时,要适用一般程序,即经过调查、收集有关证据,以及必要时要依据法律、法规的规定进行检查才能作出没收违法所得的处罚决定。

这里需要指出的是:除了居民身份证外,劳动者的户口簿、护照等重要的个人证件,用人单位也不得非法扣押,所以本条的表述是"用人单位违反本法规定,扣押劳动者身份证等证件的",这里的"等证件"就是指的护照、户口簿等其他证件。关于护照,我国于 2006 年 4 月颁发了《护照法》,该法明确规定,护照是中华人民共和国公民出入国境和在国外证明国籍和身份的证件。除了人民法院、人民检察院、公安机关、国家安全机关、行政监察机关因办理案件需要,可以依法扣押案件当事人的护照外,任何组织或者个人不得非法扣押护照。此外,对于到中国境内工作的外国人的护照,用人单位也不得非法扣押。

二、用人单位违反劳动合同法规定,以担保或者其他名义向劳动者收取财物的法律责任

实践中,一些用人单位往往要求劳动者,特别是非本地户口的劳动者提供财物担保才能予以录用,这一问题的存在,严重侵犯了劳动者的合法权益,同时也是对外来务工人员在就业方面的歧视性行为。为了惩治这一违法行为,保护劳动者的合法权益,《劳动合同法》第 9 条明确规定:“用人单位招用劳动者,不得扣押劳动者的居民身份证和其他证件,不得要求劳动者提供担保或者以其他名义向劳动者收取财物。”对于用人单位违反这一规定要求劳动者提供担保、向劳动者收取财物的,依据本条第 2 款的规定,要由劳动行政部门责令限期将违法收取的财物退还劳动者本人,并按每一名劳动者 500 元以上 2000 元以下的标准处以罚款;对劳动者造成损害的,用人单位应当承担赔偿责任。

这里规定了罚款的行政处罚和民事赔偿责任。

(一)罚款的行政处罚

罚款是对违反法律、法规,不履行法定义务的当事人的一种经济上的处罚,是指行政机关强制违法者承担一定的金钱

给付义务的处罚方式。罚款与没收违法所得的区别是:罚款是对当事人合法财产的剥夺;而没收违法所得则是对当事人非法占有的财产的剥夺。罚款与刑罚中罚金的区别是:罚金是刑罚中附加刑的一种,主要适用于牟取非法利益的罪犯。罚款作为行政处罚的一种形式,其适用远远超出非法牟取利益的范围,对许多并无谋利目的的违法者也同样适用罚款。

罚款这种处罚种类由于既不影响被处罚人的人身自由及其合法的活动,又能起到对违法行为的惩戒作用,因此成为行政处罚中应用最广泛的一种,在治安管理处罚、工商行政管理处罚、环境保护管理处罚、财产金融管理处罚等许多方面都有罚款的规定。为了更好地规范罚款这一处罚种类,有效地制止乱罚款、滥罚款,《行政处罚法》从设定权、处罚主体、决定程序、执行程序等方面对罚款进行了规定,特别是规定了罚收分离制度,即作出罚款决定的行政机关应当与收缴罚款的机构分离,除了当场收缴的罚款外,作出行政处罚决定的行政机关及其执法人员不得自行收缴罚款。当事人应当自收到行政处罚决定书之日起 15 日内,到指定的银行缴纳罚款。罚收分离制度的确立,从根本上杜绝了行政机关以罚款搞创收的不正之风,确保罚款能及时、全额上缴国库,促进了行政机关的廉政建设,保护了当事人的合法权益,是行政处罚中的一大举措。

本条规定了劳动行政部门对用人单位处以罚款的标准,即每一名劳动者处 500 元以上 2000 元以下的罚款。用人单位要求劳动者提供担保、向劳动者收取财物的违法行为,侵害了多少名劳动者的权益，就按本条确定的标准，乘以受害劳动者的人数，来决定对用人单位罚款的总数额。例如，某一用人单位违法要求10名劳动者提供财物担保，对此，劳动行政部门除了责令该用人单位将收取的担保费退还给这10名劳动者外，还要按每人500元至2000元的标准，乘以10，来决定对该用人单位的罚款数额。

（二）民事赔偿责任

用人单位违反《劳动合同法》规定，要求劳动者提供担保、向劳动者收取财物，对劳动者造成损害的，用人单位应当承担赔偿责任。这里的赔偿责任适用全部赔偿原则。所谓全部赔偿原则，是指致害人对其侵权行为所造成的损害，须承担全部赔偿的责任，即赔偿受害人的所有实际损失。适用全部赔偿原则，应当注意以下三个问题：

第一，不能把刑法上的量刑标准搬到民事责任上来。在刑法上，犯罪行为的性质、社会危害程度、罪过形式和程度以及犯罪分子的个人情况等，都是量刑的重要依据。然而，在民法上损害赔偿范围，完全是根据损害的大小来确定的。违法行为的过错程度，违法行为人的个人情况等，通常对于确定侵权行为人应负赔偿责任范围的大小并无实际意义。因此，若认为故意造成损害或对错误没有正确认识，就应该全部赔偿甚至多赔偿；反之，就可以少赔偿或不赔偿，这都是错误的。其结果，必然会造成多赔或少赔。多赔会给受害人不当收入；少赔则又会使受害人的损失得不到应得的补偿。

第二，不能把实际损失只理解为直接损失。全部赔偿，是指赔偿受害人全部的实际损失。民法上所说的实际损失包括直接损失和间接损失两个方面。因此,在确定赔偿范围时,直接损失和间接损失,都不应忽视,特别是间接损失,否则,就不可能使受害人的实际损失得到全部赔偿。

第三,适用全部赔偿原则时,还要从实际情况出发,既要公平合理,又要实事求是,切实可行。劳动仲裁机构和人民法院在确定用人单位的赔偿责任时,要考虑用人单位违法的具体情节,侵权行为所涉及的受害人的数量,用人单位的经济实力,劳动者一方权益受损害的具体情况,违法行为造成的社会影响等,对这些因素要进行综合考虑,本着公平合理、实事求是的原则,依法作出赔偿的裁决或者判决。

三、劳动者依法解除或者终止劳动合同,用人单位扣押劳动者档案或者其他物品的法律责任

《劳动合同法》第 50 条第 1 款规定:"用人单位应当在解除或者终止劳动合同时出具解除或者终止劳动合同的证明,并在十五日内为劳动者办理档案和社会保险关系转移手续。"依法解除、终止劳动合同是劳动者的权利,用人单位应当尊重劳动者的这一权利,依法为其办理档案和社会保险转移手续,不得以扣押档案或者其他物品的方式对劳动者进行刁难和打击报复。对于违反这一规定的用人单位,本条第 3 款明确了其相应的法律责任:劳动者依法解除、终止劳动合同,用人单位扣押劳动者档案或者其他物品的,依照前款规定处罚,即由劳动行政部门责令用人单位限期将非法扣押的档

案或者其他物品退还劳动者本人，按每一名劳动者500元以上2000元以下的标准处以罚款；对劳动者造成损害的，用人单位应当承担赔偿责任。

第八十五条　用人单位有下列情形之一的，由劳动行政部门责令限期支付劳动报酬、加班费或者经济补偿；劳动报酬低于当地最低工资标准的，应当支付其差额部分；逾期不支付的，责令用人单位按应付金额百分之五十以上百分之一百以下的标准向劳动者加付赔偿金：

（一）未按照劳动合同的约定或者国家规定及时足额支付劳动者劳动报酬的；

（二）低于当地最低工资标准支付劳动者工资的；

（三）安排加班不支付加班费的；

（四）解除或者终止劳动合同，未依照本法规定向劳动者支付经济补偿的。

【释义】　本条是关于用人单位未依照劳动合同的约定或者国家规定及时足额支付劳动者劳动报酬，或者低于当地最低工资标准支付劳动者工资的，或者安排加班不支付加班费，以及解除、终止劳动合同，未依照本法规定向劳动者支付经济补偿的法律责任的规定。

一、未依照劳动合同的约定或者国家规定及时足额支付劳动者劳动报酬的

依照劳动合同的约定或者依照《劳动合同法》规定支付

劳动者劳动报酬是用人单位的法定义务，如果没有依法或者依据合同的约定履行这一法定义务，就要依法承担相应的法律责任。

根据《劳动合同法》的规定，用人单位未依照劳动合同的约定或者未依照本法规定支付劳动者劳动报酬的情形包括以下四种：

1. 用人单位未依照劳动合同的约定或者依照劳动合同法的规定按时支付劳动报酬的。如果用人单位与劳动者签订的劳动合同中规定，用人单位应当在每月的 2 日支付劳动者上个月的工资报酬，但用人单位没有履行这一约定，拖延不予支付的，则属于本条规定的违法行为。另外，对于非全日制劳动用工形式，《劳动合同法》第 72 条第 2 款规定："非全日制用工劳动报酬结算支付周期最长不得超过十五日。"如果用人单位违反了这一规定，超过 15 日给劳动者结算工资报酬，则也属于本条规定的违法行为。

2. 用人单位未依照劳动合同的约定或者依照《劳动合同法》的规定足额支付劳动报酬的。《劳动合同法》明确规定，用人单位应当按照国家规定和劳动合同约定及时足额发放劳动报酬。如果用人单位与劳动者在劳动合同中约定工资为每月 1000 元，但用人单位却只支付给劳动者 950 元，则属于未足额发放工资，是违法的。

3. 用人单位支付在试用期间的劳动者工资低于劳动合同法规定的。《劳动合同法》第 20 条规定："劳动者在试用期的工资不得低于本单位同岗位最低档工资或者劳动合同约定工资的百分之八十，并不得低于用人单位所在地的最低工资标准。”用人单位违反这一规定支付工资的，也属于本条规定的违法行为。

4. 用人单位没有依法提高劳动者在服务期间的劳动报酬的。《劳动合同法》第22条第3款规定：“用人单位与劳动者约定服务期的，不影响按照正常的工资调整机制提高劳动者在服务期间的劳动报酬。”用人单位违反这一规定，没有按照正常的工资调整机制提高劳动者在服务期间的劳动报酬的，则属于违反本条规定的违法行为。

二、低于当地最低工资标准支付劳动者工资的

我国《劳动法》第48条明确规定：“国家实行最低工资保障制度。最低工资的具体标准由省、自治区、直辖市人民政府规定，报国务院备案。”“用人单位支付劳动者的工资不得低于当地最低工资标准。”实行最低工资保障制度，对于适应社会主义市场经济要求，推动劳动力市场建设和工资分配法制化，充分保障劳动者合法权益具有重要意义。目前全国各省、自治区、直辖市都制定了本地的最低工资标准，如北京市规定职工每月的最低工资标准为1400元，这一标准无论是对已经签订了正式劳动合同的劳动者，还是处于试用期的劳动者都适用。如果用人单位与劳动者约定的月工资低于这一标准，则是违法的。即使双方已经签订了劳动合同，仍然因为违反了法律的强制性规定而无效。此外，对于非全日制用工的报酬，《劳动合同法》明确规定，非全日制用工小时计酬标准不

得低于用人单位所在地人民政府规定的最低小时工资标准。如果用人单位向劳动者支付的小时工资低于所在地人民政府规定的最低小时工资标准，则也属于低于当地最低工资标准支付劳动者工资的违法行为。

三、安排加班不支付加班费的

我国《劳动法》第 44 条规定："有下列情形之一的，用人单位应当按照下列标准支付高于劳动者正常工作时间工资的工资报酬：（一）安排劳动者延长工作时间的，支付不低于工资的百分之一百五十的工资报酬；（二）休息日安排劳动者工作又不能安排补休的，支付不低于工资的百分之二百的工资报酬；（三）法定休假日安排劳动者工作的，支付不低于工资的百分之三百的工资报酬。"如果用人单位安排劳动者加班，却不依据劳动法的上述规定支付加班工资的，属于违法行为，应当依法承担法律责任。

四、解除或者终止劳动合同，未依照本法规定向劳动者支付经济补偿的

《劳动合同法》第 46 条规定了用人单位应当向劳动者支付经济补偿的六种情形，包括劳动者因用人单位侵犯劳动者合法权益而解除劳动合同的；劳动者因身体或者能力原因以及客观情况发生重大变化等导致劳动合同解除的；用人单位因依法破产重整而与劳动者解除劳动合同的；用人单位与劳动者协商一致解除劳动合同的；在用人单位维持或者提高劳

动合同约定条件下，劳动者不同意续订劳动合同的；以及因用人单位破产、解散、被吊销营业执照或者责令关闭而导致的劳动合同终止等。对于发生上述情形的，用人单位应当依照《劳动合同法》第 47 条的规定，根据劳动者在单位工作的年限，按每满 1 年支付 1 个月工资的标准向劳动者支付经济补偿金，对 6 个月以上不满 1 年的，按 1 年计算补偿金；不满 6 个月的，向劳动者支付半个月工资的经济补偿金。经济补偿金由用人单位一次性付给劳动者。如果用人单位没有依法向劳动者支付经济补偿金，则属于违法行为，应当依法承担法律责任。

对于上述四类违法行为，本条明确规定了相应的法律责任：由劳动行政部门责令限期支付劳动报酬、加班费或者解除、终止劳动合同的经济补偿；劳动报酬低于当地最低工资标准的，应当支付其差额部分；逾期不支付的，责令用人单位按应付金额 50% 以上 100% 以下的标准向劳动者加付赔偿金。

这里应当指出的是，关于“逾期不支付的，责令用人单位按应付金额百分之五十以上百分之一百以下的标准向劳动者加付赔偿金”的规定，从性质上说属于一种类似加处罚款的执行罚措施。《行政处罚法》规定，当事人逾期不交纳罚款的，行政机关可以按日加收罚款数额 3% 的罚款，目的是督促当事人履行行政处罚决定。同样道理，对于用人单位逾期不向劳动者支付应当支付的费用的，通过加收一定数额赔偿金的手段，促使用人单位履行支付义务，以保护劳动者的合法权益。因此，责令用人单位加付赔偿金的前提，是用人单位没有按照劳动行政部门规定的履行期限履行其向劳动者支付相关费用的法定义务，如果用人单位发生本条规定的违法行为，在劳动行政部门发出限期支付劳动报酬、加班费，或者解除以及终止劳动合同的经济补偿等费用的责令后，该用人单位即在劳动行政部门规定的期限内履行了其支付义务的，则不必再按应付金额50%以上100%以下的标准向劳动者加付赔偿金。

第八十六条 劳动合同依照本法第二十六条规定被确认无效，给对方造成损害的，有过错的一方应当承担赔偿责任。

【释义】 本条是关于劳动合同依照《劳动合同法》的规定被确认无效，给对方造成损害的，所应承担的法律责任的规定。

一、劳动合同依照《劳动合同法》第26条的规定被确认为无效的

《劳动合同法》第26条规定："下列劳动合同无效或者部分无效：（一）以欺诈、胁迫的手段或者乘人之危，使对方在违背真实意思的情况下订立或者变更劳动合同的；（二）用人单位免除自己的法定责任、排除劳动者权利的；（三）违反法律、行政法规强制性规定的。""对劳动合同的无效或者部分无效有争议的，由劳动争议仲裁机构或者人民法院确认。"根据这一规定，如果劳动合同属于上述三种情形之一的，属于无效或者部分无效的劳动合同。

二、无效劳动合同的法律后果

《劳动法》第 18 条明确规定："无效的劳动合同，从订立的时候起，就没有法律约束力。"因而，无效的劳动合同不受国家法律的承认和保护。对于劳动合同被确认无效的，其法律后果是：第一，根据《劳动合同法》的规定，劳动合同被确认无效，劳动者已付出劳动的，用人单位应当向劳动者支付劳动报酬。劳动报酬的数额，参考本单位相同或者相近岗位劳动者的劳动报酬确定。第二，无效劳动合同是由劳动合同当事人一方或者双方的过错造成的。法律上的过错，是指法律关系主体在主观上有违法错误，包括故意违法和过失违法。过错可能是一方的，也可能是双方的，它是由当事人的主观原因造成的后果，因此，对于无效的劳动合同，在确认其无效的同时，如给对方造成损害的，有过错的一方应当承担赔偿责任。

根据本条的规定，对因一方的过错导致劳动合同无效的，有过错的一方要承担赔偿责任：

1. 用人单位有过错的。劳动部于 1995 年 5 月制定了《违反〈劳动法〉有关劳动合同规定的赔偿办法》，该办法规定由于用人单位的原因订立无效的劳动合同，或订立部分无效劳动合同，对劳动者造成损害的，应按下列规定赔偿劳动者损失：(1)造成劳动者工资收入损失的，按劳动者本人应得工资收入支付给劳动者，并加付应得工资收入 25% 的赔偿费用；(2)造成劳动者劳动保护待遇损失的，应按国家规定补足劳动者的保护津贴和用品；(3)造成劳动者工伤、医疗保险待遇损失的，除按国家规定为劳动者提供工伤、医疗待遇外，还应支付劳动者相当于医疗费用25%的赔偿费用；(4)造成女职工和未成年工身体健康损害的，除按国家规定提供治疗期间的医疗待遇外，还应支付相当于其医疗费用25%的赔偿费用；(5)劳动合同约定的其他赔偿费用。对于上述规定中有关劳动者工资收入损失的赔偿，鉴于《劳动合同法》第84条有相关规定，应按《劳动合同法》的规定予以执行。

2. 劳动者有过错的。对于因劳动者的过错而导致劳动合同无效，给用人单位造成损失的，劳动者应当按照《民法通则》所确立的实际损失原则，承担赔偿责任，赔偿因其过错而对用人单位的生产、经营和工作造成的直接经济损失。这里要指出的是，在对劳动者追究民事赔偿责任时，要贯彻以下原则：一是赔偿与教育相结合的原则。在责令有过错的劳动者赔偿经济损失的同时，要注重对其进行思想教育。承办案件的劳动行政部门、劳动仲裁机构和人民法院对有过错的劳动者要进行劳动法律法规的宣传，做耐心的思想教育工作，使其真正认识到行为的危害性，这不仅有利于提高劳动者守法的自觉性，而且能增强劳动者赔偿经济损失的主动性。二是合理赔偿原则。所谓合理赔偿，是指在查清案件事实，确认用人单位确实因为劳动者的违法行为而实际存在经济损失的前提下，根据劳动者的过错程度、情节轻重、责任大小、认错态度好坏、实际承受能力等综合认定劳动者实际应承担的赔偿费用，以确保问题得到切实解决。

第八十七条　用人单位违反本法规定解除或者终止劳动合同的，应当依照本法第四十七条规定的经济补偿标准的二倍向劳动者支付赔偿金。

【释义】　本条是关于用人单位违反本法规定解除或者终止劳动合同的法律责任的规定。

用人单位违反本法规定解除或者终止劳动合同的行为主要包括以下两种：

1. 用人单位违反本法第42条的规定，在法律明确规定不得解除劳动合同的情形下解除劳动合同。

这包括以下情形：（1）从事接触职业病危害作业的劳动者未进行离岗前职业健康检查，或者疑似职业病病人在诊断或者医学观察期间的；（2）在本单位患职业病或者因工负伤并被确认丧失或者部分丧失劳动能力的；（3）患病或者负伤，在规定的医疗期内的；（4）女职工在孕期、产期、哺乳期的；（5）在本单位连续工作满15年，且距法定退休年龄不足5年的；（6）法律、行政法规规定的其他情形。为了保障处于特定情形下劳动者的权益，本法规定用人单位在上述情形下，不得以《劳动合同法》第40条、第41条为由解除劳动合同，否则就应当按照本条的规定承担相应的法律责任。

2. 用人单位在解除劳动合同时，没有遵守法定的程序。

《劳动合同法》第40条规定："有下列情形之一的，用人单位提前三十日以书面形式通知劳动者本人或者额外支付劳动者一个月工资后，可以解除劳动合同：（一）劳动者患病或者非因工负伤，在规定的医疗期满后不能从事原工作，也不能从事由用人单位另行安排的工作的;(二)劳动者不能胜任工作,经过培训或者调整工作岗位,仍不能胜任工作的;(三)劳动合同订立时所依据的客观情况发生重大变化,致使劳动合同无法履行,经用人单位与劳动者协商,未能就变更劳动合同内容达成协议的。”在出现上述三种情形时,用人单位虽有权解除劳动合同,但应提前30日以书面形式通知劳动者本人或者额外支付劳动者1个月工资。如用人单位解除劳动合同时没有遵守法定程序,未提前30日以书面形式通知劳动者本人或者额外支付劳动者1个月工资的,仍属于本条规定的“用人单位违反本法规定解除或者终止劳动合同的”情况,应当按照本条的规定承担相应的法律责任。

用人单位违反劳动合同法的规定解除或者终止劳动合同的,应当承担的法律责任是,依照《劳动合同法》第47条规定的经济补偿标准的2倍向劳动者支付赔偿金,即用人单位应当按照劳动者在该单位工作的年限,每满1年支付2个月工资的标准向劳动者支付。但如果劳动者在该单位的工作年限6个月以上不满1年的应按1年计算;如果劳动者在该单位的工作年限不满6个月的,向劳动者支付1个月工资的赔偿金;如果受到支付经济补偿12年限制的劳动者在该单位工作年限超过12年的,用人单位向其支付赔偿金不超过经济补偿的最高年限12年;如果劳动者月工资高于用人单位所在直辖市、设区的市级人民政府公布的本地区上年度职工月平均工资3倍的,用人单位应当按照职工月平均工资6倍的数额支付赔偿金。还需要注意的是,这里所称劳动者月工资是指劳动者在劳动合同解除或者终止前12个月的平均工资。

通过提高用人单位违法解除劳动合同的成本，可以在一定程度上遏制用人单位违法解除或者终止劳动合同的行为，同时也是对用人单位违反法律规定侵犯劳动者权益的一种惩罚性赔偿，体现了对劳动者权益的有力保障。但是，用人单位违反本法规定解除或者终止劳动合同，劳动者要求继续履行劳动合同，用人单位同意继续履行的，可以不向劳动者支付赔偿金。因为，本条规定赔偿金的目的是对用人单位违反本法规定解除或者终止劳动合同的一种惩罚，也是对劳动者的一种赔偿，如劳动者要求继续履行劳动合同，用人单位同意继续履行，用人单位不向劳动者支付赔偿金，则可以鼓励用人单位纠正违法行为，促使劳动合同得以继续履行，保障劳动者的合法权益。

第八十八条　用人单位有下列情形之一的，依法给予行政处罚；构成犯罪的，依法追究刑事责任；给劳动者造成损害的，应当承担赔偿责任：

（一）以暴力、威胁或者非法限制人身自由的手段强迫劳动的；

（二）违章指挥或者强令冒险作业危及劳动者人身安全的；

（三）侮辱、体罚、殴打、非法搜查或者拘禁劳动者的；

（四）劳动条件恶劣、环境污染严重，给劳动者身心健康造成严重损害的。

【释义】　本条是关于用人单位侵害劳动者人身权益的法律责任的规定。

2007年山西“黑砖窑事件”进入公众视野，引起社会极大关注。山西包工头、窑场经营者为降低生产成本不惜欺诈拐卖雇工、非法拘禁劳动者、以极其残忍的手段强迫劳动者劳动，其对劳动者生命和健康的漠视、侵害令人震惊。对这些用人单位疯狂追逐经济利益，不惜采取非法手段侵害劳动者人身权益的行为应予以严厉的制裁。

根据本条的规定，用人单位侵害劳动者人身权益的违法行为主要包括以下四种：(1)用人单位以暴力、威胁或者非法限制人身自由的手段强迫劳动。在用人单位提供的劳动条件恶劣、不及时足额支付劳动者工资等情形下，劳动者有权随时解除劳动合同，拒绝为用人单位劳动。这时一些用人单位为追求经济利益，可能会采取暴力、威胁或者非法限制人身自由的手段强迫劳动者劳动。(2)用人单位违章指挥或者强令冒险作业危及劳动者人身安全。(3)侮辱、体罚、殴打、非法搜查或者拘禁劳动者。(4)用人单位提供的劳动条件恶劣或者劳动环境污染严重，严重损害劳动者身心健康。用人单位的上述违法行为应当承担的法律责任主要包括行政责任、刑事责任和民事责任。

一、行政责任

行政责任是行政法律关系的主体因违反行政法律义务，而由专门国家机关依法追究或者主动承担的否定性法律后果。本条所指的行政责任是指用人单位侵犯劳动者人身权益的行政违法行为，应当依法给予的行政处罚。本条中的行政违法行为主要包括违反治安管理的行为以及违反行政管理规定的行为。违反治安管理的行为是指扰乱公共秩序，妨害公共安全，侵犯人身权利、财产权利，妨害社会管理，具有社会危害性，尚不够刑事处罚，应当由公安机关依照《治安管理处罚法》给予治安管理处罚的行为。本条第1项、第2项、第3项规定的情形，属于违反治安管理的行为，用人单位可能因违反《治安管理处罚法》的下列规定而被依法给予相应的行政处罚：(1)第40条第2项、第3项规定，"以暴力、威胁或者其他手段强迫他人劳动的""非法限制他人人身自由、非法侵入他人住宅或者非法搜查他人身体的"处"十日以上十五日以下拘留，并处五百元以上一千元以下罚款；情节较轻的，处五日以上十日以下拘留，并处二百元以上五百元以下罚款"。(2)第42条规定："有下列行为之一的，处五日以下拘留或者五百元以下罚款；情节较重的，处五日以上十日以下拘留，可以并处五百元以下罚款：(一)写恐吓信或者以其他方法威胁他人人身安全的；(二)公然侮辱他人或者捏造事实诽谤他人的；(三)捏造事实诬告陷害他人，企图使他人受到刑事追究或者受到治安管理处罚的；(四)对证人及其近亲属进行威胁、侮辱、殴打或者打击报复的；(五)多次发送淫秽、侮辱、恐吓或者其他信息，干扰他人正常生活的；(六)偷窥、偷拍、窃听、散布他人隐私的。"(3)第43条规定："殴打他人的，或者故意伤害他人身体的，处五日以上十日以下拘留，并处二百元以上五百元以下罚款；情节较轻的，处五日以下拘留或者五百元以下罚款。有下列情形之一的，处十日以上十五日以下拘留，并处五百元以上一千元以下罚款：（一）结伙殴打、伤害他人的；（二）殴打、伤害残疾人、孕妇、不满十四周岁的人或者六十周岁以上的人的；（三）多次殴打、伤害他人或者一次殴打、伤害多人的。”本条第4项的情形属于违反行政管理规定的行为，应根据相应的行政法规、规章的规定给予行政处罚。

二、刑事责任

刑事责任，是指犯罪人实施刑法所禁止的行为（作为或不作为）后向国家担负的刑事法律后果。刑事责任具有强制性和严厉性的特征。强制性，是指刑事责任是一种强制犯罪人向国家负的法律责任，反映了国家的强制地位与犯罪人的服从和负担地位。犯罪者实施了国家禁止性的行为，从而为国家所不能容忍。国家一方面通过刑法对这种行为作出否定的评价，另一方面对犯罪者加以谴责，并令其承担一定的刑事法律后果。严厉性是指，刑事责任是性质最为严重、否定性评价最为强烈、制裁后果最为严厉的法律责任。刑事责任通常跟刑罚联系在一起，而刑罚是国家最严厉的制裁方法，它不仅可以剥夺犯罪人的财产权与政治权，还可以限制或有期、无期地剥夺犯罪人的人身自由，甚至可以剥夺犯罪人的生命。根据本条的规定，用人单位可能因违反《刑法》的下列条款构成犯罪，被依法追究相应的刑事责任。第134条规定：“在生产、作业中违反有关安全管理的规定，因而发生重大伤亡事故或者造成其他严重后果的，处三年以下有期徒刑或者拘役；情节特别恶劣的，处三年以上七年以下有期徒刑。强令他人违章冒险作业,因而发生重大伤亡事故或者造成其他严重后果的,处五年以下有期徒刑或者拘役;情节特别恶劣的,处五年以上有期徒刑。”第135条:“安全生产设施或者安全生产条件不符合国家规定,因而发生重大伤亡事故或者造成其他严重后果的,对直接负责的主管人员和其他直接责任人员,处三年以下有期徒刑或者拘役;情节特别恶劣的,处三年以上七年以下有期徒刑。”第232条:“故意杀人的,处死刑、无期徒刑或者十年以上有期徒刑;情节较轻的,处三年以上十年以下有期徒刑。”第233条:“过失致人死亡的,处三年以上七年以下有期徒刑;情节较轻的,处三年以下有期徒刑。本法另有规定的,依照规定。”第234条:“故意伤害他人身体的,处三年以下有期徒刑、拘役或者管制。犯前款罪,致人重伤的,处三年以上十年以下有期徒刑;致人死亡或者以特别残忍手段致人重伤造成严重残疾的,处十年以上有期徒刑、无期徒刑或者死刑。本法另有规定的,依照规定。”第235条:“过失伤害他人致人重伤的,处三年以下有期徒刑或者拘役。本法另有规定的,依照规定。”第238条:“非法拘禁他人或者以其他方法非法剥夺他人人身自由的,处三年以下有期徒刑、拘役、管制或者剥夺政治权利。具有殴打、侮辱情节的,从重处罚。犯前款罪,致人重伤的,处三年以上十年以下有期徒刑;致人死亡的,处十年以上有期徒刑。使用暴力致人伤残、死亡的,依照本法第二百三十四条、第二百三十二条的规定定罪处罚。”第244条第1、2款:“以暴力、威胁或者限制人身自由的方法强迫他人劳动的,处三年以下有期徒刑或者拘役,并处罚金;情节严重的，处三年以上十年以下有期徒刑，并处罚金。明知他人实施前款行为，为其招募、运送人员或者有其他协助强迫他人劳动行为的，依照前款的规定处罚。”第 244 条之一：“违反劳动管理法规，雇用未满十六周岁的未成年人从事超强度体力劳动的，或者从事高空、井下作业的，或者在爆炸性、易燃性、放射性、毒害性等危险环境下从事劳动，情节严重的，对直接责任人员，处三年以下有期徒刑或者拘役，并处罚金；情节特别严重的，处三年以上七年以下有期徒刑，并处罚金。有前款行为，造成事故，又构成其他犯罪的，依照数罪并罚的规定处罚。”第 245 条：“非法搜查他人身体、住宅，或者非法侵入他人住宅的，处三年以下有期徒刑或者拘役。”第 246 条：“以暴力或者其他方法公然侮辱他人或者捏造事实诽谤他人，情节严重的，处三年以下有期徒刑、拘役、管制或者剥夺政治权利。前款罪，告诉的才处理，但是严重危害社会秩序和国家利益的除外。”

三、民事责任

用人单位的行为对劳动者造成损害的，应当承担赔偿责任。这里的赔偿是对劳动者因用人单位违法行为而造成的实际损害的赔偿，既包括对劳动者直接损害的赔偿，也包括间接损害的赔偿；既包括对劳动者物质损害的赔偿，也包括精神损害的赔偿。

执法过程中，应注意行政责任、刑事责任、民事责任三者之间的区别和联系，正确划分三者之间的界限，并注意相关部门之间职责的衔接。

第八十九条　用人单位违反本法规定未向劳动者出具解除或者终止劳动合同的书面证明,由劳动行政部门责令改正;给劳动者造成损害的,应当承担赔偿责任。

【释义】　本条是关于用人单位违反本法规定未向劳动者出具解除或者终止劳动合同的书面证明的法律责任的规定。

劳动合同制度是我国重要的法律制度,劳动合同的订立明确了用人单位与劳动者之间的法律关系。用人单位与劳动者在劳动合同存续期间根据法律的规定或者劳动合同的约定享受权利、履行义务。但完整的劳动合同权利、义务并不仅仅存在于劳动合同的存续期间,还包括先劳动合同义务和后劳动合同义务。先合同义务、后合同义务是合同法上的一个概念。先合同义务,是指当事人为缔约而接触时,基于诚实信用原则而发生的各种说明、告知、注意及保护等义务。合同关系终止后,当事人依诚实信用原则应负有某种作为或不作为义务,以维护给付效果,或协助对方处理合同终了善后事务,称为后合同义务。我国《合同法》第 92 条规定:“合同的权利义务终止后,当事人应当遵循诚实信用原则,根据交易习惯履行通知、协助、保密等义务。”这一规定明确确定了合同的后合同义务。虽然劳动合同在性质上与合同法意义上平等主体的自然人、法人、其他组织之间设立、变更、终止民事权利义务关系的合同有着显著的区别,是用人单位与劳动者在遵循合法、公平、平等自愿、协商一致的基础上就双方的权利和义务达成的一种协议，但基于诚实信用的原则同样也存在后劳动合同义务。后劳动合同义务是劳动合同解除、终止后劳动者与用人单位根据法律规定或者原劳动合同的约定负有的作为或不作为义务。本法第 50 条第 1 款规定："用人单位应当在解除或者终止劳动合同时出具解除或者终止劳动合同的证明，并在十五日内为劳动者办理档案和社会保险关系转移手续。"这一规定明确了在劳动合同解除或者终止后，用人单位应当承担为出具解除或者终止劳动合同证明的后劳动合同义务。

劳动合同的后合同义务与原劳动合同有较强的关联性，后劳动合同义务实际上是劳动合同权利义务的延伸，是以原劳动合同的存在为前提的。在劳动合同解除或终止时，用人单位应当履行后劳动合同义务。由于在后合同义务的履行上不存在合同法上的抗辩权问题，即一方不得以另一方不履行后合同义务为由，拒绝履行自己的后合同义务。这样就可能使履行了后合同义务的一方的权益受损害。违反后合同义务，与违反一般合同义务相同，产生债务不履行责任。实践中人们常常重视劳动合同义务的履行，但在劳动合同解除、终止后，却忽视了后劳动合同义务的履行，侵害了劳动者享受失业保险待遇的权利、再就业的权利等合法权益。为平衡双方的权利义务关系，有效遏制用人单位不履行后劳动合同义务的违法行为，保护劳动者的合法权益，本条款明确规定了用人单位违反后劳动合同义务应当承担的法律责任。

对于用人单位不履行后劳动合同义务的法律责任,本法根据对劳动者是否造成损害予以了区别规定。首先,用人单位违反本法规定未向劳动者出具解除或者终止劳动合同的书面证明,未对劳动者造成损害的,应当由劳动行政部门责令改正。根据《行政处罚法》的规定,责令改正并不是行政处罚的一种。责令改正的目的是纠正已发生违法行为,平衡双方的权利义务关系,使之恢复到合法的状态。对用人单位未依照本法规定向劳动者出具解除或者终止劳动合同的书面证明的违法行为,劳动行政部门应当要求用人单位在一定期限内向劳动者出具解除或者终止劳动合同的书面证明。其次,用人单位违反本法规定未向劳动者出具解除或者终止劳动合同的书面证明的违法行为对劳动者造成损害的,应当承担赔偿责任。根据有关国家规定,下岗失业人员再就业或者自主创业时,可享受一定的税收、财政等优惠政策,而下岗失业人员要享受这些优惠政策首先就需要通过出具解除或者终止劳动合同的书面证明,证实自己符合享受优惠政策的条件。如,我国《失业保险条例》第 16 条的规定:“城镇企业事业单位应当及时为失业人员出具终止或解除劳动关系的证明,告知其按照规定享受失业保险待遇的权利,并将失业人员的名单自终止或解除劳动关系之日起 7 日内报社会保险经办机构备案。”因此,如用人单位不按规定出具解除或者终止劳动合同的书面证明可能会给劳动者享受失业保险待遇,享受自主创业、再就业的优惠政策等造成阻碍,损害劳动者的合法权益。因此,本条规定用人单位应当对劳动者因此造成的损害,依法承担赔偿责任。需要注意的是,用人单位对劳动者损害的赔偿是指用人单位应当对其违反本法规定未向劳动者出具解除或者终止劳动合同的书面证明而给劳动者造成的实际损害承担赔偿责任,这里的赔偿是对劳动者实际损害的赔偿,既包括对劳动者直接损害的赔偿,也包括对其间接损害的赔偿。

在《劳动合同法》中规定用人单位不履行后合同义务的法律责任,不仅可以纠正用人单位的违法行为,赔偿劳动者因此受到的损害,而且将有助于督促用人单位自觉履行后劳动合同义务,减少劳动争议的发生,保障劳动者的合法权益,促进劳动关系的和谐稳定。

第九十条　劳动者违反本法规定解除劳动合同,或者违反劳动合同中约定的保密义务或者竞业限制,给用人单位造成损失的,应当承担赔偿责任。

【释义】　本条是关于劳动者违法、违约行为的法律责任的规定。

目前,我国尚未建立完善的诚信机制,劳动者违法解除劳动合同、违反劳动合同约定事项的行为也是经常发生,影响用人单位正常的生产经营活动,给用人单位造成损失。对劳动合同双方的合法权益,劳动合同法都应当给予保护,劳动者对其违法、违约行为也应当依法承担赔偿责任。

根据本条款的规定,劳动者赔偿责任的构成要件包括三点:一是有违法行为或者违约行为,即存在劳动者违反本法规定解除劳动合同,或者违反劳动合同中约定的保密义务或者竞业限制的行为；二是损害事实，即劳动者的违法或者违约行为给用人单位造成损失；三是损害事实与违法或者违约行为之间的因果关系，即劳动者违反本法规定解除劳动合同，或者违反劳动合同中约定的保密义务或竞业限制的行为和用人单位的损失之间具有因果关系。三者缺一不可。

本法所规定的劳动者的违法行为主要包括以下两种：

一是劳动者违反本法规定解除劳动合同的行为。用人单位基于与劳动者订立的劳动合同来确定本单位的劳动者数量、工作安排、计划进度等，劳动者随意解除劳动合同将会影响用人单位正常生产经营活动的进行，给用人单位造成一定程度的经济损失。因此，应当对劳动者提出解除劳动合同的情形、时间、方式作出一定的限制，维护劳动合同解除的严肃性，同时使用人单位有合理的时间，招聘新的劳动者，调度计划等。因此，本法规定劳动者违反本法规定解除劳动合同，给用人单位造成损失，应当对用人单位承担赔偿责任。本法第37条、第38条是关于劳动者解除劳动合同的规定。其中第37条规定："劳动者提前三十日以书面形式通知用人单位，可以解除劳动合同。劳动者在试用期内提前三日通知用人单位，可以解除劳动合同。"这一规定对劳动者在劳动合同期内解除劳动合同作出了两方面的要求：(1)劳动者应当提前30日通知用人单位解除劳动合同；(2)劳动者应当采取书面形式告知用人单位解除劳动合同。因此劳动合同期内，劳动者未以法律书面方式或者未提前30日通知用人单位解除劳动合同的，都属于违反本法规定解除劳动合同的情形。需要注意的是，劳动合同期内，并不是劳动者未按照法律规定的日期且以书面形式通知用人单位解除劳动合同对用人单位造成损害的，都一定要承担赔偿责任。本法还对一些特定情形下劳动合同的解除作出了特别规定，本法第 38 条第 1 款、第 2 款分别规定："用人单位有下列情形之一的，劳动者可以解除劳动合同：（一）未按照劳动合同约定提供劳动保护或者劳动条件的；（二）未及时足额支付劳动报酬的；（三）未依法为劳动者缴纳社会保险费的；（四）用人单位的规章制度违反法律、法规的规定，损害劳动者权益的；（五）因本法第二十六条第一款规定的情形致使劳动合同无效的；（六）法律、行政法规规定劳动者可以解除劳动合同的其他情形。""用人单位以暴力、威胁或者非法限制人身自由的手段强迫劳动者劳动的，或者用人单位违章指挥、强令冒险作业危及劳动者人身安全的，劳动者可以立即解除劳动合同，不需事先告知用人单位。"因此，在第 1 款规定的情形下，因用人单位的过错，劳动者可以不提前 30 日以书面形式通知用人单位解除劳动合同，只需给用人单位留出一定的时间交接，即可解除劳动合同；第二款规定的劳动者可以立即解除劳动合同的种种情形，主要是用人单位以暴力、威胁或者非法限制人身自由的手段强迫劳动者劳动的，或者用人单位违章指挥、强令冒险作业的行为，已经严重违反了法律的强制性规定，损害了劳动者的合法权益，对劳动者的生命健康、人身安全造成严重危害，这种情况下，劳动者有权立即解除劳动合同，而无须对用人单位的损失承担赔偿责任。

劳动者违反本法规定解除劳动合同,对用人单位造成损失的,劳动者应赔偿用人单位下列损失:(1)用人单位招录其所支付的费用;(2)用人单位为其支付的培训费用,双方另有约定的按约定办理;(3)劳动合同约定的其他赔偿费用。

二是劳动者违反劳动合同中约定的保密义务或者竞业限制的行为。劳动合同是用人单位和劳动者对双方权利义务的约定,因此,充分尊重用人单位和劳动者双方的意思自治。本法第23条规定:“用人单位与劳动者可以在劳动合同中约定保守用人单位的商业秘密和与知识产权相关的保密事项。”对负有保守用人单位商业秘密和与知识产权相关的事项义务的用人单位的高级管理人员,高级技术人员和其他知悉用人单位商业秘密的人员,用人单位可以在劳动合同或者保密协议中与劳动者约定竞业限制条款,就竞业限制的范围、地域、期限作出约定。在解除或者终止劳动合同后,用人单位按照约定竞业限制期限内按月给予劳动者经济补偿,而该劳动者不得到与本单位生产或者经营同类产品、业务的有竞争关系的其他用人单位,或者自己开业生产或者经营与本单位有竞争关系的同类产品、业务。劳动者违反竞业限制约定的,应当按照约定向用人单位支付违约金。劳动者违反劳动合同中约定的保密义务或者竞业限制,对用人单位造成损失的,应当对用人单位的实际损失承担赔偿责任。

第九十一条　用人单位招用与其他用人单位尚未解除或者终止劳动合同的劳动者,给其他用人单位造成损失的,应当

承担连带赔偿责任。

【释义】 本条是关于用人单位招用与其他用人单位尚未解除或者终止劳动合同的劳动者，给其他用人单位造成损失的法律责任的规定。

在商业竞争日趋激烈的今天，优秀的员工越来越成为企业维持生存、保持竞争优势的关键所在。这些员工在单位任职期间所获的劳动技能、客户资源以及商业、技术秘密都成为一种重要的资源，因此，恶意挖人成为一些企业提升竞争力的一种捷径。我国《劳动法》并未明文禁止劳动者的兼职行为，因此，劳动者在一家用人单位订立劳动合同的同时，有利用下班时间兼职的权利，如未损害用人单位的利益，原则上并未违反法律规定。但是用人单位雇用这种与其他用人单位尚未解除劳动合同的劳动者，侵害到其他用人单位利益，则该劳动者应当承担赔偿责任，而作为实际利益的获得者，用人单位也应当对此承担连带赔偿责任。因为，这种行为往往给其他用人单位造成的损失是巨大的，劳动者本人可能没有能力对此进行赔偿，而且这种行为扰乱了正常的市场竞争秩序，侵害了其他单位的权益，《劳动合同法》应当对用人单位的这种行为予以规范，以维护正常的市场秩序，促进劳动关系的和谐发展。法国、马达加斯加等国的劳动法对此问题也作出了规定。这些国家的法律条款对此规定较严，不仅招用未解除原劳动合同的雇员并造成损失的雇主要承担连带责任，而且招用已解除原劳动合同，如果解除行为与新雇主有关，则新雇主也要承担连带责任。

根据本条款的规定，该项法律责任的构成要件，包括以下三点：(1)用人单位有招用与其他用人单位尚未解除或者终止劳动合同的劳动者的行为，即用人单位招用劳动者时，该劳动者与其他用人单位仍存在劳动关系。(2)用人单位招用劳动者对其他用人单位造成损失。(3)用人单位招用劳动者的行为与其他用人单位的损失之间存在因果关系。

根据本条款的规定，用人单位招用与其他用人单位尚未解除或者终止劳动合同的劳动者，对其他用人单位造成损失的，应当承担连带赔偿责任。因此，其他用人单位既可以同时请求该用人单位和劳动者承担赔偿责任，也可任意选择该用人单位或劳动者承担赔偿责任。

第九十二条　违反本法规定，未经许可，擅自经营劳务派遣业务的，由劳动行政部门责令停止违法行为，没收违法所得，并处违法所得一倍以上五倍以下的罚款；没有违法所得的，可以处五万元以下的罚款。

劳务派遣单位、用工单位违反本法有关劳务派遣规定的，由劳动行政部门责令限期改正；逾期不改正的，以每人五千元以上一万元以下的标准处以罚款，对劳务派遣单位，吊销其劳务派遣业务经营许可证。用工单位给被派遣劳动者造成损害的，劳务派遣单位与用工单位承担连带赔偿责任。

【释义】　本条是关于劳务派遣单位和用工单位违反本法的法律责任的规定。

一、关于劳务派遣单位的法律责任

《劳动合同法》修改时，为了更好地规范劳务派遣业务，提高了经营劳务派遣业务的门槛，《劳动合同法》第 57 条规定："经营劳务派遣业务应当具备下列条件：（一）注册资金不得少于人民币二百万元；（二）有与开展业务相适应的固定的经营场所和设施；（三）有符合法律、行政法规规定的劳务派遣管理制度；（四）法律、行政法规规定的其他条件。"同时，为了加强行政部门对劳务派遣的监督和管理，增加了对经营劳务派遣业务行政许可的规定。经营劳务派遣业务，应当向劳动行政部门依法申请行政许可；经许可的，依法办理相应的公司登记。未经许可，任何单位和个人不得经营劳务派遣业务。对于违反上述规定，擅自经营劳务派遣业务的，也增加了相应的法律责任。根据《劳动合同法》第 92 条第 1 款的规定，未经许可，擅自经营劳务派遣业务的，由劳动行政部门责令停止违法行为，没收违法所得，并处违法所得 1 倍以上 5 倍以下的罚款；对于劳务派遣单位还没有从劳务派遣业务中获利，没有违法所得的，可以处 5 万元以下的罚款。

劳务派遣单位除了应当具备法律规定的经营条件，并经过许可开展经营劳务派遣业务，根据《劳动合同法》的规定，劳务派遣单位还应当履行以下主要义务：（1）劳务派遣单位应当将劳务派遣协议的内容告知被派遣劳动者；（2）劳务派遣单位不得克扣用工单位按照劳务派遣协议支付给派遣劳动者劳动报酬；（3）劳务派遣单位和用工单位不得向被派遣者收取费用;(4)劳务派遣单位跨地区派遣劳动者的,被派遣劳动者享有的劳动报酬和劳动条件,应当按照用工单位所在地的标准执行。劳务派遣单位违反以上规定的,由劳动行政部门责令限期改正。限期改正不属于行政处罚,作为一种补救性的行政责任,是要求违法者在一定期限内将违法状态恢复为合法状态。劳动行政部门可以根据劳务派遣单位的违法情节,规定相应的期间要求劳务派遣单位改正其违法行为;劳务派遣单位在规定的期限内不改正的,应当属于情节严重的情形,劳动行政部门可以处以罚款和吊销经营劳务派遣的行政许可。罚款的标准以每人 5000 元以上 1 万元以下计算。比如,劳务派遣单位克扣用工单位按照派遣协议支付给派遣劳动者的劳动报酬,劳动行政部门可以按照被克扣者人数每人 5000 元以上 1 万元以下进行罚款。除了罚款之外,劳动行政部门还可以视情况吊销劳务派遣单位经营劳务派遣业务的许可证。

此次《劳动合同法》修改,主要的目的就是在规范劳务派遣业务的同时,加大对违法劳务派遣的处罚力度。因此,对于劳务派遣单位违反本法有关劳务派遣规定的法律责任作了两处修改:一是提高了罚款的额度。《劳动合同法》修改前,对于劳务派遣单位的罚款是以每人 1000 元以上 5000 元以下的标准处罚。为了加大对劳务派遣单位的处罚力度,此次修改提高了罚款的数额,将罚款的标准提高到按每人 5000 元以上 1 万元以下。二是对于派遣单位的违法行为,《劳动合同法》修改前规定是由工商行政管理部门吊销营业执照,此次修改为由劳动行政部门吊销劳务派遣业务经营许可证。这主要是考虑到目前许多劳务派遣单位还在兼营其他业务,劳务派遣业务只是其多项业务中的一项,如果只是因为违法开展劳务派遣业务就吊销其经营许可,对于这些同时开展多项业务的单位来说不尽合理。由于此次修改时增加了劳务派遣业务实施行政许可的规定,因此,通过吊销其劳务派遣经营许可就能体现对劳务派遣单位严重违法行为的处罚。吊销了劳务派遣的经营许可证后,对于只经营劳务派遣业务的单位,没有了经营劳务派遣的许可,就等于不能再开展业务,也无法通过相关的年检,所以,最终也会被工商行政部门注销其经营劳务派遣的营业资格。

罚款、没收违法所得和吊销许可证是行政处罚的主要种类。根据《行政处罚法》的规定,以上三种处罚措施都不属于可以当场作出的行政处罚,劳动行政部门必须全面、客观、公正地调查,收集有关证据;劳动行政部门进行以上行政处罚时,应当告知被处罚的劳务派遣单位的权利和义务,以及作出行政处罚的事实、理由和依据。由于吊销经营劳务派遣的许可证属于比较严厉的行政处罚措施,根据《行政处罚法》的规定,劳动行政部门在作出行政处罚决定之前告知被处罚的劳务派遣单位有权要求举行听证。对于劳务派遣单位最终的处罚应当制作行政处罚决定书。

二、关于用工单位的法律责任

《劳动合同法》规定了被派遣劳动者的权利和用工单位

的义务,用工单位侵犯被派遣劳动者合法权利或者不履行法律规定义务的,应当承担相应的法律责任。《劳动合同法》对劳务派遣协议、跨地区派遣劳动者的劳动报酬和劳动条件、用工单位的义务、被派遣劳动者与用工单位的劳动者同工同酬、被派遣劳动者参加或者组织工会、劳务派遣用工的岗位限制和用工比例等方面作了规定,用工单位违反上述规定的,应当承担相应的法律责任。

原《劳动合同法》没有对用工单位违反法律有关劳务派遣规定的作出罚款的规定。根据《劳动合同法实施条例》,用工单位违反《劳动合同法》和该条例有关劳务派遣规定,情节严重的,以每位被派遣劳动者 1000 元以上 5000 元以下的标准处以罚款。此次修改《劳动合同法》,对用工单位的罚款主要作了以下两处修正:首先,罚款的条件由"情节严重"修改为"经劳动行政部门责令限期改正而逾期不改正";其次,罚款的标准由违法行为涉及的被派遣劳动者每人 1000 元以上 5000 元以下提高到每人 5000 元以上 1 万元以下。如用工单位违反法律规定在超"三性"岗位上使用劳务派遣工,经责令改正逾期不改正的,应按照超"三性"使用劳务派遣工的数量,以每人 5000 元以上 1 万元以下,对用工单位处以罚款。通过修改,进一步加大了用工单位的违法成本。劳动行政部门在实践中应当根据用工单位违法行为的情节、危害大小等情况在上述范围内确定具体的罚款数额。

三、关于连带赔偿责任

与一般劳动用工中存在劳动者、用人单位双方当事人不同，劳务派遣用工中存在劳务派遣单位、用工单位和被派遣劳动者三方当事人，被派遣劳动者与劳务派遣单位之间是法律上的“劳动关系”，而与用工单位不存在法律上的“劳动关系”，是“有劳动无关系”。由于“用人”与“用工”相分离，劳动用工关系复杂化，导致劳务派遣实践中普遍存在同工不同酬、责任分担不清，被派遣劳动者的工资福利待遇、社会保险、民主权利等得不到保障等问题，严重损害了被派遣劳动者的合法权益。被派遣劳动者在用工单位的直接管理和安排下从事劳动，为防止出现用工单位给被派遣劳动者造成损害后，用工单位以没有“劳动关系”为由逃避责任，或者用工单位没有能力承担赔偿责任等现象，同时也为了促使劳务派遣单位监督用工单位履行法律和协议确定的义务，本条规定用工单位给被派遣劳动者造成损害的，劳务派遣单位与用工单位承担连带赔偿责任。

连带责任的特征主要表现在：(1)连带责任对于侵权人而言是一种比较严重的责任方式。连带责任对外是一个整体的责任。连带责任中的每个人都需要对被侵权人承担全部责任。被请求承担全部责任的连带责任人，不得以自己的过错程度等为由只承担自己的责任。(2)连带责任对于被侵权人保护得更为充分。连带责任给了被侵权人更多的选择权，被侵权人可以请求一个或者数个连带责任人承担全部或者部分的赔偿责任。而且，被侵权人的举证责任较轻。(3)连带责任是法定责任，侵权人不能约定改变责任的性质，对于内部责任份额的约定对外不发生效力。(4)连带责任能够降低清偿风险。连带债务与按份债务的一个重要区别就在于,连带债务的债权人能够更好地实现自己的债权。例如,按份债务人之一无清偿能力时,债权人无法要求其他按份债务人承担该无清偿能力债务人的债务,而在连带债务的情况下,此种风险由其他连带债务人承担,债权人的债权能够很好地获得满足。在某个或者部分连带债务人破产的情况下,债权人的全部债权并不受到威胁。

第九十三条　对不具备合法经营资格的用人单位的违法犯罪行为,依法追究法律责任;劳动者已经付出劳动的,该单位或者其出资人应当依照本法有关规定向劳动者支付劳动报酬、经济补偿、赔偿金;给劳动者造成损害的,应当承担赔偿责任。

【释义】　本条是关于不具备合法经营资格的用人单位的违法犯罪行为的法律责任的规定。

首先,根据本条款的规定,对于不具备合法经营资格的用人单位的违法犯罪行为,应当依法追究法律责任。不具备合法经营资格主要是指该单位没有依照相关法律的规定获得相应的营业执照,具备相应的经营资格。根据 2003 年 3 月 1 日开始施行的《无照经营查处取缔办法》的规定,无营业执照经营行为主要包括以下几种:(1)应当取得而未依法取得许可证或者其他批准文件和营业执照,擅自从事经营活动的无照经营行为;(2)无须取得许可证或者其他批准文件即可取得营业执照而未依法取得营业执照,擅自从事经营活动的无照经营行为;(3)已经依法取得许可证或者其他批准文件,但未依法取得营业执照,擅自从事经营活动的无照经营行为;(4)已经办理注销登记或者被吊销营业执照,以及营业执照有效期届满后未按照规定重新办理登记手续,擅自继续从事经营活动的无照经营行为;(5)超出核准登记的经营范围、擅自从事应当取得许可证或者其他批准文件方可从事的经营活动的违法经营行为。同时规定:“对于无照经营行为,由工商行政管理部门依法予以取缔,没收违法所得;触犯刑律的,依照刑法关于非法经营罪、重大责任事故罪、重大劳动安全事故罪、危险物品肇事罪或者其他罪的规定,依法追究刑事责任;尚不够刑事处罚的,并处 2 万元以下的罚款;无照经营行为规模较大、社会危害严重的,并处 2 万元以上 20 万元以下的罚款;无照经营行为危害人体健康、存在重大安全隐患、威胁公共安全、破坏环境资源的,没收专门用于从事无照经营的工具、设备、原材料、产品(商品)等财物,并处 5 万元以上 50 万元以下的罚款。对无照经营行为的处罚,法律、法规另有规定的,从其规定。”对不具备合法经营资格的用人单位违反本法规定的行为,还应按照本法有关规定,追究相应的法律责任。

其次,不具备合法经营资格的用人单位的劳动者已经付出劳动的,该单位或者其出资人应当依照本法有关规定向劳动者支付劳动报酬、经济补偿、赔偿金。不具备合法经营资格的用人单位不属于本法第 2 条规定的合法的用人单位,根据本法第 26 条的规定,不具备合法经营资格的用人单位与劳动者订立的劳动合同因主体违反法律规定属于无效合同。但根据公平的原则，不具备合法经营资格的用人单位被依法处理的，该单位的劳动者已经付出劳动的，仍应依照本法规定，获得相应的劳动报酬、经济补偿、赔偿金。本法针对不具备合法经营资格的用人单位被工商行政管理部门依法处理，特别是被依法取缔后，劳动者的劳动报酬、经济补偿、赔偿金无人支付问题，明确规定不具备合法经营资格的用人单位被依法处理，该单位的劳动者已经付出劳动的，由被处理的单位或者其出资人向劳动者支付劳动报酬、经济补偿、赔偿金。因此，即使不具备合法经营资格的用人单位被依法取缔，被处理的单位或者其出资人仍应支付劳动者的劳动报酬、经济补偿、赔偿金。被依法取缔的单位不能因其被取缔、不存在为由，拒绝支付劳动者报酬、经济补偿、赔偿金。对被处理单位或其出资人拒绝支付的，劳动者可以其出资人为被告提起诉讼。

最后，不具备合法经营资格的用人单位，给劳动者造成损害的，应当由被处理的单位或者其出资人承担赔偿责任。不具备合法经营资格的用人单位被依法取缔后，劳动者的损害很难从被处理单位得到赔偿，要求出资人承担赔偿责任，有利于对劳动者权益的保护。

第九十四条　个人承包经营违反本法规定招用劳动者，给劳动者造成损害的，发包的组织与个人承包经营者承担连带赔偿责任。

【释义】　本条是关于个人承包经营损害劳动者权益的法律责任的规定。

个人承包经营，是指企业与个人承包经营者通过订立承包经营合同，将企业的全部或者部分经营管理权在一定期限内交给个人承包者，由个人承包者对企业进行经营管理。个人承包经营是我国在经济体制改革的特定时期出现的解决部分合营企业经营管理不善、严重亏损的补充措施。个人承包经营对一些企业扭亏转盈，促进市场经济的发展发挥了作用，但也出现了个体经营者素质参差不齐，管理混乱，一味追求经济利益，侵害劳动者权益等问题，而对劳动者造成损害后，赔偿责任不明确，劳动者得不到赔偿的问题，更是亟须法律作出明确规定。

个人承包经营期间因个人承包经营者违反法律规定而对劳动者造成的损害，个人承包经营者应对其违反法律的行为承担责任，对劳动者的损害承担赔偿责任。同时针对实践中大量存在的，个人承包经营者侵害劳动者权益，却没有足够的能力对劳动者进行赔偿，或者个人承包经营者逃避承担赔偿责任，劳动者很难得到赔偿的现象，为有效保护劳动者的合法权益，《劳动合同法》明确规定对于个人承包经营期间，个人承包经营招用劳动者违反法律规定，给劳动者造成损害的，应当由发包的组织与个人承包经营者承担连带赔偿责任。应当注意的是，这里的“个人承包经营”也包括转包。个人承包经营中间环节无论经过多少次个人间合法或者非法的转包，承担连带责任的是可以往上追溯的“发包的组织”。中间转包的个人承包者承担赔偿责任也是不言而喻的。本条规定发包组织与个人承包经营承担连带责任的目的就是防止个人承包经营者在承包经营过程中,急功近利侵害劳动者利益,或者损害劳动者利益后没有能力或逃避承担对劳动者的损害赔偿责任。因此,个人承包经营者违反本法规定招用劳动者,给劳动者造成损害的,个人承包经营者应当承担赔偿责任,发包组织也应承担连带赔偿责任。个人承包经营者违反本法规定招用劳动者时对劳动者造成的损害,劳动者既可以要求个人承包经营者全额或者部分赔偿,也可要求发包的组织即个人承包经营者所承包的单位全额或者部分赔偿。诉讼中,劳动者既可以单独起诉发包组织或者个人承包经营者,也可将发包组织或者个人承包经营者列为共同被告。

第九十五条　劳动行政部门和其他有关主管部门及其工作人员玩忽职守、不履行法定职责,或者违法行使职权,给劳动者或者用人单位造成损害的,应当承担赔偿责任;对直接负责的主管人员和其他直接责任人员,依法给予行政处分;构成犯罪的,依法追究刑事责任。

【释义】　本条是关于行政机关及其工作人员玩忽职守、不履行法定职责,或者违法行使职权的法律责任的规定。

2007 年发生的“黑砖窑”事件,暴露出行政部门监管不到位的严重问题。长期以来,政府有关行政部门对农村地区的小作坊、小煤矿、小工厂等劳动用工问题疏于管理,基本处于失察和失控的状态,正是由于这种管理的缺位和一些行政机关工作人员的失职渎职以及个别人的腐败行为,使一些非法用人单位得以存在,非法用工愈演愈烈,劳动者的人身权利受到严重的侵犯。因此，应在《劳动合同法》中明确规定行政机关及其工作人员玩忽职守、不履行法定职责或者违法行使职权应当承担的法律责任。

一、行政违法行为

行政违法行为主要包括两种：一种是单位和个人即行政相对人违反行政法规的行为；另一种是行政机关及其工作人员即行政主体执行职务时的轻微违法行为或者违反纪律的行为。本条规定的行政违法行为，是指行政机关及其工作人员的行政违法行为，主要包括玩忽职守、不履行法定职责和违法行使职权等情形。玩忽职守、不履行法定职责，是指行政机关或者被授权的组织及其工作人员不履行法律所赋予的职权，不承担相应的职责，构成违法失职行为，又称为行政不作为。实践中，表现为：(1)明确拒绝履行，行政机关及其工作人员明确否认自己对该事项具有管辖权或处理权，明确拒绝采取相应的行政行为；(2)无正当理由逾期仍不履行，即超过法定的期限仍不履行的；(3)拖延履行法定职责，即行政机关在合理的履行时限内不予答复或未明确答复。违法行使职权主要包括行政机关工作人员违法行使本人职务范围内的权力，以及超越其职权范围而实施有关行为等情形。

二、法律责任

(一)行政赔偿

劳动行政部门和其他有关主管部门及其工作人员的上述

违法行为，侵犯用人单位或者劳动者合法权益造成损害的应承担赔偿责任。这里的赔偿责任，是指行政赔偿责任，即行政主体违法实施行政行为，侵犯相对人合法权益造成损害时由国家承担的一种赔偿责任，由行政主体、职务违法行为、损害后果和因果关系四个要件构成。行政主体，是指执行行政职务的行政机关及其工作人员。职务违法行为，是指违法执行职务的行为，既包括职务行为本身的行为，也包括与职务有关联而不可分的行为。损害后果，是指行政主体实施的行政违法行为对相对人合法权益造成的损害，根据我国《国家赔偿法》的规定，对相对人合法权益造成的损害仅指物质损害与直接损害，而不包括精神损害与间接损害。因果关系，是指行政违法行为与损害后果之间存在因果关系。

（二）行政处分

劳动行政部门和其他有关主管部门及其工作人员的上述违法行为尚未构成犯罪的，除侵犯用人单位或者劳动者合法权益造成损害的应承担赔偿责任外，对直接负责的主管人员及其他直接责任人员应依法给予行政处分。2005 年全国人大常委会制定的《公务员法》，第 2 章、第 9 章分别规定了公务员的条件、义务与权利和惩戒；2007 年 4 月 4 日，国务院公布的《行政机关公务员处分条例》是新中国成立以来第一部全面、系统地规范行政惩戒工作的专门行政法规，该条例对行政机关公务员的处分原则、种类、适用、权限、程序和申诉等作了明确规定。根据《公务员法》第 56 条、《行政机关公务员处分条例》第 6 条的规定，行政机关公务员处分的种类为：（1）警告；

(2)记过;(3)记大过;(4)降级;(5)撤职;(6)开除。《行政机关公务员处分条例》第7条规定:“行政机关公务员受处分的期间为:(一)警告,6个月;(二)记过,12个月;(三)记大过,18个月;(四)降级、撤职,24个月。”这里需要注意的是,与刑事责任不同,行政处分的对象只可能是个人,单位不可能成为行政处分的对象。

(三)刑事责任

劳动行政部门和其他有关主管部门及其工作人员的上述违法行为严重违法,触犯刑法的,应追究其刑事责任。《刑法》第397条是对国家机关工作人员滥用职权罪、玩忽职守罪及其处罚的规定。根据该条的规定,劳动行政部门和其他有关主管部门及其工作人员不履行法定职责或者违法行使职权,“致使公共财产、国家和人民利益遭受重大损失的,处三年以下有期徒刑或者拘役;情节特别严重的,处三年以上七年以下有期徒刑。本法另有规定的,依照规定。国家机关工作人员徇私舞弊,犯前款罪的,处五年以下有期徒刑或者拘役;情节特别严重的,处五年以上十年以下有期徒刑。本法另有规定的,依照规定”。

第八章　附　　则

第九十六条　事业单位与实行聘用制的工作人员订立、履行、变更、解除或者终止劳动合同，法律、行政法规或者国务院另有规定的，依照其规定；未作规定的，依照本法有关规定执行。

【释义】　本条是关于事业单位聘用制的工作人员的规定。

一、我国事业单位用人制度的基本情况

事业单位是具有中国特色的组织。所谓事业单位，是指为了社会公益目的，由国家机关举办或者其他组织利用国有资产举办的，从事教育、科技、文化、卫生等活动的社会服务组织。国家通过编制管理实现对事业单位人员的配置和调控。按照国家财政拨款的多少，可以将事业单位分为三种：全额拨款的事业单位、差额拨款的事业单位和自收自支的事业单位。我国事业单位数量众多，类型不一，队伍庞大。截至2006年年底，全国事业单位总计126万个，涉及教育、卫生、农业、文化、科研等多个领域，职工人数近3035万，其中正式职工2923万（包括原固定职工和使用期限在一年以上的合同制职工）。职工人数中教育业占51.3%，卫生业占14.3%，农业占9.5%，文化业占5.1%，科研占2.4%。长期以来，我国的事业单位实行的是一套不同于企业,近似于国家机关的人事管理制度。改革开放以后,国家在企业推行劳动合同制度,对国家机关公务员的管理通过立法加以规范,事业单位的人事制度仍在原来制度的基础上运行,改革进展缓慢。为了转换事业单位用人机制,就要加快推进事业单位人事制度改革。2002 年 7 月 6 日,国务院办公厅转发人事部《关于在事业单位试行人员聘用制度意见》的通知,要求事业单位除按照国家公务员制度进行人事管理的以及转制为企业的以外,都要逐步试行人员聘用制度。到 2006 年年底,事业单位实行聘用合同的人员 1700 多万,约占总人数的 51%。

国家对事业单位实行编制管理,按照编制核算拨款的数额。目前事业单位编制都是多年前核定的,编制基数多年不变,不能满足事业单位不断发展的需要。在编制满额的情况下,各事业单位只好大量扩充编外人员和其他人员,这样造成事业单位人员结构复杂,人事管理分割。事业单位人员结构,归纳起来分为三类:第一类是编制内聘用人员,包括签订聘用合同的编制内聘用人员和无须签订聘用合同的编制内聘用人员;第二类是编制外人员,包括档案内部管理的编外人员和档案外部管理的编外人员,编外人员一般实行企业化管理,与事业单位签订劳动合同;第三类是劳务派遣人员,是通过劳务派遣形式招用的。

二、事业单位人员如何适用本法

事业单位人员是否应当纳入本法进行调整,是立法中争论比较大的一个问题。反对的意见提出,聘用合同与劳动合同有本质的区别,不应当纳入《劳动合同法》调整。从目前我国事业单位改革的发展趋势来看,履行公共管理职能的事业单位要变成行政机关,从事经营的事业单位要回归企业,从事公共服务的如教育、卫生、文化、科研等事业单位,还要保留公共服务的职能,按照事业单位进行管理。事业单位有编制、有财政拨款,内部管理机制与企业也不一样,事业单位聘用合同在合同期限、试用期、加班费、工资、福利、保险等方面都有自己的特殊性,都与企业不同,它与国家机关比较近似。事业单位实行聘用制,只是要比公务员多一点灵活性,但不是完全推向市场。聘用制合同与劳动合同的性质不一样,调整的手段也不一样。如果将事业单位也纳入《劳动合同法》管理,将比较难以处理好本法与事业单位改革和社会保障体系完善之间的衔接,并可能产生其他新的社会问题和矛盾,会引起事业单位管理的混乱,出现不安定因素。处理事业单位的问题,应当循序渐进,把管理体制理顺后,再对事业单位人事制度进行立法。这样比较妥当。赞成将聘用合同纳入本法调整的意见认为,长期以来,我国人事制度是由政策和行政文件相结合建立起来的,调整人事关系几乎没有一个完整的法律规范性文件。1994 年《劳动法》颁布时,企业的劳动关系由《劳动法》调整,对事业单位职工是参照公务员管理体制进行管理。《公务员法》出台后,该法将事业单位的工作人员排除在适用范围之外,事业单位工作人员不能参照该法,如果也不适用《劳动合同法》,那么,对事业单位人员的权利保护缺乏法律依据。聘用合同与劳动合同虽然有不同的地方,但本质上并无区别,不应存在两种合同制度，不应当两个部门管就变成两个性质的合同，将聘用合同纳入《劳动合同法》的适用范围，解决事业单位人员实体权利保护无法可依的局面，有利于事业单位劳动关系的法制化和规范化，有利于保护事业单位工作人员的合法权利，有利于促进我国事业单位的改革。

考虑到目前事业单位正处于改革过程中，用人制度的情况比较复杂，事业单位的聘用合同具有特殊性和复杂性，将事业单位实行聘用制工作人员纳入本法调整需要慎重。同时，考虑到事业单位中实行聘用制的工作人员如不纳入本法调整，将缺乏实体法依据，其合法权益得不到有效保护。因此，本法第2条关于《劳动合同法》的调整范围维持了《劳动法》第2条第2款的表述，另外在本条中规定："事业单位与实行聘用制的工作人员订立、履行、变更、解除或者终止劳动合同，法律、行政法规以及国务院另有规定的，依照其规定；未作规定的，依照本法有关规定执行。"对事业单位聘用制工作人员的劳动合同如何适用本法作出特别规定。这样规定，既解决了本法与现行的事业单位人事管理制度的衔接，解决了事业单位聘用合同无法可依的局面，也为事业单位人事制度改革留下空间。

第九十七条　本法施行前已依法订立且在本法施行之日存续的劳动合同，继续履行；本法第十四条第二款第三项规定连续订立固定期限劳动合同的次数，自本法施行后续订固定期限劳动合同时开始计算。

本法施行前已建立劳动关系，尚未订立书面劳动合同的，

应当自本法施行之日起一个月内订立。

本法施行之日存续的劳动合同在本法施行后解除或者终止,依照本法第四十六条规定应当支付经济补偿的,经济补偿年限自本法施行之日起计算;本法施行前按照当时有关规定,用人单位应当向劳动者支付经济补偿的,按照当时有关规定执行。

【释义】 本条是关于《劳动合同法》施行的过渡性条款的规定。

本条规定了《劳动合同法》施行的过渡安排。从理论上说,就是回答本法的溯及力的问题。所谓法律的溯及力,就是一部新的法律施行后,对它生效前发生的行为是否适用。如果适用,就具有溯及力,如果不适用,就不具有溯及力。按照法律的溯及力理论,法律一般不具有溯及力。如果法律需要有溯及力,就应当在法律中明确。本条规定就是回答《劳动合同法》哪些规定有溯及力,哪些规定没有溯及力。

从 1994 年《劳动法》通过,我国现行的劳动合同制度正式确立到现在已有十多年,目前企业已普遍实行了劳动合同制度。《劳动合同法》对现行的劳动合同制度进一步加以完善。《劳动合同法》实施以后,现行的劳动合同怎么办,这是本法必须回答的一个问题。本条的规定就是要解决本法生效以后,现行的劳动合同该怎么办、相关的制度如何衔接等问题。本条的规定有以下四层含义。

一、本法施行后,正在履行的劳动合同怎么办

《劳动合同法》已经于 2008 年 1 月 1 日施行。按照法律

一般不溯及既往的理论，本法施行前已依法订立且在本法施行之日存续的劳动合同，应当有效，应当继续履行。这样，不至于形成新法施行，劳动者都需要跟用人单位重新签订劳动合同的情况，避免劳动关系发生大的波动。

二、本法第14条第2款第3项规定连续订立固定期限劳动合同的次数如何计算

本法第14条第2款第3项规定，“连续订立二次固定期限劳动合同，且劳动者没有本法第三十九条和第四十条第一项、第二项规定的情形，续订劳动合同的”，劳动者提出或者同意续订、订立劳动合同的，除劳动者提出订立固定期限劳动合同外，应当订立无固定期限劳动合同。本法施行后，就要回答连续订立二次固定期限劳动合同是从哪一次计算。根据本条的规定，本法第14条第2款第3项规定连续订立固定期限劳动合同的次数，自本法施行后续订固定期限劳动合同时开始计算，即《劳动合同法》生效前订立、《劳动合同法》生效后仍在履行的劳动合同，不计算在连续订立的固定期限劳动合同的次数内。如一个劳动者与用人单位订立了一个2年期限的劳动合同，《劳动合同法》生效时刚履行完1年，还有1年的合同期限。如果这个合同期限到期，该劳动者还与用人单位订立一个固定限期的劳动合同，这个正在履行的劳动合同，不计算在连续订立的劳动合同次数内，也就是说连续订立是从新订立的劳动合同开始计算。

三、本法施行前的事实劳动关系如何处理

目前劳动合同制度存在的一个突出问题就是用人单位不愿与劳动者签订书面劳动合同，劳动合同签订率低，发生劳动争议，处理起来没有合同依据，不利于保护劳动者的合法权益。针对这个问题，本法作了相应的规定。如本法第 10 条第 2 款规定："已建立劳动关系，未同时订立书面劳动合同的，应当自用工之日起一个月内订立书面劳动合同。"对超过 1 个月还不订立书面劳动合同的，第 82 条规定："用人单位自用工之日起超过一个月但不满一年未与劳动者订立书面劳动合同的，应当向劳动者每月支付二倍的工资。"对于本法施行前已存在的事实劳动关系，根据本条的规定，尚未订立书面劳动合同的，应当自本法施行之日起 1 个月内订立。否则，也应当承担本法第 82 条的法律后果。

四、经济补偿的年限如何计算

经济补偿是劳动合同解除或者终止后，用人单位对在本单位工作的劳动者给予的货币补偿。它既是用人单位对劳动者在本单位辛勤工作的回报，也是对劳动者重新找工作期间的一种生活补助。《劳动法》第 28 条规定，用人单位解除劳动合同的，应当依据国家有关规定给予经济补偿。根据这一规定，1994 年劳动部制定了《违反和解除劳动合同的经济补偿办法》，具体规定了给予经济补偿的情形和标准。本法根据实践的情况，结合原劳动部制定的《违反和解除劳动合同的经济补偿办法》的规定,在第 46 条规定了应当给予劳动者经济补偿的七种情形,在第 47 条规定了经济补偿的具体标准。本法扩大了给予经济补偿的范围,即除了用人单位解除劳动合同要给予经济补偿外,对劳动合同终止,也要给予经济补偿。也就是说,劳动合同期限届满,劳动合同自然终止,用人单位也要支付经济补偿。虽然这种做法是为了解决劳动合同短期化的举措,但客观上增加了用人单位用工的成本。对这部分成本,原来用人单位用工时并没有考虑。如果支付经济补偿的年限从本法实施前开始计算,显然不合理。因此,本条规定本法施行之日存续的劳动合同在本法施行后解除或者终止,依照本法第 46 条规定应当支付经济补偿的,经济补偿年限自本法施行之日起计算;同时,考虑到劳动部制定了《违反和解除劳动合同的经济补偿办法》对解除劳动合同的经济补偿作了具体规定,目前企业也是按照这个规定来做的。另外,1986 年国务院发布的《国营企业实行劳动合同制暂行规定》规定劳动合同期满,用人单位也要支付经济补偿,虽然这个暂行规定执行到 2001 年 6 月被废止,但劳动合同期满支付经济补偿也要执行到 2001 年 6 月。而且 1991 年国务院颁布的《全民所有制企业招用农民合同制工人的规定》也规定劳动合同期满,也要给农民合同制工人经济补偿。目前这个规定还有效。本法需要与现实的做法相衔接,因此本条规定,本法施行前按照当时有关规定,用人单位应当向其支付经济补偿的,按照当时有关规定执行。

第九十八条　本法自2008年1月1日起施行。

【释义】 本条是关于本法施行时间的规定。

法律的实施时间也就是法律的生效时间。法律的生效和法律公布是两个不同的概念。法律的公布，是指法律的制定机关将通过的法律向社会予以公告，让大家知道。法律的生效是法律开始施行，开始对社会行为具有约束力。一般法律通过后都会在当日公布。但法律从何时开始生效，是要根据法律的性质和实际需要来决定。通常有三种生效方式：第一种是法律自公布之日起生效施行，如《全国人民代表大会和地方各级人民代表大会组织法》《集会游行示威法》等；第二种是法律公布后，经过一段时间后才施行，法律中明确规定生效施行的具体日期，我国的法律多数采取这种方式；第三种是法律公布后先试行或者暂行，而后由制定机关加以修改补充，再通过为正式法律，公布施行，在试行或者暂行期间，也有约束力，如1982年通过的《民事诉讼法（试行）》。《劳动合同法》采取第二种方式。本条规定："本法自2008年1月1日起施行。"这样，从本法通过到施行，大约有半年的宣传学习时间。《劳动合同法》是一部调整劳动关系的重要法律，它涉及千千万万劳动者的劳动权利的保护，关系到广大企业、事业单位、个体经济组织等用人单位的用工，可以说是一部全社会都关注的法律，需要有足够的时间让大家学习、了解。所以，法律留了半年的宣传和学习时间。

2012年12月28日，十一届全国人大常委会第三十次会议审议通过了《全国人大常委会关于修改〈中华人民共和国

劳动合同法〉的决定》，其中就修改决定的施行日期及有关过渡条款作了以下规定：

本决定自2013年7月1日起施行。

本决定公布前已依法订立的劳动合同和劳务派遣协议继续履行至期限届满，但是劳动合同和劳务派遣协议的内容不符合本决定关于按照同工同酬原则实行相同的劳动报酬分配办法的规定的，应当依照本决定进行调整；本决定施行前经营劳务派遣业务的单位，应当在本决定施行之日起一年内依法取得行政许可并办理公司变更登记，方可经营新的劳务派遣业务。具体办法由国务院劳动行政部门会同国务院有关部门规定。

《中华人民共和国劳动合同法》根据本决定作相应修改，重新公布。

【释义】 本条是关于修改决定施行日期及过渡事项的规定。

一、关于修改决定的施行日期

法律、法规制定、颁布以后，何时开始生效施行，要根据该法律、法规的性质和实际需要来决定。在我国，通常有两种方式：一是从法律、法规公布之日起生效，如《女职工劳动保护特别规定》；二是法律、法规公布后间隔一段时间、在一个确定的日期生效，如《就业促进法》。全国人大常委会关于修改《劳动合同法》的决定经第十一届全国人民代表大会常务委员会第三十次会议于2012年12月28日通过并以中华人民共和国主席令第七十三号同日公布，明确规定自2013年7月1日起施行。因此，劳动合同法修改决定规定生效日期的方式属于后者。

需要注意的是，劳动合同法修改决定公布日期为2012年12月28日，生效日期为2013年7月1日，实际上是留出了6个月的准备期。关于修改决定是公布之日起施行，还是公布后一段时间再施行，即是否留出准备期，在起草过程中一直有不同意见。一种意见认为，修改决定作为对《劳动合同法》的修改，应当抓紧公布施行，避免公布后给用人单位留下规避的时间，增大劳务派遣劳动关系的复杂性和不确定性；另一种意见认为，修改决定有关劳务派遣事宜的重大调整，应当稳慎实施，给相关各方留出一定期限（如半年左右）的调整和准备为宜。立法机关反复权衡后，在二审时最终采纳了第二种意见，并明确要求修改决定通过后，国务院及其劳动行政部门和其他有关部门在修改决定公布至施行的一段时间内要抓紧制定修改配套法规，做好修改决定实施的各项准备工作，同时，组织好宣传教育和学习培训等工作，确保修改决定的各项规定得到正确、有效的实施。

二、关于过渡事项的规定

过渡条款是新旧法律交替时指引法律适用的法律规定。修改决定是对2008年1月1日起已经生效实施的《劳动合同法》有关劳务派遣内容的修改与完善，涉及对原有法律规定下劳务派遣制度中三方关系当事人权利义务的重大调整。为处理好新旧法之间的衔接,维护法律秩序的稳定,需要通过立法中的过渡条款对新旧法的过渡适用作出相应规定,以利于劳动关系平稳运行。

一是关于已经订立的劳动合同和劳务派遣协议可否继续履行的问题。

围绕着这一问题,立法过程中产生了两种意见:

一种意见认为,应当按照不溯及既往原则处理。不溯及既往原则是基于法的安定性和信赖保护的理论基础而生的重要原则,是我国的重要法律原则,我国《立法法》第 84 条也对此作出明文规定,因此建议对修改决定生效前已依法订立且在修改决定施行之日存续的劳动合同和劳务派遣协议,可以继续履行至期限届满。另一种意见则认为,不溯及既往原则是指在新法施行前完成的行为,不受新法调整;如果行为发生于新法之前而持续到新法施行之后,应当适用新法,这属于法律适用问题,而不涉及不溯及既往原则的适用问题。因此,建议对修改决定生效前已依法订立且在修改决定施行之日存续的劳动合同和劳务派遣协议,在新法生效后,其已经履行完毕的权利义务不再溯及适用,但其尚未履行完毕的权利义务应当按照新法的规定履行。

综合考虑上述两种意见,兼顾当前我国劳务派遣用工现状的复杂性,最大限度地减轻法律调整对用工单位、劳务派遣单位和被派遣劳动者的影响和冲击,以及由此导致的劳动关系运行不稳定带来的社会震荡,立法机关在修改决定中规定“本决定公布前已依法订立的劳动合同和劳务派遣协议继续履行至期限届满，但是劳动合同和劳务派遣协议的内容不符合本决定关于按照同工同酬原则实行相同的劳动报酬分配办法的规定的，应当依照本决定进行调整”。即规定了劳动合同、劳务派遣协议可以继续履行，但有关同工同酬事项应当适用过渡安排。修改决定规定劳动合同和劳务派遣协议继续履行至期限届满，主要是为了稳定已经确定的劳动关系，不因法律的改变而带来较大的冲击。根据这一规定，在修改决定公布时已经签订劳动合同和劳务派遣协议，并具体确定工作岗位和派遣期限的，继续履行。除此情况外，在修改决定公布后，再签订劳动合同、劳务派遣协议或者确定具体工作岗位和派遣期限进行派遣的，自修改决定施行之日起都应当按照本决定的要求执行。这一过渡安排，并不影响劳务派遣单位、用工单位、被派遣劳动者三方可以协商一致终止或者变更原签订的劳动合同和劳务派遣协议。

修改决定要求用工单位、劳务派遣单位按照同工同酬原则进行调整，主要是因为同工同酬原则是原劳动合同法规定的，一直在执行着，并且也是为了防止有的单位借口原劳动合同和劳务派遣协议可以继续履行而不落实同工同酬的权利，导致各类劳动者不能依法、公平地享受同工同酬的权利。这也体现了立法机关将落实被派遣劳动者同工同酬权利作为此次立法规范的重要目标之一的用意。

需要说明的是，修改决定公布后、施行前（2012 年 12 月 28 日至 2013 年 6 月 30 日）订立的劳动合同和劳务派遣协议，在 2013 年 7 月 1 日修改决定施行后应当符合修改决定的规定。由于修改决定已于2012年12月28日公布，虽然目前尚未生效，但社会公众应当知悉法律要求，具有可预见性，因此，修改决定公布后、施行前订立的劳动合同和劳务派遣协议在修改决定施行后应当适用新法规定，不得要求继续履行与修改决定不符的内容。再有，修改决定已经对实施劳务派遣作出了进一步明确的指引，在修改决定公布后、施行前订立劳动合同和劳务派遣协议，应充分考虑到修改决定的各项规定。

二是关于经营劳务派遣业务的单位如何申请行政许可、继续经营劳务派遣业务的问题。

考虑到新法规定的行政许可条件提高了劳务派遣单位设立门槛，修改决定对现有劳务派遣单位申请行政许可给予了1年时间的过渡期，规定：修改决定施行前经营劳务派遣业务的单位应当在修改决定施行之日起1年内依法取得行政许可并办理公司变更登记后，方可经营新的劳务派遣业务。这表明，劳务派遣单位在1年内取得行政许可后，还应当到当地工商行政管理部门依法办理公司变更登记，才能经营新的劳务派遣业务。同时，这也意味着，劳务派遣单位在过渡期内未取得行政许可的，将不得经营新的劳务派遣业务。如前所述，在修改决定公布前已依法订立的劳动合同和劳务派遣协议继续履行至期限届满，除此以外，在本决定施行后，未取得经营劳务派遣的行政许可的，不得签订新的劳动合同和劳务派遣协议。

考虑到现实情况比较复杂，立法机关对此问题作出原则性规定后，明确授权“具体办法由国务院劳动行政部门会同国务院有关部门规定”。目前，国务院劳动行政部门正在按照立法机关的要求，抓紧会同国务院相关部门研究制订配套落实的规定，争取在2013年7月1日与修改决定同步实施。

第二部分 附 录

全国人民代表大会法律委员会关于《中华人民共和国劳动合同法(草案)》修改情况的汇报

——2006 年 12 月 24 日在第十届全国人民代表大会常务委员会第二十五次会议上

全国人大法律委员会副主任委员 胡光宝

全国人民代表大会常务委员会:

常委会第十九次会议对劳动合同法(草案)进行了初次审议。经委员长会议决定,会后将草案向社会全文公布征求意见。自 3 月 20 日至 4 月 20 日,共收到通过网络、报刊、信件提出意见 191849 件。法律委员会、法制工作委员会对社会各方面提出的意见进行了认真梳理和研究。同时,法制工作委员会将草案印发各省(区、市)和中央有关部门征求意见。法律委员会、财政经济委员会和法制工作委员会联合召开座谈会,听取中央有关部门、部分全国人大代表、用人单位和劳动者以及专家的意见。法律委员会、法制工作委员会还先后赴北京、广东、浙江、山东、江苏、吉林六省、市进行调研，听取意见。法律委员会于12月11日召开会议，根据常委会组成人员的审议意见和各方面的意见，对草案进行了逐条审议。国务院法制办、劳动保障部、全国总工会的负责同志和财政经济委员会的同志列席了会议。12月19日，法律委员会召开会议，再次进行了审议。现将草案主要问题的修改情况汇报如下：

一、关于适用范围

草案第二条规定："中华人民共和国境内的企业、个体经济组织、民办非企业单位与劳动者建立劳动关系，订立和履行劳动合同，适用本法。""国家机关、事业单位、社会团体和与其建立劳动合同关系的劳动者，依照本法执行。"在征求意见过程中，多数意见认为，实行聘任制的事业单位与劳动者订立的聘用合同也是体现双方劳动关系的。目前，除公务员和参照公务员法管理的工作人员之外，事业单位中签订聘用合同的人员由于行政管理部门权限划分的原因，不适用劳动法的规定，发生争议时无法可依，不利于保护这部分劳动者的合法权益。因此建议将这类劳动合同纳入本法的适用范围。法律委员会经同国务院法制办、劳动保障部、全国总工会研究，建议将草案第二条第二款修改为："除公务员和参照公务员法管理的工作人员外，国家机关、事业单位、社会团体与劳动者建立劳动关系的，其劳动合同的订立、履行、变更、解除和终止，依照本法执行。"同时，考虑到这类劳动合同有些特殊性，并从当前部门分工的实际情况出发，建议在“附则”中增加一条，规定：“本法第二条第二款规定的事业单位实行聘用制的劳动合同，国务院另有特别规定的，依照其规定；由国务院人事行政部门负责对其劳动合同制度实施的监督管理。”

二、关于企业规章制度

草案第五条第二款规定：“用人单位的规章制度直接涉及劳动者切身利益的，应当经工会、职工大会或者职工代表大会讨论通过，或者通过平等协商作出规定。”有些常委会组成人员提出，不仅企业规章制度的制定应当有劳动者的参与，企业决定直接涉及劳动者切身利益的重大事项，也应与劳动者进行协商。有些常委委员则认为，规章制度的内容不少属于用人单位的经营自主权，草案规定企业规章制度要由工会、职工大会或者职工代表大会讨论通过，实践中难以操作，也与其他相关法律的规定不尽一致。法律委员会经同国务院法制办、劳动保障部、全国总工会研究，建议将这一款修改为：“用人单位在制定、修改或者决定直接涉及劳动者切身利益的劳动报酬、工作时间、休息休假、劳动安全卫生、保险福利、职工培训、劳动纪律以及劳动定额管理等规章制度或者重大事项时，应当经职工代表大会或者全体职工讨论，提出方案和意见，与工会或者职工代表平等协商确定。”“在规章制度实施过程中，工会或者职工认为用人单位的规章制度不适当的，有权向用人单位提出，通过协商作出修改完善。”同时，在“法律责任”一章中规定：“用人单位制定的劳动规章制度违反法律、法规规定的无效，由劳动行政部门给予警告，责令改正；对劳动者造成损害的，用人单位应当承担赔偿责任。”

三、关于订立书面劳动合同

草案第九条第三款规定:“已存在劳动关系,但是用人单位与劳动者未以书面形式订立劳动合同的,除劳动者有其他意思表示外,视为用人单位与劳动者已订立无固定期限劳动合同,并应当及时补办订立书面劳动合同的手续。”有些常委委员提出,不订立书面劳动合同就视为订立无固定期限劳动合同,这样规定无法操作,实践中也并不一定有利于劳动者。有些常委委员提出,解决不订立书面劳动合同的问题应通过制度设计,引导双方订立书面劳动合同,同时也要考虑实际情况,增加可操作性。法律委员会经同国务院法制办、劳动保障部、全国总工会研究,建议对草案作如下修改:(1)用人单位自用工之日起即与劳动者建立劳动关系。建立劳动关系应当办理用工手续,订立书面劳动合同。(2)已建立劳动关系,但是用人单位与劳动者未以书面形式订立劳动合同的,应当自用工之日起一个月内订立书面劳动合同。(3)用人单位在办理用工手续的同时未订立书面劳动合同的,新招用的劳动者的待遇应当按照企业的或者行业的集体合同规定的标准执行;没有集体合同的,用人单位应当对劳动者实行同工同酬。(4)用人单位自办理用工手续之日起超过一个月不与劳动者订立书面劳动合同的,应当支付劳动者劳动应得报酬二倍的工资。并对相应的法律责任作了规定。

四、关于试用期

草案第十三条规定:“劳动合同期限在三个月以上的,可以约定试用期。试用期包括在劳动合同期限内。非技术性工作岗位的试用期不得超过一个月;技术性工作岗位的试用期不得超过二个月;高级专业技术工作岗位的试用期不得超过六个月。”有些常委委员提出,实践中用人单位滥用试用期、压低试用期工资、试用期间任意解除劳动合同等侵害劳动者权益的情形比较突出,对此应作出严格规定。草案以工作岗位的技术含量为标准规定试用期的期限,实践中难以操作,建议按照劳动合同期限的长短规定试用期的期限。法律委员会经同国务院法制办、劳动保障部、全国总工会研究,建议对草案作如下修改:(1)劳动合同期限不足一年的,试用期不得超过一个月;劳动合同期限一年以上三年以下的,试用期不得超过两个月;三年以上固定期限和无固定期限劳动合同试用期不得超过六个月。劳动合同仅约定试用期或者劳动合同期限与试用期相同的,试用期不成立,该期限为劳动合同期限。(2)劳动者在试用期的工资不得低于同岗位最低工资或者劳动合同约定工资的百分之八十。(3)在试用期中,除有证据证明劳动者不符合录用条件外,用人单位不得解除劳动合同。用人单位在试用期解除劳动合同的,应当向劳动者说明理由。同时规定了相应的法律责任。

五、关于劳动合同短期化

目前,在我国现实生活中劳动合同短期化的问题非常突出,损害劳动者的权益,不利于建立稳定的劳动关系。有些常委委员提出,劳动合同法应重视解决劳动合同短期化的问题,有针对性地作出规定。法律委员会经同国务院法制办、劳动保障部、全国总工会研究,建议增加规定:(1)鼓励签订无固定期限劳动合同,规定有下列情形之一,劳动者提出续签劳动合同的,应当签订无固定期限劳动合同:①续延劳动合同时,劳动者已在该用人单位连续工作满十年以上的;②用人单位初次实行劳动合同制度或者国有企业改制重新签订劳动合同时,劳动者在该单位连续工作满十年或者距法定退休年龄在十年以内的;③连续签订两次固定期限劳动合同后续签的。(2)用人单位违反本法规定不签订无固定期限劳动合同的,在解除或者终止劳动合同时,应当按照本法规定的经济补偿标准的二倍向劳动者支付赔偿金。

六、关于服务期

草案第十五条规定:“用人单位为劳动者提供培训费用,使劳动者接受六个月以上脱产专业技术培训的,可以与劳动者约定服务期以及劳动者违反服务期约定应当向用人单位支付的违约金。该违约金不得超过服务期尚未履行部分所应分摊的培训费用。”有些常委委员提出,规定六个月以上脱产专业技术培训才能约定服务期,门槛太高。有的常委委员提出,应保证劳动者在服务期的工资待遇有相应的增长。法律委员会经同国务院法制办、劳动保障部、全国总工会研究,建议作如下修改:(1)用人单位提供培训费用,对劳动者进行一个月以上脱产专业技术或者职业培训的,可以与劳动者约定服务期。劳动者违反服务期约定的,应当按照约定向用人单位支付违约金。(2)约定违反服务期违约金的数额不得超过用人单位提供的培训费用。违约时,劳动者所支付的违约金不得超过服务期尚未履行部分所应分摊的培训费用。(3)用人单位与劳动者约定的服务期较长的,用人单位应当按照工资调整机制提高劳动者在服务期间的劳动报酬。

七、关于竞业限制

草案第十六条规定："用人单位可以与知悉其商业秘密的劳动者在劳动合同中约定"竞业限制。"竞业限制的范围，应当以能够与用人单位形成实际竞争关系的地域为限。""用人单位与劳动者有竞业限制约定的，应当同时与劳动者约定竞业限制经济补偿，其数额不得少于劳动者在该用人单位的年工资收入。劳动者违反竞业限制约定的，违约金数额不得超过竞业限制经济补偿的三倍。"有些常委委员提出，竞业限制的规定要在保护用人单位合法权益与限制劳动者就业权利之间取得平衡，因此适用范围不宜过宽，应主要限于高级管理人员、高级技术人员。对于经济补偿金和违约金标准等，应尊重双方的约定。法律委员会经同国务院法制办、劳动保障部、全国总工会研究，建议对草案作如下修改：(1)对负有保守用人单位商业秘密义务的劳动者，用人单位可以在劳动合同或者保密协议中与劳动者约定竞业限制条款，并约定在解除或者终止劳动合同后，在竞业限制期限内按月给予劳动者经济补偿。劳动者违反竞业限制约定的，应当按照约定向用人单位支付违约金。(2)竞业限制的人员限于用人单位的高级管理人员、高级技术人员和其他知悉用人单位商业秘密的人员。竞业限制的范围、地域、期限由用人单位与劳动者约定，竞业限制的约定不得违反法律、法规的规定。(3)竞业限制的期限不得超过二年。这里需要说明的是，对于侵犯商业秘密的，应依照有关法律规定承担法律责任，不受竞业限制二年期限的限制。

八、关于拖欠工资和社会保险费

在征求意见过程中，工资和社会保险是劳动者反映最强烈的问题。多数意见认为，在现实生活中，用人单位借故不按时发放工资的现象比较多，有的用人单位通过各种办法强迫劳动者加班加点，对加班的又不支付加班费，对这些问题应有针对性地作出规定。有的提出，本法应对劳动者的社会保险问题作出规定。法律委员会经同国务院法制办、劳动保障部、全国总工会研究，建议增加规定：(1)用人单位应当按照国家规定和劳动合同约定及时足额发放劳动报酬。用人单位拖欠或者未足额发放劳动报酬的，劳动者可以向当地人民法院申请支付令；拒不执行支付令的，由人民法院依法强制执行。(2)对用人单位拖欠工资的行为，规定相应的法律责任。(3)国家采取措施，逐步实现劳动者基本养老保险个人账户随劳动者在全国范围内流动。

九、关于经济性裁员

草案第三十三条规定："劳动合同订立时所依据的客观情况发生重大变化，致使劳动合同无法履行，需要裁减人员五十人以上的，用人单位应当向本单位工会或者全体职工说明情况，并与工会或者职工代表协商一致。裁减人员时，应当优先留用在本单位工作时间较长、与本单位订立较长期限的有固定期限劳动合同以及订立无固定期限劳动合同的劳动者。"有些常委委员提出，经济性裁员涉及众多劳动者，为了防止用人单位随意进行经济性裁员，应对经济性裁员的情形作出明确规定，并在程序上与劳动法规定相一致。法律委员会经同国务院法制办、劳动保障部、全国总工会研究，建议对草案作如下修改：(1)有下列情形之一，致使劳动合同无法履行，需要裁减人员二十人以上或者裁减不足二十人但占企业职工总数百分之十以上的，用人单位应当提前三十日向工会或者全体职工说明情况，听取工会或者职工的意见后，裁减人员方案经向劳动保障部门报告，可以裁减人员：①依照企业破产法规定进行重整的；②生产经营发生严重困难的；③因防治污染搬迁的；④其他因劳动合同订立时所依据的客观经济情况发生重大变化，致使劳动合同无法履行的。(2)裁减人员时，应当优先留用下列劳动者：①在本单位工作时间较长的；②与本单位订立较长期限的固定期限劳动合同的；③订立无固定期限劳动合同的；④家庭无其他就业人员，有需要扶养的老人或者未成年人的。

十、关于集体合同

草案第七条第二款规定："工会组织或者职工代表有权与用人单位通过平等协商，就劳动报酬、工作时间、休息休假、劳动安全卫生、保险福利等事项签订集体合同。"有些常委委员提出，集体合同对于保护劳动者的合法权益具有重要作用，草案虽对集体合同作了规定，但比较分散，也不够具体，建议设专章或专节作出规定。法律委员会经同国务院法制办、劳动保障部、全国总工会研究，建议根据劳动法和工会法的有关规定，对集体合同设专节作如下规定：(1)企业职工一方与用人单位通过平等协商，就劳动报酬、工作时间、休息休假、劳动安全卫生、保险福利等事项，签订集体合同。集体合同草案应当提交职工代表大会或者全体职工讨论通过。集体合同由工会代表企业职工一方与用人单位签订;尚未建立工会的用人单位,由劳动者推举的代表与用人单位签订。(2)在县级以下区域内,建筑业、采矿业、餐饮服务业等行业可以由工会组织与企业方面代表订立行业性集体合同。行业性集体合同对当地全行业的用人单位和劳动者具有约束力。(3)企业职工一方与用人单位可以订立劳动安全卫生、工资调整机制等专项集体合同。(4)集体合同中劳动条件和劳动报酬等标准应当高于当地人民政府规定的最低标准;用人单位与劳动者订立的劳动合同中劳动条件和劳动报酬等标准不得低于集体合同规定的标准。(5)用人单位违反集体合同,侵犯职工劳动权益的,工会可以依法要求用人单位承担责任;因履行集体合同发生争议,经协商解决不成的,工会可以依法申请仲裁或者提起诉讼。

十一、关于劳务派遣

草案第十二条规定:“以劳动力派遣形式用工的用人单位,应当在指定银行账户中以每一名被派遣的劳动者不少于五千元为标准存入备用金。”第四十条规定:“劳动者被派遣到接受单位工作满一年,接受单位继续使用该劳动者的,劳动力派遣单位与劳动者订立的劳动合同终止,由接受单位与劳动者订立劳动合同。”有些常委委员认为,目前我国劳务派遣发展迅速,但较为混乱,侵害劳动者权益的情形屡有发生,亟须加以规范,建议对劳务派遣设专章或专节作出规定。有的常委委员提出,备用金抬高了劳务派遣单位的门槛,但与保护劳动者权益并无直接关系,而且会产生将备用金转嫁到劳动者或者用工单位等问题,建议删去草案关于备用金的规定。有的常委委员提出，草案关于劳务派遣工在接受单位工作满一年，接受单位继续使用的，就应与其签订劳动合同的规定过于严格，实际上难以做到，建议作出修改。法律委员会经同国务院法制办、劳动保障部、全国总工会研究，并征求部分劳务派遣单位和用工单位对修改方案的意见，建议从法律上明确劳务派遣单位、用工单位和被派遣劳动者三方权利义务出发，对劳务派遣设专节作如下规定：(1)劳务派遣单位是本法所称用人单位，应当履行用人单位对劳动者的全部义务。劳务派遣单位应当与被派遣劳动者订立二年以上的固定期限劳动合同。(2)接受以劳务派遣形式用工的单位应当履行下列义务：①执行国家劳动标准，提供相应的劳动条件和劳动保护；②告知被派遣劳动者的工作要求和劳动报酬；③支付加班费、绩效奖金，提供与工作岗位相关的福利待遇；④对在岗被派遣劳动者进行工作岗位所必需的培训；⑤连续用工的，建立正常的工资调整机制。(3)劳务派遣单位派遣劳动者应当与用工单位签订劳务派遣协议。用工单位应当根据工作岗位的实际需要与劳务派遣单位确定派遣期限，不得将连续用工期限分割签订数个短期劳务派遣协议。(4)劳务派遣单位有义务将劳务派遣协议的内容告知被派遣劳动者。劳务派遣单位不得克扣用工单位按照劳务派遣协议支付给被派遣劳动者的劳动报酬。(5)被派遣劳动者享有同工同酬的权利；有权参加或者组织工会，维护自身合法权益。(6)被派遣劳动者可以依法与劳务派遣单位解除劳动合同。(7)劳务派遣一般应当在临时性、辅助性或者替代性的工作岗位上实施。(8)禁止用工单位自设劳务派遣公司，向本单位或者所属单位派遣劳动者。

此外，还对法律草案作了一些文字修改。

草案二次审议稿已按上述意见作了修改，法律委员会建议本次常委会会议继续审议。

草案二次审议稿和以上意见是否妥当，请审议。

全国人民代表大会法律委员会关于《中华人民共和国劳动合同法（草案二次审议稿）》修改情况的汇报

——2007年4月24日在第十届全国人民代表大会常务委员会第二十七次会议上

全国人大法律委员会副主任委员 胡光宝

全国人民代表大会常务委员会：

常委会第二十五次会议对劳动合同法（草案二次审议稿）进行了再次审议。会后，法制工作委员会将草案二次审议稿印发中央有关部门、社会团体、高等院校和研究机构以及各省、自治区、直辖市和较大市的人大常委会，再次征求意见；在京先后召开三次座谈会，分别听取部分全国人大代表、企业事业单位、社会团体和专家的意见；并与人事部就草案二次审议稿交换意见；还分别赴福建、辽宁、四川召开座谈会，征求三十一个省（区、市）的同志对草案二次审议稿的意见。在此基础上，法律委员会于4月10日召开会议，根据常委会组成人员的审议意见和各方面的意见，对草案二次审议稿进行了审议。全国人大财政经济委员会和国务院法制办、劳动保障部、全国总工会的负责同志列席了会议。4月17日,法律委员会再次召开会议进行审议。现将草案二次审议稿主要问题的修改情况汇报如下:

一、关于劳动关系的建立和劳动合同的订立

草案二次审议稿第七条中规定,用人单位自用工之日起即与劳动者建立劳动关系。建立劳动关系应当订立书面劳动合同。第十六条中规定,劳动合同经用人单位与劳动者签字或者盖章生效。有些意见认为,按照草案规定,订立书面劳动合同有三种情况:一是在建立劳动关系的同时订立,二是在建立劳动关系后一个月内订立,三是在用工前订立。本法应针对以上不同情况,对建立劳动关系与订立劳动合同的关系进一步予以明确,以防止产生纠纷。法律委员会经同财政经济委员会和国务院法制办、劳动保障部、全国总工会研究,建议对草案二次审议稿有关规定作如下修改:(1)规定“用人单位自用工之日起即与劳动者建立劳动关系。用人单位应当建立招工名册备查。”(2)规定“建立劳动关系,应当订立书面劳动合同。”“已建立劳动关系,未同时订立书面劳动合同的,应当自用工之日起一个月内订立书面劳动合同。”“用人单位与劳动者在用工前订立劳动合同的,劳动关系自用工之日起建立。”

二、关于培训职工的服务期协议

草案二次审议稿第二十三条第一款规定,用人单位提供培训费用,对劳动者进行一个月以上脱产专业技术培训或者职业培训的,可以与劳动者约定服务期。有些意见认为,按照国家规定,用人单位必须按照本单位工资总额的一定比例提取培训费用,用于对劳动者的职业培训。用人单位使用法定培训费用对劳动者进行职业培训,不能作为与劳动者约定服务期的条件。有些意见认为,约定服务期的情况比较复杂,除一个月以上脱产培训外,还有半脱产或者时间不足一个月却花费高额培训费用等情况。有些意见认为,只有在用人单位专门拨出经费,为劳动者提供特定项目的专门培训的情况下,用人单位才可以与劳动者约定服务期。法律委员会经同财政经济委员会和国务院法制办、劳动保障部、全国总工会研究,建议将这一款修改为:"用人单位在国家规定提取的职工培训费用以外提供专项培训费用,对劳动者进行专业技术培训的,可以与该劳动者订立协议,约定服务期。"

三、关于经济性裁员

草案二次审议稿第四十一条第一款规定,有下列情形之一的,用人单位可以裁减人员:"(一)依照企业破产法规定进行重整的;(二)生产经营发生严重困难的;(三)因防治污染搬迁的;(四)其他因劳动合同订立时所依据的客观经济情况发生重大变化,致使劳动合同无法履行的。"有些意见认为,除上述情形外,企业由于转产、技术进步、产业升级等原因也会使企业对劳动者的需求发生变化,也应允许企业进行经济性裁员。法律委员会经同财政经济委员会和国务院法制办、劳动保障部、全国总工会研究,建议在这一款中增加一项,规定"企业转产、技术革新、经营方式调整,经变更劳动合同后,仍需裁减人员的",用人单位可以裁减人员。

四、关于经济补偿

按照草案二次审议稿第四十六条的规定，有六种情形之一的，用人单位应当按照国务院规定的标准向劳动者支付经济补偿。有些意见认为，为了增强法律的可操作性，本法应明确经济补偿的标准。有些意见认为，应区分不同劳动者的情形，规定不同的经济补偿标准。法律委员会经同财政经济委员会和国务院法制办、劳动保障部、全国总工会研究，建议基本上按照十几年来的实际做法，增加一条规定："经济补偿按照劳动者在本单位工作的年限，每满一年支付一个月工资的标准向劳动者支付。不满一年的按一年计算。""劳动者月工资高于用人单位所在直辖市、设区的市上年度职工月平均工资三倍的，向其支付经济补偿的标准按职工月平均工资三倍的数额支付，向其支付经济补偿的年限最高不超过十二年。""本条所称月工资是指劳动者在劳动合同解除或者终止前十二个月的平均工资。"

五、关于集体合同

草案二次审议稿第五章第一节对"集体合同"作了专节规定。有些意见认为，应对集体合同的内容进一步加以充实。法律委员会经同国务院法制办、劳动保障部、全国总工会研究，建议对这一节有关规定作如下修改：(1)进一步明确集体合同由工会代表企业职工一方与用人单位订立；尚未建立工会的用人单位，由上级工会指导劳动者推举的代表与用人单位订立。(2)增加规定在县级以下区域内，可以订立区域性集体合同。行业性、区域性集体合同对当地本行业、本区域的用人单位和劳动者具有约束力。(3)增加规定企业职工一方与用人单位可以订立女职工权益保护专项集体合同。

六、关于劳务派遣

草案二次审议稿第五十七条第二款规定:“劳务派遣单位应当与被派遣劳动者订立二年以上的固定期限劳动合同,按月支付劳动报酬,在无工作期间不得低于当地最低工资标准支付劳动报酬。劳动合同到期后,无本法第三十九条、第四十条规定情形的,应当续签劳动合同。”有些意见认为,按照这一款后一句的规定,劳务派遣中绝大部分的劳动合同都要续签,而且还要签无固定期限劳动合同,这不符合草案规定劳务派遣的临时性、辅助性或者替代性灵活用工的特点,建议再作慎重研究。法律委员会经同财政经济委员会和国务院法制办、劳动保障部、全国总工会研究,建议删去这一款中“劳动合同到期后,无本法第三十九条、第四十条规定情形的,应当续签劳动合同”一句。

七、关于过渡条款

草案二次审议稿没有对过渡条款作出规定。有些意见认为,应对本法施行之日前订立并在本法施行之后仍存续的劳动合同的效力、补订书面劳动合同的期限、固定期限劳动合同连续订立次数计算以及经济补偿计算年限等情形作出衔接性的规定。法律委员会经同财政经济委员会和国务院法制办、劳动保障部、全国总工会研究,建议增加一条,规定:“本法施行前已依法订立且在本法施行之日存续的劳动合同,继续履行;本法第十四条第二款第三项规定连续订立固定期限劳动合同的次数,自本法施行后再次续订固定期限劳动合同起始计算。”“本法施行前已建立劳动关系，尚未订立书面劳动合同的，应当自本法施行之日起一个月内订立。”“本法施行之日存续的劳动合同在本法施行后解除或者终止，依照本法第四十六条规定应当支付经济补偿的，经济补偿年限按劳动者在本单位连续工作的年限计算。”

此外，还对草案二次审议稿作了一些文字修改。

草案三次审议稿已按上述意见作了修改，法律委员会建议提请本次常委会会议继续审议。

草案三次审议稿和以上意见是否妥当，请审议。

全国人民代表大会法律委员会关于《中华人民共和国劳动合同法（草案三次审议稿）》审议结果的报告

——2007 年 6 月 24 日在第十届全国人民代表
大会常务委员会第二十八次会议上

全国人大法律委员会副主任委员　胡光宝

全国人民代表大会常务委员会：

十届全国人大常委会第二十七次会议对劳动合同法（草案三次审议稿）进行了再次审议。会后，法制工作委员会就草案三次审议稿的几个主要问题同财政经济委员会和国务院法制办、劳动保障部、人事部、全国总工会交换意见，反复研究。6 月 11 日，法律委员会召开会议，根据常委会组成人员的审议意见和各方面的意见，对草案三次审议稿逐条进行了审议。财政经济委员会和国务院法制办、劳动保障部、全国总工会的负责同志列席了会议。6 月 19 日，法律委员会召开会议，再次进行了审议。法律委员会认为，为了完善劳动合同制度，明确劳动合同双方的权利和义务，保护劳动者的合法权益，构建和发展和谐稳定的劳动关系，制定本法是必要的，草案基本可行；同时，提出以下主要修改意见：

一、草案三次审议稿第一条规定："为了完善劳动合同制度，构建和发展和谐稳定的劳动关系，保护劳动者的合法权益，制定本法。"有些常委会组成人员认为，劳动合同法涉及劳动合同双方当事人的权利义务，对用人单位的合法权益也应予以保护，这一点在劳动合同法的立法宗旨中应有所体现。法律委员会经同财政经济委员会和国务院法制办、劳动保障部、全国总工会研究认为，劳动合同不同于经济合同，前者是由属于社会法的劳动合同法调整的，后者是由属于民法的合同法调整的。劳动合同法在明确劳动合同双方当事人的权利和义务的前提下，强调保护劳动者的合法权益是必要的，这也是国际上劳动立法的通行规则。据此，法律委员会建议将这一条修改为："为了完善劳动合同制度，明确劳动合同双方当事人的权利和义务，保护劳动者的合法权益，构建和发展和谐稳定的劳动关系，制定本法。"

二、草案三次审议稿第二条第二款规定："国家机关、事业单位、社会团体与公务员和参照公务员法管理的工作人员以外的劳动者建立劳动关系，订立、履行、变更、解除和终止劳动合同，依照本法执行。"有的常委会组成人员和人事部提出，目前事业单位对工人以外的工作人员实行的是聘用制，与企业全面实行的劳动合同制有许多不同之处，纳入本法调整范围需要慎重，建议本法的调整范围还是与劳动法的规定相一致为妥。有些常委委员认为，事业单位中实行聘用制的工作人员如不纳入本法调整范围，就没有法律依据对其合法权益给予有效保护，建议本法根据事业单位的实际情况作出相应规定。法律委员会经同财政经济委员会和国务院法制办、人事部、劳动保障部、全国总工会研究，建议将草案三次审议稿第二条第二款修改为：“国家机关、事业单位、社会团体和与其建立劳动关系的劳动者，订立、履行、变更、解除或者终止劳动合同，依照本法执行。”同时，将草案三次审议稿第九十六条修改为：“事业单位与实行聘用制的工作人员订立、履行、变更、解除或者终止劳动合同，法律、行政法规或者国务院另有规定的，依照其规定；未作规定的，依照本法有关规定执行。”

三、草案三次审议稿第十四条第二款第三项规定：连续订立两次固定期限劳动合同后，劳动者提出或者同意续订劳动合同的，应当订立无固定期限劳动合同。有些常委委员认为，连续订立两次固定期限劳动合同后续订劳动合同，就要签订无固定期限劳动合同，可能造成劳动关系僵化，建议再作斟酌。有些常委委员认为，本法除需要解决劳动合同短期化的问题外，还应着重解决不订立书面劳动合同问题，切实保护劳动者的合法权益。法律委员会经同财政经济委员会和国务院法制办、劳动保障部、全国总工会研究认为，无固定期限劳动合同只是“无确定终止时间”的劳动合同，并不是终身制的“铁饭碗”，只要出现解除劳动合同的法定情形，同样可以解除。劳动者在两次签订固定期限劳动合同期间遵纪守法，能够完成工作任务，用人单位与其订立无固定期限劳动合同是合理的。据此，法律委员会建议将这一项修改为：“连续订立二次固定期限劳动合同且劳动者没有本法第三十九条规定的情形续订劳动合同的”，应当订立无固定期限劳动合同。此外，为了更好地解决不签订书面劳动合同的问题，法律委员会建议在草案三次审议稿第十四条中增加一款规定：

“用人单位自用工之日起满一年不与劳动者订立书面劳动合同的，视为用人单位与劳动者已订立无固定期限劳动合同。”并将草案三次审议稿第八十二条相应修改为：“用人单位自用工之日起超过一个月但不满一年未与劳动者订立书面劳动合同的，应当向劳动者每月支付二倍的工资。”“用人单位违反本法规定不与劳动者订立无固定期限劳动合同的，自应当订立无固定期限劳动合同之日起向劳动者每月支付二倍的工资。”

四、草案三次审议稿第八条规定：用人单位招用劳动者时，应当向劳动者如实告知有关职业危害等情况。有些常委委员和教科文卫委员会提出，用人单位招用劳动者时，不仅要如实告知有关职业危害的情况，还应将职业危害和防护措施在劳动合同中写明。法律委员会经同财政经济委员会和国务院法制办、劳动保障部、全国总工会研究，建议将草案三次审议稿第十七条第八项修改为“劳动保护、劳动条件和职业危害防护”，作为劳动合同的必备条款之一。

五、有的常委会组成人员提出，针对现实生活中存在非全日制工作的情况，本法应对最低小时工资标准作出规定。法律委员会经同财政经济委员会和国务院法制办、劳动保障部、全国总工会研究，建议增加规定：“非全日制用工小时计酬标准不得低于用人单位所在地人民政府规定的最低小时工资标准。”

此外，还对草案三次审议稿作了一些文字修改。

草案四次审议稿已按上述意见作了修改，法律委员会建议本次常委会会议审议通过。

草案四次审议稿和以上报告是否妥当，请审议。

全国人民代表大会法律委员会关于《中华人民共和国劳动合同法（草案四次审议稿）》修改意见的报告

——2007年6月28日在第十届全国人民代表大会常务委员会第二十八次会议上

全国人大法律委员会主任委员 杨景宇

全国人民代表大会常务委员会：

本次常委会会议于6月24日下午对劳动合同法（草案四次审议稿）进行了分组审议。常委会组成人员普遍认为，劳动合同法草案经常委会三次审议、修改，已经比较成熟，建议本次会议进一步修改后通过；同时，有些常委会组成人员又提出了一些修改意见。法律委员会于6月26日召开会议，逐条研究了常委会组成人员的意见，对劳动合同法草案四次审议稿进行了审议。财政经济委员会和国务院法制办、劳动保障部、全国总工会的负责同志列席了会议。法律委员会认为，总的来看，草案是可行的；同时，提出以下主要修改意见：

（一）草案四次审议稿第二十二条第一款规定："用人单位在

国家规定提取的职工教育经费以外提供专项培训费用,对劳动者进行专业技术培训的,可以与该劳动者订立协议,约定服务期。”有些常委委员提出,在实践中用人单位对特定劳动者进行专业技术培训所支付的专项培训费用是否在职工教育经费之外很难界定,建议规定只要用人单位为劳动者提供专项培训费用,对其进行专业技术培训,就可以与其约定服务期。法律委员会经同财政经济委员会和国务院法制办、劳动保障部、全国总工会研究,建议将这一款修改为:“用人单位为劳动者提供专项培训费用,对其进行专业技术培训的,可以与该劳动者订立协议,约定服务期。”

(二)草案四次审议稿第二十三条第一款规定:“用人单位与劳动者可以在劳动合同中约定保守用人单位商业秘密的有关事项。”有的常委会组成人员认为,商业秘密不能涵盖尚未依法取得知识产权但与知识产权相关的事项,建议增加保密义务的内容。法律委员会经同财政经济委员会和国务院法制办、劳动保障部、全国总工会研究,建议将这一款修改为:“用人单位与劳动者可以在劳动合同中约定保守用人单位的商业秘密和与知识产权相关的保密事项。”

(三)草案四次审议稿第四十七条第一款规定,经济补偿支付标准为每满一年支付一个月工资,不满一年的按一年计算。有的常委委员提出,不同的行业有不同的用工需求,如榨糖厂、葡萄酒厂每年只是在收割甘蔗、采摘葡萄期间需要招用大量季节工,这些季节工只是集中工作两、三个月,按照草案上述规定,加上相当一个月工资的经济补偿,企业就要向其支付三四个月的工资,势必大大增加生产成本,也不合理,建议再作斟酌。法律委员会经同财政经济委员会和国务院法制办、劳动保障部、全国总工会研究，建议将这一款修改为："经济补偿按劳动者在本单位工作的年限，每满一年支付一个月工资的标准向劳动者支付。六个月以上不满一年的，按一年计算；不满六个月的，向劳动者支付半个月工资的经济补偿。"

（四）有的常委委员提出，为了更好地保护劳动者的合法权益，劳动合同法应明确规定劳动者权益被侵害时的救济渠道。法律委员会经同财政经济委员会和国务院法制办、劳动保障部、全国总工会研究，建议增加规定："劳动者合法权益受到侵害的，有权要求有关部门依法处理，或者依法申请仲裁、提起诉讼。"

（五）草案四次审议稿第九十四条对劳动行政部门和其他有关主管部门不履行法定职责或者违法行使职权的情形规定了法律责任。有些常委委员提出，劳动领域中行政机关不作为的现象比较多，因此产生的社会危害也比较严重，劳动合同法对这个问题应作出更有针对性的规定。法律委员会经同财政经济委员会和国务院法制办、劳动保障部、全国总工会研究，建议将这一条修改为："劳动行政部门和其他有关主管部门及其工作人员玩忽职守、不履行法定职责，或者违法行使职权，给劳动者或者用人单位造成损害的，应当承担赔偿责任；对直接负责的主管人员和其他直接责任人员，依法给予行政处分；构成犯罪的，依法追究刑事责任。"

此外，根据有些常委会组成人员的意见，还对草案四次审议稿作了一些文字修改。

在审议过程中，有些常委会组成人员还提出了一些其他修改意见。法律委员会经同财政经济委员会和国务院法制办、劳动保障部、全国总工会研究认为，其中多数问题在草案修改过程中已经反复做过研究论证，意见又不完全一致，可以不再改动。这里，仅就一个问题加以说明。草案四次审议稿第四十九条规定："国家采取措施，建立健全劳动者社会保险关系跨地区转移接续制度。"有的常委委员认为，社会保险关系转移接续问题不属于劳动合同法调整的内容，建议删去这一条。有的常委委员建议对这个问题进一步作出具体规定，以增强可操作性。法律委员会经同财政经济委员会和国务院法制办、劳动保障部、全国总工会研究认为，社会保险关系转移接续是常委会组成人员和广大劳动者普遍关注的重要问题，这一条不宜删去；同时，这个问题又很复杂，尚待制定具体办法。十届全国人大五次会议批准的政府工作报告提出："抓紧研究制定社会保险关系跨地区转移接续办法。"草案四次审议稿第四十九条原则上与上述表述是一致的，现在还难以进一步作出具体规定。据此，法律委员会建议这一条以不再改动为妥。

劳动合同法草案的建议表决稿已按上述意见作了修改，法律委员会建议本次常委会会议通过。

劳动合同法草案的建议表决稿和以上报告是否妥当，请审议。

全国人民代表大会法律委员会关于《中华人民共和国劳动合同法修正案（草案）》审议结果的报告

全国人民代表大会常务委员会：

常委会第二十七次会议对劳动合同法修正案(草案)进行了初次审议。会后,法制工作委员会将草案印发各省(区、市)和中央有关部门、部分中央企业、高等院校和研究机构征求意见。中国人大网站全文公布草案向社会征求意见。法律委员会、法制工作委员会到一些地方调研,并与内务司法委员会、财政经济委员会、国务院法制办公室、人力资源和社会保障部、国务院国有资产监督管理委员会、全国总工会等部门多次沟通协调,反复研究,对草案进行修改完善。法律委员会于10月9日、11月23日两次召开会议,根据常委会组成人员的审议意见和各方面的意见,对修正案草案进行了逐条审议。内务司法委员会、财政经济委员会和国务院法制办公室、人力资源和社会保障部、全国总工会的负责同志列席了会议。12月13日,法律委员会召开会议,再次进行了审议。法律委员会认为,为严格规范劳务派遣用工,切实维护被派遣劳动者的合法权益,促进劳动关系的和谐稳定,对劳动合同法进行修改是必要的,修正案草案基本可行。同时,提出以下主要修改意见：

一、草案第一条规定，经营劳务派遣业务应当向劳动行政部门依法办理行政许可，并明确了设立劳务派遣单位应当具备的条件。多数常委委员和地方、部门赞成对经营劳务派遣业务实行行政许可，并建议在应当具备的条件中对最低注册资本要求再作适当提高，同时增加规定经营场所等方面的要求。法律委员会经同各有关方面研究，建议将这一条中规定的最低注册资本要求由“一百万元”提高至“二百万元”；并增加规定，经营劳务派遣业务应当“有与开展业务相适应的固定的经营场所和设施”。（修改决定草案第一条）

二、草案第二条规定，劳务派遣单位与被派遣劳动者订立的劳动合同和与用工单位订立的劳务派遣协议，载明或者约定的向被派遣劳动者支付的劳动报酬应当符合同工同酬的规定。一些常委委员和地方、部门提出，规范劳务派遣重要的是要落实被派遣劳动者与用工单位的劳动者同工同酬的权利，建议在草案规定的基础上，进一步明确被派遣劳动者与用工单位同类岗位的劳动者适用相同的劳动报酬分配办法。法律委员会经同各有关方面研究后认为，这一意见是可行的，建议在草案第二条中增加规定：“用工单位应当按照同工同酬原则，对被派遣劳动者与本单位同类岗位的劳动者实行相同的劳动报酬分配办法。”（修改决定草案第二条第一款）

三、草案第三条规定，劳务派遣只能在临时性、辅助性或者替代性的工作岗位上实施，并进一步明确了“三性”岗位的具体含义。一些常委委员和地方、部门提出，针对实践中劳务派遣用工被滥用的突出问题，应进一步明确劳动合同用工是我们国家的企业基本用工形式，劳务派遣用工不能成为用工主渠道，只能是一种补充形式；同时，应对辅助性岗位的含义进一步作出明确界定，增强法律实施的可操作性。法律委员会经同各有关方面研究，赞成这一意见，建议：一是将草案第三条第一款修改为："劳动合同用工是我国的企业基本用工形式。劳务派遣用工是补充形式，只能在临时性、辅助性或者替代性的工作岗位上实施。"（修改决定草案第三条第一款）二是将该条第二款中辅助性岗位的含义修改为"为主营业务岗位提供服务的非主营业务岗位"。（修改决定草案第三条第二款）

此外，一些常委委员、部门提出，为防止滥用劳务派遣用工，还应明确要求用工单位严格控制劳务派遣用工数量，将劳务派遣用工数量限制在一定比例内，实行总量控制。法律委员会认为，这个意见有道理，但不同领域、不同类型的企业情况不同，可在法律上提出明确要求，具体比例可由国务院劳动行政部门规定。据此，建议在草案第三条中增加一款，规定："用工单位应当严格控制劳务派遣用工数量，不得超过其用工总量的一定比例，具体比例由国务院劳动行政部门规定。"（修改决定草案第三条第三款）

四、一些常委委员和地方、部门提出，应当妥善处理好新旧法实施的衔接问题，实现平稳过渡，建议对草案中的过渡条款进一步细化。法律委员会经同各有关方面研究认为，草案的过渡条款应着重解决好三个问题：一是，已经订立且在修改决定施行之日存续的劳动合同和劳务派遣协议继续履行。二是，劳动合同和劳务派遣协议的内容不符合草案关于同工同酬规定的，应当进行调整。三是，原已经营劳务派遣业务的单位，应当在过渡期内依法取得行政许可并办理公司变更登记。具体办法可由国务院劳动行政部门会同国务院有关部门规定。法律委员会建议对草案的过渡条款作相应修改。

此外,还对修正案草案作了一些文字修改。

法律委员会已按上述意见提出了全国人民代表大会常务委员会关于修改《中华人民共和国劳动合同法》的决定(草案)。法律委员会建议,修改决定草案经本次常委会会议审议通过。

修改决定草案和以上报告是否妥当,请审议。

全国人民代表大会法律委员会
2012 年 12 月 24 日

全国人民代表大会法律委员会关于《全国人民代表大会常务委员会关于修改〈中华人民共和国劳动合同法〉的决定（草案）》修改意见的报告

全国人民代表大会常务委员会：

本次常委会会议于12月25日上午对关于修改劳动合同法的决定（草案）进行了分组审议，普遍认为，修改决定草案吸收了常委会组成人员的审议意见和各方面的意见，已经比较成熟，建议进一步修改后，提请本次会议通过。同时，有些常委会组成人员还提出了一些修改意见。法律委员会于12月26日上午召开会议，逐条研究了常委会组成人员的审议意见，对草案进行了审议。内务司法委员会、财政经济委员会、国务院法制办公室、人力资源和社会保障部、全国总工会的负责同志列席了会议。法律委员会认为，草案是可行的，同时提出以下修改意见：

有的常委委员提出，修改决定从公布到施行还有一段时间，为保证修改决定的有效实施，建议将修改决定草案过渡条款中规定的"本决定施行前已依法订立且在本决定施行之日存续的劳动合同和劳务派遣协议继续履行"，修改为"本决定公布前已依法订立的劳动合同和劳务派遣协议继续履行至期限届满”。法律委员会经研究,赞成这一修改意见,建议对修改决定草案作相应修改。

一些常委委员和列席会议的同志提出,修改决定通过后,国务院及其劳动行政部门和其他有关部门应抓紧制定修改配套法规,并采取其他必要措施,切实抓好修改决定的贯彻落实。法律委员会建议,国务院及其有关主管部门在修改决定公布至施行的一段时间内,抓紧制定或者修改相应的配套法规,做好修改决定实施的各项准备工作;同时,组织好宣传教育和学习培训等工作,确保修改决定各项规定得到正确有效实施。

此外,还对修改决定草案作了个别文字修改。

修改决定草案建议表决稿已按上述意见作了修改,法律委员会建议本次常委会会议通过。

修改决定草案建议表决稿和以上报告是否妥当,请审议。

全国人民代表大会法律委员会
2012 年 12 月 28 日

中华人民共和国劳动合同法修正案（草案）

一、第五十七条修改为："设立劳务派遣单位应当具备下列条件：

"（一）注册资本不得少于人民币一百万元；

"（二）有符合法律规定的劳务派遣管理制度；

"（三）法律、行政法规规定的其他条件。

"设立劳务派遣单位，应当向劳动行政部门依法办理行政许可；经许可的，依法办理相应的公司登记。未经许可，任何单位和个人不得经营劳务派遣业务。"

二、第六十三条增加一款，作为第二款："劳务派遣单位与被派遣劳动者订立的劳动合同和与用工单位订立的劳务派遣协议，载明或者约定的向被派遣劳动者支付的劳动报酬应当符合前款规定。"

三、第六十六条修改为："劳务派遣只能在临时性、辅助性或者替代性的工作岗位上实施。

"前款规定的临时性是指用工单位的工作岗位存续时间不超过六个月；辅助性是指用工单位的工作岗位为主营业务岗位提供服务；替代性是指用工单位的职工因脱产学习、休假等原因在该工作岗位上无法工作的一定期间内，可以由被派遣劳动者替代工作。”

四、第九十二条修改为：“违反本法第五十七条规定，未经许可，擅自经营劳务派遣业务的，由劳动行政部门依法予以取缔，没收违法所得，并处违法所得一倍以上五倍以下的罚款；没有违法所得的，可以处五万元以下的罚款。

“劳务派遣单位、用工单位违反本法规定的，由劳动行政部门责令改正；情节严重的，以每人五千元以上一万元以下的标准处以罚款，对劳务派遣单位，撤销其经营劳务派遣业务的行政许可；给被派遣劳动者造成损害的，劳务派遣单位与用工单位承担连带赔偿责任。”

本修正案自　　年　月　日起施行。

本修正案开始施行时用工单位正在使用被派遣劳动者的，用工单位、劳务派遣单位应当根据本修正案进行调整；本修正案施行前经营劳务派遣业务的单位，依法办理行政许可和公司变更登记后，方可继续经营劳务派遣业务。具体办法由国务院另行规定。

关于《中华人民共和国劳动合同法修正案（草案）》的说明

一、修改劳动合同法的必要性和草案起草过程

我国现行劳动合同法是2007年十届全国人大常委会第二十八次会议通过的。该法的颁布实施，对于促进劳动力资源的市场配置、规范劳动关系、完善劳动合同制度、明确劳动合同双方当事人的权利义务、保护劳动者的合法权益发挥了重要作用。尤其是在2008年以来应对国际金融危机的过程中，劳动合同法对于维护企业职工队伍和社会和谐稳定，引导企业与职工和衷共济、共克难关起到了积极作用。

劳务派遣是劳动合同法规范的一项重要内容，也是劳动合同法实施中遇到的一个重大问题。劳动合同法颁布实施后，出现了劳务派遣单位数量大幅增加、劳务派遣用工规模迅速扩大的情况。劳务派遣用工存在的突出问题主要有：一是劳务派遣单位过多过滥，经营不规范；二是许多用工单位长期大量使用被派遣劳动者，有的用工单位甚至把劳务派遣作为用工主渠道；三是被派遣劳动者的合法权益得不到有效保障，同工不同酬、不同保障待遇的问题比较突出，参与企业民主管理和参加工会组织

等权利得不到很好落实，一些被派遣劳动者长期没有归属感，心理落差较大。劳务派遣用工制度的滥用不仅损害了劳动者的合法权益，也对常规的用工方式和劳动合同制度造成较大冲击。这些问题如不尽快解决，必然给和谐劳动关系和社会稳定带来负面影响。全国人大常委会在 2008 年和 2011 年对劳动合同法进行的执法检查中都明确要求，要严格规范劳务派遣用工，保障被派遣劳动者的合法权益。全国人大常委会领导同志对此也高度重视，多次作出重要指示，要求从维护工人阶级主体地位、巩固党的执政基础的高度来认识这个问题，加强调查研究，尽快从法律上严格规范劳务派遣用工。

按照常委会的要求，由全国人大常委会法制工作委员会牵头，会同全国人大内务司法委员会、财政经济委员会开展了劳务派遣用工情况的调研。调研组先后赴广东、福建、北京、安徽等地深入企事业单位了解情况，听取意见；召开中央有关部门、部分劳动用工单位和劳务派遣单位参加的座谈会，充分听取各方面对修改完善劳务派遣法律规定的意见建议；到使用被派遣劳动者较多的部分中央企业调研劳务派遣用工情况和在京部分被派遣劳动者座谈，深入企业生产一线了解被派遣劳动者在工作生活中面临的实际情况。

根据调研了解到的情况，全国人大常委会法制工作委员会、全国人大内务司法委员会和财政经济委员会在分别与中央有关部门反复沟通协调的基础上明确了这次修法的原则和重点：一是严格规范劳务派遣用工，不能把劳务派遣变成用工主渠道；二是维护工人阶级主体地位，保障被派遣劳动者实现同工同酬等权利；三是加强对劳务派遣单位的管理，强化劳动行政部门的监督职责；四是规范劳务派遣既要积极又要稳妥，妥善处理好修法前后法律实施的衔接问题，实现平稳过渡。按照上述要求，由全国人大常委会法制工作委员会牵头起草了劳动合同法修正案草案，并经财政经济委员会第67次全体会议审议通过，提请本次常委会会议审议。

二、修改的主要内容

（一）严格限制劳务派遣用工岗位范围

现行劳动合同法第六十六条规定，劳务派遣一般在临时性、辅助性或者替代性的工作岗位上实施。劳动合同法实施以来，劳务派遣用工数量快速增长，部分企业突破“三性”岗位范围，在主营业务岗位和一般性工作岗位长期大量使用被派遣劳动者。为严格限制劳务派遣用工，草案规定劳务派遣“只能”在“三性”岗位上实施，并对“三性”岗位的具体含义作了进一步界定：临时性是指用工单位的工作岗位存续时间不超过六个月；辅助性是指用工单位的工作岗位为主营业务岗位提供服务；替代性是指用工单位的职工因脱产学习、休假等原因在该工作岗位上无法工作的一定期间内，可以由被派遣劳动者替代工作。

（二）对设立劳务派遣单位实行行政许可

现行劳动合同法第五十七条规定，劳务派遣单位应当依照公司法的有关规定设立，注册资本不得少于五十万元。劳动合同法实施以来，从事劳务派遣的单位增长较快。一些劳务派遣单位经营不规范，规章制度不健全，侵害被派遣劳动者的合法权益。由于劳务派遣单位准入门槛低，承担责任能力差，被派遣劳动者的合法权益受到侵害后，难以获得有效赔偿。为促使劳务派遣单位依法经营,草案规定,经营劳务派遣业务应当向劳动行政部门依法办理行政许可,并对取得许可的条件作了具体规定,包括将注册资本要求由不得少于人民币五十万元提高到不得少于人民币一百万元、劳务派遣单位应当有符合法律规定的劳务派遣管理制度等。

(三)切实维护被派遣劳动者享有与用工单位的劳动者同工同酬的权利

同工同酬是劳动合同法规定的一项重要原则。现行劳动合同法第六十三条规定,被派遣劳动者享有与用工单位的劳动者同工同酬的权利。用工单位无同类岗位劳动者的,参照用工单位所在地相同或者相近岗位劳动者的劳动报酬确定。劳动合同法实施以来,多数企业对本单位的劳动合同制职工逐步做到了同工同酬,但对被派遣劳动者与本单位劳动合同制职工实行不同的工资福利标准和分配办法,有的被派遣劳动者的劳动报酬、社会保险、企业福利等与用工单位的劳动合同制职工相比差距较大。为落实被派遣劳动者同工同酬的权利,草案增加规定劳务派遣单位与被派遣劳动者订立的劳动合同以及与用工单位订立的劳务派遣协议,载明或者约定的向被派遣劳动者支付的劳动报酬应当符合同工同酬的规定。

(四)增加对相应违法行为的处罚

根据上述修改内容以及进一步严格规范劳务派遣用工的要求,草案对劳动合同法法律责任部分作了相应修改:一是增加规定,对未经许可擅自经营劳务派遣业务的,由劳动行政部门依法予以取缔,没收违法所得,并处以罚款。二是进一步明确规定劳务派遣单位、用工单位违反劳动合同法规定的,处以罚款,并适当提高了罚款额度;对劳务派遣单位并可吊销其经营劳务派遣业务的行政许可。

（五）处理好法律实施的衔接

为实现修法前后劳务派遣用工制度的平稳过渡,草案规定,本修正案开始施行时用工单位正在使用被派遣劳动者的,用工单位、劳务派遣单位应当根据本修正案进行调整;本修正案施行前经营劳务派遣业务的单位,依法办理行政许可和公司变更登记后,方可继续经营劳务派遣业务。具体办法由国务院另行规定。

对于在修正案施行前依法向工商行政管理部门办理登记经营劳务派遣业务的单位,自修正案施行之日起未依法办理许可或者申请许可未获批准的,应当按照劳动合同法、合同法、公司法等有关法律、法规规定,与用工单位、工会组织进行协商,对其尚未履行完毕的合同、劳务派遣协议作出妥善处理。劳动行政部门、工商行政管理部门应当加强监督检查,切实保障被派遣劳动者的合法权益。

全国人民代表大会常务委员会关于修改《中华人民共和国劳动合同法》的决定

（2012 年 12 月 28 日第十一届全国人民代表
大会常务委员会第三十次会议通过）

第十一届全国人民代表大会常务委员会第三十次会议决定对《中华人民共和国劳动合同法》作如下修改：

一、将第五十七条修改为："经营劳务派遣业务应当具备下列条件：

"（一）注册资本不得少于人民币二百万元；

"（二）有与开展业务相适应的固定的经营场所和设施；

"（三）有符合法律、行政法规规定的劳务派遣管理制度；

"（四）法律、行政法规规定的其他条件。

"经营劳务派遣业务，应当向劳动行政部门依法申请行政许可；经许可的，依法办理相应的公司登记。未经许可，任何单位和个人不得经营劳务派遣业务。"

二、将第六十三条修改为："被派遣劳动者享有与用工单位的劳动者同工同酬的权利。用工单位应当按照同工同酬原则，对被派遣劳动者与本单位同类岗位的劳动者实行相同的劳动报酬分配办法。用工单位无同类岗位劳动者的，参照用工单位所在地相同或者相近岗位劳动者的劳动报酬确定。

“劳务派遣单位与被派遣劳动者订立的劳动合同和与用工单位订立的劳务派遣协议，载明或者约定的向被派遣劳动者支付的劳动报酬应当符合前款规定。”

三、将第六十六条修改为：“劳动合同用工是我国的企业基本用工形式。劳务派遣用工是补充形式，只能在临时性、辅助性或者替代性的工作岗位上实施。

“前款规定的临时性工作岗位是指存续时间不超过六个月的岗位；辅助性工作岗位是指为主营业务岗位提供服务的非主营业务岗位；替代性工作岗位是指用工单位的劳动者因脱产学习、休假等原因无法工作的一定期间内，可以由其他劳动者替代工作的岗位。

“用工单位应当严格控制劳务派遣用工数量，不得超过其用工总量的一定比例，具体比例由国务院劳动行政部门规定。”

四、将第九十二条修改为：“违反本法规定，未经许可，擅自经营劳务派遣业务的，由劳动行政部门责令停止违法行为，没收违法所得，并处违法所得一倍以上五倍以下的罚款；没有违法所得的，可以处五万元以下的罚款。

“劳务派遣单位、用工单位违反本法有关劳务派遣规定的，由劳动行政部门责令限期改正；逾期不改正的，以每人五千元以上一万元以下的标准处以罚款，对劳务派遣单位，吊销其劳务派遣业务经营许可证。用工单位给被派遣劳动者造成损害的，劳务派遣单位与用工单位承担连带赔偿责任。”

本决定自 2013 年 7 月 1 日起施行。

本决定公布前已依法订立的劳动合同和劳务派遣协议继续履行至期限届满,但是劳动合同和劳务派遣协议的内容不符合本决定关于按照同工同酬原则实行相同的劳动报酬分配办法的规定的,应当依照本决定进行调整;本决定施行前经营劳务派遣业务的单位,应当在本决定施行之日起一年内依法取得行政许可并办理公司变更登记,方可经营新的劳务派遣业务。具体办法由国务院劳动行政部门会同国务院有关部门规定。

《中华人民共和国劳动合同法》根据本决定作相应修改,重新公布。

中华人民共和国劳动合同法

（2007年6月29日第十届全国人民代表大会常务委员会第二十八次会议通过　根据2012年12月28日第十一届全国人民代表大会常务委员会第三十次会议修正）

目　　录

第一章　总　　则
第二章　劳动合同的订立
第三章　劳动合同的履行和变更
第四章　劳动合同的解除和终止
第五章　特别规定
　第一节　集体合同
　第二节　劳务派遣
　第三节　非全日制用工
第六章　监督检查
第七章　法律责任
第八章　附　　则

第一章 总 则

第一条 为了完善劳动合同制度，明确劳动合同双方当事人的权利和义务，保护劳动者的合法权益，构建和发展和谐稳定的劳动关系，制定本法。

第二条 中华人民共和国境内的企业、个体经济组织、民办非企业单位等组织（以下称用人单位）与劳动者建立劳动关系，订立、履行、变更、解除或者终止劳动合同，适用本法。

国家机关、事业单位、社会团体和与其建立劳动关系的劳动者，订立、履行、变更、解除或者终止劳动合同，依照本法执行。

第三条 订立劳动合同，应当遵循合法、公平、平等自愿、协商一致、诚实信用的原则。

依法订立的劳动合同具有约束力，用人单位与劳动者应当履行劳动合同约定的义务。

第四条 用人单位应当依法建立和完善劳动规章制度，保障劳动者享有劳动权利、履行劳动义务。

用人单位在制定、修改或者决定有关劳动报酬、工作时间、休息休假、劳动安全卫生、保险福利、职工培训、劳动纪律以及劳动定额管理等直接涉及劳动者切身利益的规章制度或者重大事项时，应当经职工代表大会或者全体职工讨论，提出方案和意见，与工会或者职工代表平等协商确定。

在规章制度和重大事项决定实施过程中，工会或者职工认为不适当的，有权向用人单位提出，通过协商予以修改完善。

用人单位应当将直接涉及劳动者切身利益的规章制度和重大事项决定公示，或者告知劳动者。

第五条　县级以上人民政府劳动行政部门会同工会和企业方面代表，建立健全协调劳动关系三方机制，共同研究解决有关劳动关系的重大问题。

第六条　工会应当帮助、指导劳动者与用人单位依法订立和履行劳动合同，并与用人单位建立集体协商机制，维护劳动者的合法权益。

第二章　劳动合同的订立

第七条　用人单位自用工之日起即与劳动者建立劳动关系。用人单位应当建立职工名册备查。

第八条　用人单位招用劳动者时，应当如实告知劳动者工作内容、工作条件、工作地点、职业危害、安全生产状况、劳动报酬，以及劳动者要求了解的其他情况；用人单位有权了解劳动者与劳动合同直接相关的基本情况，劳动者应当如实说明。

第九条　用人单位招用劳动者，不得扣押劳动者的居民身份证和其他证件，不得要求劳动者提供担保或者以其他名义向劳动者收取财物。

第十条　建立劳动关系，应当订立书面劳动合同。

已建立劳动关系，未同时订立书面劳动合同的，应当自用工之日起一个月内订立书面劳动合同。

用人单位与劳动者在用工前订立劳动合同的，劳动关系自用工之日起建立。

第十一条　用人单位未在用工的同时订立书面劳动合同，与劳动者约定的劳动报酬不明确的，新招用的劳动者的劳动报酬按照集体合同规定的标准执行；没有集体合同或者集体合同未规定的，实行同工同酬。

第十二条 劳动合同分为固定期限劳动合同、无固定期限劳动合同和以完成一定工作任务为期限的劳动合同。

第十三条 固定期限劳动合同，是指用人单位与劳动者约定合同终止时间的劳动合同。

用人单位与劳动者协商一致，可以订立固定期限劳动合同。

第十四条 无固定期限劳动合同，是指用人单位与劳动者约定无确定终止时间的劳动合同。

用人单位与劳动者协商一致，可以订立无固定期限劳动合同。有下列情形之一，劳动者提出或者同意续订、订立劳动合同的，除劳动者提出订立固定期限劳动合同外，应当订立无固定期限劳动合同：

（一）劳动者在该用人单位连续工作满十年的；

（二）用人单位初次实行劳动合同制度或者国有企业改制重新订立劳动合同时，劳动者在该用人单位连续工作满十年且距法定退休年龄不足十年的；

（三）连续订立二次固定期限劳动合同，且劳动者没有本法第三十九条和第四十条第一项、第二项规定的情形，续订劳动合同的。

用人单位自用工之日起满一年不与劳动者订立书面劳动合同的，视为用人单位与劳动者已订立无固定期限劳动合同。

第十五条 以完成一定工作任务为期限的劳动合同，是指用人单位与劳动者约定以某项工作的完成为合同期限的劳动合同。

用人单位与劳动者协商一致，可以订立以完成一定工作任务为期限的劳动合同。

第十六条 劳动合同由用人单位与劳动者协商一致,并经用人单位与劳动者在劳动合同文本上签字或者盖章生效。

劳动合同文本由用人单位和劳动者各执一份。

第十七条 劳动合同应当具备以下条款:

(一)用人单位的名称、住所和法定代表人或者主要负责人;

(二)劳动者的姓名、住址和居民身份证或者其他有效身份证件号码;

(三)劳动合同期限;

(四)工作内容和工作地点;

(五)工作时间和休息休假;

(六)劳动报酬;

(七)社会保险;

(八)劳动保护、劳动条件和职业危害防护;

(九)法律、法规规定应当纳入劳动合同的其他事项。

劳动合同除前款规定的必备条款外,用人单位与劳动者可以约定试用期、培训、保守秘密、补充保险和福利待遇等其他事项。

第十八条 劳动合同对劳动报酬和劳动条件等标准约定不明确,引发争议的,用人单位与劳动者可以重新协商;协商不成的,适用集体合同规定;没有集体合同或者集体合同未规定劳动报酬的,实行同工同酬;没有集体合同或者集体合同未规定劳动条件等标准的,适用国家有关规定。

第十九条 劳动合同期限三个月以上不满一年的,试用期不得超过一个月;劳动合同期限一年以上不满三年的,试用期不得超过二个月;三年以上固定期限和无固定期限的劳动合同,试用期不得超过六个月。

同一用人单位与同一劳动者只能约定一次试用期。

以完成一定工作任务为期限的劳动合同或者劳动合同期限不满三个月的,不得约定试用期。

试用期包含在劳动合同期限内。劳动合同仅约定试用期的,试用期不成立,该期限为劳动合同期限。

第二十条 劳动者在试用期的工资不得低于本单位相同岗位最低档工资或者劳动合同约定工资的百分之八十,并不得低于用人单位所在地的最低工资标准。

第二十一条 在试用期中,除劳动者有本法第三十九条和第四十条第一项、第二项规定的情形外,用人单位不得解除劳动合同。用人单位在试用期解除劳动合同的,应当向劳动者说明理由。

第二十二条 用人单位为劳动者提供专项培训费用,对其进行专业技术培训的,可以与该劳动者订立协议,约定服务期。

劳动者违反服务期约定的,应当按照约定向用人单位支付违约金。违约金的数额不得超过用人单位提供的培训费用。用人单位要求劳动者支付的违约金不得超过服务期尚未履行部分所应分摊的培训费用。

用人单位与劳动者约定服务期的,不影响按照正常的工资调整机制提高劳动者在服务期期间的劳动报酬。

第二十三条 用人单位与劳动者可以在劳动合同中约定保守用人单位的商业秘密和与知识产权相关的保密事项。

对负有保密义务的劳动者,用人单位可以在劳动合同或者保密协议中与劳动者约定竞业限制条款，并约定在解除或者终止劳动合同后，在竞业限制期限内按月给予劳动者经济补偿。劳动者违反竞业限制约定的，应当按照约定向用人单位支付违约金。

第二十四条　竞业限制的人员限于用人单位的高级管理人员、高级技术人员和其他负有保密义务的人员。竞业限制的范围、地域、期限由用人单位与劳动者约定，竞业限制的约定不得违反法律、法规的规定。

在解除或者终止劳动合同后，前款规定的人员到与本单位生产或者经营同类产品、从事同类业务的有竞争关系的其他用人单位，或者自己开业生产或者经营同类产品、从事同类业务的竞业限制期限，不得超过二年。

第二十五条　除本法第二十二条和第二十三条规定的情形外，用人单位不得与劳动者约定由劳动者承担违约金。

第二十六条　下列劳动合同无效或者部分无效：

（一）以欺诈、胁迫的手段或者乘人之危，使对方在违背真实意思的情况下订立或者变更劳动合同的；

（二）用人单位免除自己的法定责任、排除劳动者权利的；

（三）违反法律、行政法规强制性规定的。

对劳动合同的无效或者部分无效有争议的，由劳动争议仲裁机构或者人民法院确认。

第二十七条　劳动合同部分无效，不影响其他部分效力的，其他部分仍然有效。

第二十八条　劳动合同被确认无效，劳动者已付出劳动的，用人单位应当向劳动者支付劳动报酬。劳动报酬的数额，参照本单位相同或者相近岗位劳动者的劳动报酬确定。

第三章 劳动合同的履行和变更

第二十九条 用人单位与劳动者应当按照劳动合同的约定,全面履行各自的义务。

第三十条 用人单位应当按照劳动合同约定和国家规定,向劳动者及时足额支付劳动报酬。

用人单位拖欠或者未足额支付劳动报酬的,劳动者可以依法向当地人民法院申请支付令,人民法院应当依法发出支付令。

第三十一条 用人单位应当严格执行劳动定额标准,不得强迫或者变相强迫劳动者加班。用人单位安排加班的,应当按照国家有关规定向劳动者支付加班费。

第三十二条 劳动者拒绝用人单位管理人员违章指挥、强令冒险作业的,不视为违反劳动合同。

劳动者对危害生命安全和身体健康的劳动条件,有权对用人单位提出批评、检举和控告。

第三十三条 用人单位变更名称、法定代表人、主要负责人或者投资人等事项,不影响劳动合同的履行。

第三十四条 用人单位发生合并或者分立等情况,原劳动合同继续有效,劳动合同由承继其权利和义务的用人单位继续履行。

第三十五条 用人单位与劳动者协商一致,可以变更劳动合同约定的内容。变更劳动合同,应当采用书面形式。

变更后的劳动合同文本由用人单位和劳动者各执一份。

第四章　劳动合同的解除和终止

第三十六条　用人单位与劳动者协商一致,可以解除劳动合同。

第三十七条　劳动者提前三十日以书面形式通知用人单位,可以解除劳动合同。劳动者在试用期内提前三日通知用人单位,可以解除劳动合同。

第三十八条　用人单位有下列情形之一的,劳动者可以解除劳动合同:

(一)未按照劳动合同约定提供劳动保护或者劳动条件的;

(二)未及时足额支付劳动报酬的;

(三)未依法为劳动者缴纳社会保险费的;

(四)用人单位的规章制度违反法律、法规的规定,损害劳动者权益的;

(五)因本法第二十六条第一款规定的情形致使劳动合同无效的;

(六)法律、行政法规规定劳动者可以解除劳动合同的其他情形。

用人单位以暴力、威胁或者非法限制人身自由的手段强迫劳动者劳动的,或者用人单位违章指挥、强令冒险作业危及劳动者人身安全的,劳动者可以立即解除劳动合同,不需事先告知用人单位。

第三十九条　劳动者有下列情形之一的,用人单位可以解除劳动合同:

(一)在试用期间被证明不符合录用条件的;

（二）严重违反用人单位的规章制度的；

（三）严重失职，营私舞弊，给用人单位造成重大损害的；

（四）劳动者同时与其他用人单位建立劳动关系，对完成本单位的工作任务造成严重影响，或者经用人单位提出，拒不改正的；

（五）因本法第二十六条第一款第一项规定的情形致使劳动合同无效的；

（六）被依法追究刑事责任的。

第四十条 有下列情形之一的，用人单位提前三十日以书面形式通知劳动者本人或者额外支付劳动者一个月工资后，可以解除劳动合同：

（一）劳动者患病或者非因工负伤，在规定的医疗期满后不能从事原工作，也不能从事由用人单位另行安排的工作的；

（二）劳动者不能胜任工作，经过培训或者调整工作岗位，仍不能胜任工作的；

（三）劳动合同订立时所依据的客观情况发生重大变化，致使劳动合同无法履行，经用人单位与劳动者协商，未能就变更劳动合同内容达成协议的。

第四十一条 有下列情形之一，需要裁减人员二十人以上或者裁减不足二十人但占企业职工总数百分之十以上的，用人单位提前三十日向工会或者全体职工说明情况，听取工会或者职工的意见后，裁减人员方案经向劳动行政部门报告，可以裁减人员：

（一）依照企业破产法规定进行重整的；

（二）生产经营发生严重困难的；

（三）企业转产、重大技术革新或者经营方式调整，经变更劳动合同后，仍需裁减人员的；

（四）其他因劳动合同订立时所依据的客观经济情况发生重大变化，致使劳动合同无法履行的。

裁减人员时，应当优先留用下列人员：

（一）与本单位订立较长期限的固定期限劳动合同的；

（二）与本单位订立无固定期限劳动合同的；

（三）家庭无其他就业人员，有需要扶养的老人或者未成年人的。

用人单位依照本条第一款规定裁减人员，在六个月内重新招用人员的，应当通知被裁减的人员，并在同等条件下优先招用被裁减的人员。

第四十二条 劳动者有下列情形之一的，用人单位不得依照本法第四十条、第四十一条的规定解除劳动合同：

（一）从事接触职业病危害作业的劳动者未进行离岗前职业健康检查，或者疑似职业病病人在诊断或者医学观察期间的；

（二）在本单位患职业病或者因工负伤并被确认丧失或者部分丧失劳动能力的；

（三）患病或者非因工负伤，在规定的医疗期内的；

（四）女职工在孕期、产期、哺乳期的；

（五）在本单位连续工作满十五年，且距法定退休年龄不足五年的；

（六）法律、行政法规规定的其他情形。

第四十三条 用人单位单方解除劳动合同，应当事先将理由通知工会。用人单位违反法律、行政法规规定或者劳动合同约定的，工会有权要求用人单位纠正。用人单位应当研究工会的意见，并将处理结果书面通知工会。

第四十四条 有下列情形之一的，劳动合同终止：

（一）劳动合同期满的；

（二）劳动者开始依法享受基本养老保险待遇的；

（三）劳动者死亡，或者被人民法院宣告死亡或者宣告失踪的；

（四）用人单位被依法宣告破产的；

（五）用人单位被吊销营业执照、责令关闭、撤销或者用人单位决定提前解散的；

（六）法律、行政法规规定的其他情形。

第四十五条 劳动合同期满，有本法第四十二条规定情形之一的，劳动合同应当续延至相应的情形消失时终止。但是，本法第四十二条第二项规定丧失或者部分丧失劳动能力劳动者的劳动合同的终止，按照国家有关工伤保险的规定执行。

第四十六条 有下列情形之一的，用人单位应当向劳动者支付经济补偿：

（一）劳动者依照本法第三十八条规定解除劳动合同的；

（二）用人单位依照本法第三十六条规定向劳动者提出解除劳动合同并与劳动者协商一致解除劳动合同的；

（三）用人单位依照本法第四十条规定解除劳动合同的；

（四）用人单位依照本法第四十一条第一款规定解除劳动合同的；

（五）除用人单位维持或者提高劳动合同约定条件续订劳动合同，劳动者不同意续订的情形外，依照本法第四十四条第一项规定终止固定期限劳动合同的；

（六）依照本法第四十四条第四项、第五项规定终止劳动合同的；

（七）法律、行政法规规定的其他情形。

第四十七条　经济补偿按劳动者在本单位工作的年限，每满一年支付一个月工资的标准向劳动者支付。六个月以上不满一年的，按一年计算；不满六个月的，向劳动者支付半个月工资的经济补偿。

劳动者月工资高于用人单位所在直辖市、设区的市级人民政府公布的本地区上年度职工月平均工资三倍的，向其支付经济补偿的标准按职工月平均工资三倍的数额支付，向其支付经济补偿的年限最高不超过十二年。

本条所称月工资是指劳动者在劳动合同解除或者终止前十二个月的平均工资。

第四十八条　用人单位违反本法规定解除或者终止劳动合同，劳动者要求继续履行劳动合同的，用人单位应当继续履行；劳动者不要求继续履行劳动合同或者劳动合同已经不能继续履行的，用人单位应当依照本法第八十七条规定支付赔偿金。

第四十九条　国家采取措施，建立健全劳动者社会保险关系跨地区转移接续制度。

第五十条　用人单位应当在解除或者终止劳动合同时出具解除或者终止劳动合同的证明，并在十五日内为劳动者办理档案和社会保险关系转移手续。

劳动者应当按照双方约定，办理工作交接。用人单位依照本法有关规定应当向劳动者支付经济补偿的，在办结工作交接时支付。

用人单位对已经解除或者终止的劳动合同的文本，至少保存二年备查。

第五章 特别规定

第一节 集体合同

第五十一条 企业职工一方与用人单位通过平等协商，可以就劳动报酬、工作时间、休息休假、劳动安全卫生、保险福利等事项订立集体合同。集体合同草案应当提交职工代表大会或者全体职工讨论通过。

集体合同由工会代表企业职工一方与用人单位订立；尚未建立工会的用人单位，由上级工会指导劳动者推举的代表与用人单位订立。

第五十二条 企业职工一方与用人单位可以订立劳动安全卫生、女职工权益保护、工资调整机制等专项集体合同。

第五十三条 在县级以下区域内，建筑业、采矿业、餐饮服务业等行业可以由工会与企业方面代表订立行业性集体合同，或者订立区域性集体合同。

第五十四条 集体合同订立后，应当报送劳动行政部门；劳动行政部门自收到集体合同文本之日起十五日内未提出异议的，集体合同即行生效。

依法订立的集体合同对用人单位和劳动者具有约束力。行业性、区域性集体合同对当地本行业、本区域的用人单位和劳动者具有约束力。

第五十五条　集体合同中劳动报酬和劳动条件等标准不得低于当地人民政府规定的最低标准；用人单位与劳动者订立的劳动合同中劳动报酬和劳动条件等标准不得低于集体合同规定的标准。

第五十六条　用人单位违反集体合同，侵犯职工劳动权益的，工会可以依法要求用人单位承担责任；因履行集体合同发生争议，经协商解决不成的，工会可以依法申请仲裁、提起诉讼。

第二节　劳务派遣

第五十七条　经营劳务派遣业务应当具备下列条件：

（一）注册资本不得少于人民币二百万元；

（二）有与开展业务相适应的固定的经营场所和设施；

（三）有符合法律、行政法规规定的劳务派遣管理制度；

（四）法律、行政法规规定的其他条件。

经营劳务派遣业务，应当向劳动行政部门依法申请行政许可；经许可的，依法办理相应的公司登记。未经许可，任何单位和个人不得经营劳务派遣业务。

第五十八条　劳务派遣单位是本法所称用人单位，应当履行用人单位对劳动者的义务。劳务派遣单位与被派遣劳动者订立的劳动合同，除应当载明本法第十七条规定的事项外，还应当载明被派遣劳动者的用工单位以及派遣期限、工作岗位等情况。

劳务派遣单位应当与被派遣劳动者订立二年以上的固定期限劳动合同，按月支付劳动报酬；被派遣劳动者在无工作期间，劳务派遣单位应当按照所在地人民政府规定的最低工资标准，向其按月支付报酬。

第五十九条 劳务派遣单位派遣劳动者应当与接受以劳务派遣形式用工的单位(以下称用工单位)订立劳务派遣协议。劳务派遣协议应当约定派遣岗位和人员数量、派遣期限、劳动报酬和社会保险费的数额与支付方式以及违反协议的责任。

用工单位应当根据工作岗位的实际需要与劳务派遣单位确定派遣期限,不得将连续用工期限分割订立数个短期劳务派遣协议。

第六十条 劳务派遣单位应当将劳务派遣协议的内容告知被派遣劳动者。

劳务派遣单位不得克扣用工单位按照劳务派遣协议支付给被派遣劳动者的劳动报酬。

劳务派遣单位和用工单位不得向被派遣劳动者收取费用。

第六十一条 劳务派遣单位跨地区派遣劳动者的,被派遣劳动者享有的劳动报酬和劳动条件,按照用工单位所在地的标准执行。

第六十二条 用工单位应当履行下列义务:

(一)执行国家劳动标准,提供相应的劳动条件和劳动保护;

(二)告知被派遣劳动者的工作要求和劳动报酬;

(三)支付加班费、绩效奖金,提供与工作岗位相关的福利待遇;

(四)对在岗被派遣劳动者进行工作岗位所必需的培训;

(五)连续用工的,实行正常的工资调整机制。

用工单位不得将被派遣劳动者再派遣到其他用人单位。

第六十三条 被派遣劳动者享有与用工单位的劳动者同工同酬的权利。用工单位应当按照同工同酬原则,对被派遣劳动者与本单位同类岗位的劳动者实行相同的劳动报酬分配办法。用工单位无同类岗位劳动者的,参照用工单位所在地相同或者相近岗位劳动者的劳动报酬确定。

劳务派遣单位与被派遣劳动者订立的劳动合同和与用工单位订立的劳务派遣协议,载明或者约定的向被派遣劳动者支付的劳动报酬应当符合前款规定。

第六十四条　被派遣劳动者有权在劳务派遣单位或者用工单位依法参加或者组织工会,维护自身的合法权益。

第六十五条　被派遣劳动者可以依照本法第三十六条、第三十八条的规定与劳务派遣单位解除劳动合同。

被派遣劳动者有本法第三十九条和第四十条第一项、第二项规定情形的,用工单位可以将劳动者退回劳务派遣单位,劳务派遣单位依照本法有关规定,可以与劳动者解除劳动合同。

第六十六条　劳动合同用工是我国的企业基本用工形式。劳务派遣用工是补充形式,只能在临时性、辅助性或者替代性的工作岗位上实施。

前款规定的临时性工作岗位是指存续时间不超过六个月的岗位;辅助性工作岗位是指为主营业务岗位提供服务的非主营业务岗位;替代性工作岗位是指用工单位的劳动者因脱产学习、休假等原因无法工作的一定期间内,可以由其他劳动者替代工作的岗位。

用工单位应当严格控制劳务派遣用工数量,不得超过其用工总量的一定比例,具体比例由国务院劳动行政部门规定。

第六十七条　用人单位不得设立劳务派遣单位向本单位或者所属单位派遣劳动者。

第三节 非全日制用工

第六十八条 非全日制用工，是指以小时计酬为主，劳动者在同一用人单位一般平均每日工作时间不超过四小时，每周工作时间累计不超过二十四小时的用工形式。

第六十九条 非全日制用工双方当事人可以订立口头协议。

从事非全日制用工的劳动者可以与一个或者一个以上用人单位订立劳动合同；但是，后订立的劳动合同不得影响先订立的劳动合同的履行。

第七十条 非全日制用工双方当事人不得约定试用期。

第七十一条 非全日制用工双方当事人任何一方都可以随时通知对方终止用工。终止用工，用人单位不向劳动者支付经济补偿。

第七十二条 非全日制用工小时计酬标准不得低于用人单位所在地人民政府规定的最低小时工资标准。

非全日制用工劳动报酬结算支付周期最长不得超过十五日。

第六章 监督检查

第七十三条 国务院劳动行政部门负责全国劳动合同制度实施的监督管理。

县级以上地方人民政府劳动行政部门负责本行政区域内劳动合同制度实施的监督管理。

县级以上各级人民政府劳动行政部门在劳动合同制度实施

的监督管理工作中，应当听取工会、企业方面代表以及有关行业主管部门的意见。

第七十四条　县级以上地方人民政府劳动行政部门依法对下列实施劳动合同制度的情况进行监督检查：

（一）用人单位制定直接涉及劳动者切身利益的规章制度及其执行的情况；

（二）用人单位与劳动者订立和解除劳动合同的情况；

（三）劳务派遣单位和用工单位遵守劳务派遣有关规定的情况；

（四）用人单位遵守国家关于劳动者工作时间和休息休假规定的情况；

（五）用人单位支付劳动合同约定的劳动报酬和执行最低工资标准的情况；

（六）用人单位参加各项社会保险和缴纳社会保险费的情况；

（七）法律、法规规定的其他劳动监察事项。

第七十五条　县级以上地方人民政府劳动行政部门实施监督检查时，有权查阅与劳动合同、集体合同有关的材料，有权对劳动场所进行实地检查，用人单位和劳动者都应当如实提供有关情况和材料。

劳动行政部门的工作人员进行监督检查，应当出示证件，依法行使职权，文明执法。

第七十六条　县级以上人民政府建设、卫生、安全生产监督管理等有关主管部门在各自职责范围内，对用人单位执行劳动合同制度的情况进行监督管理。

第七十七条 劳动者合法权益受到侵害的,有权要求有关部门依法处理,或者依法申请仲裁、提起诉讼。

第七十八条 工会依法维护劳动者的合法权益,对用人单位履行劳动合同、集体合同的情况进行监督。用人单位违反劳动法律、法规和劳动合同、集体合同的,工会有权提出意见或者要求纠正;劳动者申请仲裁、提起诉讼的,工会依法给予支持和帮助。

第七十九条 任何组织或者个人对违反本法的行为都有权举报,县级以上人民政府劳动行政部门应当及时核实、处理,并对举报有功人员给予奖励。

第七章 法律责任

第八十条 用人单位直接涉及劳动者切身利益的规章制度违反法律、法规规定的,由劳动行政部门责令改正,给予警告;给劳动者造成损害的,应当承担赔偿责任。

第八十一条 用人单位提供的劳动合同文本未载明本法规定的劳动合同必备条款或者用人单位未将劳动合同文本交付劳动者的,由劳动行政部门责令改正;给劳动者造成损害的,应当承担赔偿责任。

第八十二条 用人单位自用工之日起超过一个月不满一年未与劳动者订立书面劳动合同的,应当向劳动者每月支付二倍的工资。

用人单位违反本法规定不与劳动者订立无固定期限劳动合同的,自应当订立无固定期限劳动合同之日起向劳动者每月支付二倍的工资。

第八十三条 用人单位违反本法规定与劳动者约定试用期的，由劳动行政部门责令改正；违法约定的试用期已经履行的，由用人单位以劳动者试用期满月工资为标准，按已经履行的超过法定试用期的期间向劳动者支付赔偿金。

第八十四条 用人单位违反本法规定，扣押劳动者居民身份证等证件的，由劳动行政部门责令限期退还劳动者本人，并依照有关法律规定给予处罚。

用人单位违反本法规定，以担保或者其他名义向劳动者收取财物的，由劳动行政部门责令限期退还劳动者本人，并以每人五百元以上二千元以下的标准处以罚款；给劳动者造成损害的，应当承担赔偿责任。

劳动者依法解除或者终止劳动合同，用人单位扣押劳动者档案或者其他物品的，依照前款规定处罚。

第八十五条 用人单位有下列情形之一的，由劳动行政部门责令限期支付劳动报酬、加班费或者经济补偿；劳动报酬低于当地最低工资标准的，应当支付其差额部分；逾期不支付的，责令用人单位按应付金额百分之五十以上百分之一百以下的标准向劳动者加付赔偿金：

（一）未按照劳动合同的约定或者国家规定及时足额支付劳动者劳动报酬的；

（二）低于当地最低工资标准支付劳动者工资的；

（三）安排加班不支付加班费的；

（四）解除或者终止劳动合同，未依照本法规定向劳动者支付经济补偿的。

第八十六条 劳动合同依照本法第二十六条规定被确认无

效，给对方造成损害的，有过错的一方应当承担赔偿责任。

第八十七条 用人单位违反本法规定解除或者终止劳动合同的，应当依照本法第四十七条规定的经济补偿标准的二倍向劳动者支付赔偿金。

第八十八条 用人单位有下列情形之一的，依法给予行政处罚；构成犯罪的，依法追究刑事责任；给劳动者造成损害的，应当承担赔偿责任：

（一）以暴力、威胁或者非法限制人身自由的手段强迫劳动的；

（二）违章指挥或者强令冒险作业危及劳动者人身安全的；

（三）侮辱、体罚、殴打、非法搜查或者拘禁劳动者的；

（四）劳动条件恶劣、环境污染严重，给劳动者身心健康造成严重损害的。

第八十九条 用人单位违反本法规定未向劳动者出具解除或者终止劳动合同的书面证明，由劳动行政部门责令改正；给劳动者造成损害的，应当承担赔偿责任。

第九十条 劳动者违反本法规定解除劳动合同，或者违反劳动合同中约定的保密义务或者竞业限制，给用人单位造成损失的，应当承担赔偿责任。

第九十一条 用人单位招用与其他用人单位尚未解除或者终止劳动合同的劳动者，给其他用人单位造成损失的，应当承担连带赔偿责任。

第九十二条 违反本法规定，未经许可，擅自经营劳务派遣业务的，由劳动行政部门责令停止违法行为，没收违法所得，并处违法所得一倍以上五倍以下的罚款；没有违法所得的，可以处五万元以下的罚款。

劳务派遣单位、用工单位违反本法有关劳务派遣规定的，由劳动行政部门责令限期改正；逾期不改正的，以每人五千元以上一万元以下的标准处以罚款，对劳务派遣单位，吊销其劳务派遣业务经营许可证。用工单位给被派遣劳动者造成损害的，劳务派遣单位与用工单位承担连带赔偿责任。

第九十三条 对不具备合法经营资格的用人单位的违法犯罪行为，依法追究法律责任；劳动者已经付出劳动的，该单位或者其出资人应当依照本法有关规定向劳动者支付劳动报酬、经济补偿、赔偿金；给劳动者造成损害的，应当承担赔偿责任。

第九十四条 个人承包经营违反本法规定招用劳动者，给劳动者造成损害的，发包的组织与个人承包经营者承担连带赔偿责任。

第九十五条 劳动行政部门和其他有关主管部门及其工作人员玩忽职守、不履行法定职责，或者违法行使职权，给劳动者或者用人单位造成损害的，应当承担赔偿责任；对直接负责的主管人员和其他直接责任人员，依法给予行政处分；构成犯罪的，依法追究刑事责任。

第八章 附 则

第九十六条 事业单位与实行聘用制的工作人员订立、履行、变更、解除或者终止劳动合同，法律、行政法规或者国务院另有规定的，依照其规定；未作规定的，依照本法有关规定执行。

第九十七条 本法施行前已依法订立且在本法施行之日存续的劳动合同，继续履行；本法第十四条第二款第三项规定连续订立固定期限劳动合同的次数，自本法施行后续订固定期限劳动合同时开始计算。

本法施行前已建立劳动关系，尚未订立书面劳动合同的，应当自本法施行之日起一个月内订立。

本法施行之日存续的劳动合同在本法施行后解除或者终止，依照本法第四十六条规定应当支付经济补偿的，经济补偿年限自本法施行之日起计算；本法施行前按照当时有关规定，用人单位应当向劳动者支付经济补偿的，按照当时有关规定执行。

第九十八条 本法自2008年1月1日起施行。

后　记

2007年6月29日，十届全国人大常委会第二十八次会议审议通过了《劳动合同法》。劳动合同法是一部关系广大劳动者劳动权益的重要法律。2005年12月《劳动合同法(草案)》经十届全国人大常委会第十九次会议初次审议后，全国人大常委会办公厅将《劳动合同法(草案)》向社会公开征求意见，引起了社会的广泛关注和巨大反响。在公开征求意见的1个月时间内，广大人民群众和用人单位通过网络、报刊、来信等方式，共提出了意见和建议191,849条。全国人大常委会在充分吸收社会各方面意见的基础上，经过四次审议，历时一年半，终于表决通过了劳动合同法。这是继劳动法之后我国劳动关系领域又一部重要法律，是我国劳动法制建设史上又一个里程碑意义的法律。劳动合同法的制定，对于完善劳动合同制度，明确劳动合同双方当事人的权利和义务，保护劳动者的合法权益，构建和发展和谐稳定的劳动关系，必将发挥重要的作用，对我国经济社会发展，必将产生深远的影响。

为了配合劳动合同法的学习、宣传，帮助读者准确理解劳动合同法的立法原意和各项规定，保证劳动合同法的贯彻实施，全国人大常委会法制工作委员会行政法室参与劳动合同法立法工作的同志编写了这本书,供大家学习参考。本书由全国人大常委会法制工作委员会副主任信春鹰主编,行政法室主任李援、副主任张世诚任副主编。参加本书编写的有:李援、张世诚、杨兆业、童卫东、黄薇、刘海涛、郑全红、齐冰、黄海华、张晓莹、田林、曹阳、李辉等。本书修订工作由全国人大常委会法制工作委员会副主任阚珂主编,社会法室主任滕炜任副主编。参加修订编写工作的有:刘左军、陈佳林、吴晓华、曾萍、郑全红、蔡人俊、赵光、王瑞、母光栋等。

本书力求准确、详尽、通俗地阐释各条的内容。但因时间和水平有限,释义不妥和疏漏之处在所难免,敬请读者批评指正。